# Max Frisch
# Stücke

Band 2

Don Juan

oder Die Liebe zur Geometrie

Biedermann und die Brandstifter

Die große Wut des Philipp Hotz

Andorra

Suhrkamp Verlag

11.–14. Tausend 1964
© Max Frisch Stücke Band 2 1962
Suhrkamp Verlag Frankfurt am Main.
Die Copyrights der einzelnen Stücke sind jeweils
im Anhang angegeben.

Für Kurt Hirschfeld

# Don Juan
## oder Die Liebe zur Geometrie

*Komödie in fünf Akten*

## Erster Akt

*Vor dem Schloß*
*Nacht. Musik. Ein junger Mann schleicht die Treppe*
*hinauf, um von der Terrasse ins Schloß zu spähen.*
*Ein Pfau schreit. Da jemand auf die Terrasse kommt,*
*versteckt der junge Mann sich hinter einer Säule.*

Donna Elvira Don Juan? Don Juan?

Donna Inez Kein Mensch ist hier.

Donna Elvira Sein Schimmel steht im Stall.

Donna Inez Sie täuschen sich ganz gewiß, Donna Elvira. Was soll ein Mensch in dieser Finsternis? Mich fröstelt, und wenn dann noch die Pfauen kreischen, huh, mir geht's durch Mark und Bein, bevor ich es höre.

Donna Elvira Don Juan? Don Juan?

Donna Inez Palmen im Wind. Wie das Klingeln eines Degens an steinernen Stufen. Ich kenne das, Donna Elvira, ich höre das jede Nacht, und jedesmal, wenn ich ans Fenster trete: nichts als die Palmen im Wind.

Donna Elvira Er ist gekommen, das weiß ich, sein Schimmel steht im Stall...

*Sie verschwinden, und der junge Mann tritt aber-*
*mals vor, um zu spähen; er muß sich abermals hin-*
*ter eine Säule verstecken, von der anderen Seite kom-*
*men ein Greis und ein runder Pater.*

Tenorio Geduld! Sie haben leicht reden, Pater Diego. Und wenn der Lümmel überhaupt nicht kommt? Schon ist es Mitternacht. Geduld! Nehmen Sie meinen Sohn nicht in Schutz. Er hat kein Herz, ich sag's, genau wie seine Mutter. Kalt wie Stein. Mit zwanzig Jahren: Ich mache mir nichts aus Frauen! Und was das Schlimme ist, Pater Diego: er lügt nicht. Er sagt, was er denkt. Seine Geliebte, sagt er mir ins Gesicht, seine Geliebte sei die Geometrie. Was hat mir dieser Junge schon Sorge gemacht! Sie sagen es ja selbst, sein Name kommt in keiner Beichte vor. Und so etwas ist mein Sohn, mein einziger, mein Stammhalter! – mit zwanzig Jahren noch nie bei einem Weib gewesen, Pater Diego, können Sie sich das vorstellen?

Pater Diego  Haben Sie Geduld.

Tenorio  Sie kennen die Celestina –

Pater Diego  Scht.

Tenorio  – Spaniens berühmte Kupplerin, sie, die sogar Bischöfe zu ihren Kunden macht, aber nicht meinen Sohn, nicht meinen Sohn. Und was habe ich schon bezahlt! Und wenn er schon einmal im Bordell sitzt, so spielt er Schach. Ich habe es selbst gesehen. Schach!

Pater Diego  Leise, Vater Tenorio.

Tenorio  Macht sich nichts aus Frauen!

Pater Diego  Man kommt.

Tenorio  Der Junge bringt mich noch um, Sie werden sehen, Pater Diego, mit einem Herzschlag –

*Es kommt Don Gonzalo, der Komtur.*

Pater Diego  Ist er gekommen?

Don Gonzalo  Noch ist nicht Mitternacht.

Tenorio  Don Gonzalo, Komtur von Sevilla, denken Sie nicht schlecht von meinem Sohn. Don Juan ist mein einziger Sohn. Don Juan wird ein rührender Schwiegersohn sein, wenn er kommt, und ich kann nicht glauben, Komtur, daß er das Datum seiner Hochzeit einfach vergessen hat, ich kann's nicht glauben.

Don Gonzalo  Er hat einen langen Ritt, der junge Herr, und harte Tage hinter sich. Ich denke nicht schlecht von Ihrem Sohn, er hat sich trefflich geschlagen –

Tenorio  Ist das wahr?

Don Gonzalo  Ich schmeichle nicht, weil Sie zufällig sein Vater sind, ich melde bloß, was die vaterländische Historie nie bestreiten wird: Er war der Held von Cordoba.

| | |
|---|---|
| Tenorio | Ich hätte ihm das nicht zugetraut. |
| Don Gonzalo | Auch ich, Vater Tenorio, habe es ihm nicht zugetraut, offen gesprochen. Meine Spitzel gaben ein bedenkliches Bild von dem jungen Herrn. Er mache Witze, hieß es, sogar über mich. |
| Tenorio | Junge, Junge! |
| Don Gonzalo | Ich rief ihn in mein Zelt. Wozu, fragte ich unter vier Augen, wozu führen wir diesen Kreuzzug? Und wie er bloß lächelte, forschte ich weiter: Warum hassen wir die Heiden? |
| Tenorio | Was antwortete er? |
| Don Gonzalo | Er hasse die Heiden nicht. |
| Tenorio | Junge, Junge! |
| Don Gonzalo | Im Gegenteil, sagte er, wir könnten viel von den Heiden lernen, und wie ich ihn das nächste Mal traf, lag er unter einer Korkeiche und las ein Buch. Ein arabisches. |
| Tenorio | Geometrie, ich weiß, der Teufel hole die Geometrie. |
| Don Gonzalo | Ich fragte, wozu er das lese. |
| Tenorio | Was, um Gotteswillen, antwortete er? |
| Don Gonzalo | Er lächelte bloß. |
| Tenorio | Junge, Junge! |
| Don Gonzalo | Ich leugne nicht, Vater Tenorio, daß mich sein Lächeln oft ergrimmte. Es war ein ungeheuerlicher Befehl, als ich Ihren jungen Sohn nach Cordoba schickte, um die feindliche Festung zu messen; ich glaubte nicht, daß er es wagen würde. Ich wollte nur sehen, wie ihm sein Lächeln einmal vergeht. Und damit er mich ernstnehme. Am andern Morgen, als er in mein Zelt trat, unverwundet vom Scheitel bis zur Sohle, einen Zettel in der Hand, ich traute meinen Augen nicht, wie er mir die Länge der feindlichen Festung meldete – schwarz auf weiß: 942 Fuß. |
| Tenorio | Wie hat er das gemacht? |
| Don Gonzalo | Don Juan Tenorio! so sprach ich und umarmte ihn |

vor allen Offizieren, die dasselbe nie gewagt haben: Ich habe dich verkannt, aber von dieser Stunde an nenne ich dich meinen Sohn, Bräutigam meiner Anna, Ritter des Spanischen Kreuzes, Held von Cordoba!

*Musik erklingt.*

Tenorio  Wie hat er das gemacht?

Don Gonzalo  Ich fragte ihn auch.

Tenorio  Was antwortete er?

Don Gonzalo  Er lächelte bloß –

*Es erscheint Donna Elvira, Larven in der Hand.*

Donna Elvira  Die Maskerade hat begonnen! *Sie macht Tanzschritte zur Musik.* Drinnen tanzen sie schon.

Donna Elvira  »Ich bin die Frau
Und der Teich mit dem Mond dieser Nacht,
Du bist der Mann
Und der Mond in dem Teich dieser Nacht,
Nacht macht uns eins,
Gesicht gibt es keins,
Liebe macht blind,
Die da nicht Braut und Bräutigam sind.«

Pater Diego  Wir warten auf den Bräutigam.

Donna Elvira  Der Bräutigam ist da!

Tenorio  Mein Sohn?

Donna Elvira  Sein Schimmel steht im Stall. Ich habe ihn erst aus der Ferne gesehen, aber Ihr Sohn, Vater Tenorio, ist der zierlichste Reiter, der sich je von einem Schimmel geschwungen hat, hopp! und wie er auf die Füße springt, als habe er Flügel.

Don Gonzalo  Wo ist Donna Anna?

Donna Elvira  Ich bin die Mutter der Braut, aber ich komme mir bräutlicher vor als mein Kind. Wir sind die letzten ohne Larven. Hoffentlich hält er nicht mich für seine Braut! Auch du, mein Gemahl, mußt eine Larve nehmen, Brauch ist Brauch, und wenn ich bitten darf, es werden keine Namen mehr genannt, sonst hat die ganze Maskerade keinen Sinn.

*Es erscheint ein Paar in Larven.*

Sie   Und ob du's bist! Ich wette mein Leben, du bist's. Laß mich deine Hände sehen.

Er   Das muß ein Irrtum sein.

Sie   Kein Mann hat Hände so wie du!

Er   Man hört uns.

*Don Gonzalo und Tenorio ziehen ihre Larven an.*

Don Gonzalo   Gehen wir.

*Don Gonzalo und Tenorio entfernen sich.*

Donna Elvira   Ein Wort, Pater Diego!

*Das Larvenpaar küßt sich.*

Pater Diego   Wer ist dieses schamlose Paar? Ich kenne ihre Stimme. Wenn das nicht die Miranda ist!

Donna Elvira   Sie müssen sprechen mit ihr.

Pater Diego   Mit Miranda, der Dirne, hier im Schloß?

Donna Elvira   Mit Donna Anna.

*Das Larvenpaar küßt sich.*

Donna Elvira   Das arme Kind ist ganz verwirrt, sie will sich verstecken, Angst vor dem Mann, sie zittert an allen Gliedern, die Glückliche, seit sie weiß, daß er gekommen ist –

Pater Diego   – der zierlichste Reiter, der sich je von einem Schimmel geschwungen hat, hopp! und wie er auf die Füße springt, als habe er Flügel.

Donna Elvira   Diego?

Pater Diego   Weiter!

Donna Elvira   Wieso dieser finstere Blick?

Pater Diego   Wäre unsere spanische Kirche nicht so verbohrt in die Idee der Wohlfahrt, die bald einen Zehntel aller einlaufenden Almosen verschlingt, dann könnte auch unsereiner von einem Schimmel springen, Donna Elvira, anstatt von einem Maulesel zu rutschen.

Donna Elvira   Diego! –

Pater Diego   Weiter!

Donna Elvira   Ich habe nie geschworen, daß ich meine Untreue halte. Pater Diego! Wir wollen Freunde bleiben. Du scheinst zu vergessen, daß ich verheiratet bin, mein Lieber, und wenn ich mich je, was der Himmel verhüte, in einen Jüngling verliebe, so betrüge ich einzig und allein meinen Gemahl, nicht dich.

Pater Diego   Elvira —

Donna Elvira   Das, mein Freund, ein für allemal!

Pater Diego   Scht.

Donna Elvira   Gehen wir zu Donna Anna.

*Donna Elvira und Pater Diego entfernen sich, es bleibt das Larvenpaar, dazu der junge Mann hinter der Säule.*

Sie   Irrtum! — wie kannst du so reden? Dann wäre alles ein Irrtum, was es gibt zwischen Mann und Weib. Du meinst, ich kenne deinen Kuß nicht? Ich habe dich gefunden und erkannt. Warum gibst du's nicht zu? Du meinst, mit einer Larve kannst du mich täuschen. Muß ich meine Larve lösen, damit du mich erkennst? Man wird mich auf die Gasse werfen, wenn ich ohne Larve bin —

*Sie nimmt ihre Larve ab.*

Er   Miranda!?

Sie   Die Hure — ja: für sie.

Er   Wie kannst du es wagen —

Sie   Ich liebe dich. Ich habe es gewagt, ja, ich habe dich gefunden unter Hunderten. Ich liebe dich. Warum erschrickst du? Sie haben mich umarmt, aber es ist wie Wasser gewesen, das durch ein Sieb geht, alles, bis du mich gehalten hast mit deinen Händen. Warum schweigst du? Du hast keine Erfahrung mit Frauen, hast du gesagt, und ich habe gelacht, das hat dich verletzt, ich weiß, du hast mein Lachen mißdeutet — und dann haben wir Schach gespielt.

Er   Schach?

Sie   Da habe ich deine Hände entdeckt.

Er   Ich spiele nicht Schach.

Sie   Ich habe gelacht, weil du mehr ahnst als alle Männer
von Sevilla zusammen. Ich sah dich: vertieft in dein
Schach, der erste Mann, der den Mut hatte zu tun,
was ihn wirklich gelüstet, sogar im Freudenhaus.

Er   Ich heiße Don Roderigo.

Sie   Ausgerechnet!

Er   Was lachst du?

Sie   Don Roderigo! Du möchtest mich verhöhnen, ich verstehe, weil auch der mich umarmt hat. Don Roderigo,
ich kenne ihn und alle die andern, die sich nur durch
Namen unterscheiden, mich wundert oft, daß sie sich
selber nicht verwechseln. Einer wie der andere! Noch
wenn sie schweigen und umarmen, sind es Redens-
arten. Wie langweilig sie sind, Gesellen wie Don Roderigo, dein Freund. Du kannst nicht wissen, wie
anders du bist, drum sag ich es dir.

Er   Und wenn ich trotzdem Don Roderigo bin, wenn ich
es schwöre bei allem, was mir heilig ist?

Sie   Dann lache ich über alles, was einem Don Roderigo
heilig ist, und halte deine Hände. Ich habe sie erkannt. Laß sie mich küssen. Es sind die Hände, die
mich zu mir selber tragen, Hände, wie nur einer sie
hat, und der bist Du: – Don Juan!

Er   Don Juan?

*Sie küßt seine Hände.*

Dort kannst du ihn sehn!

*Er zeigt auf den jungen Mann, der jetzt hinter der
Säule, wo er sich versteckt gehalten hat, hervorgetreten
ist. Miranda sieht und schreit wie von einem Messer
getroffen. Im gleichen Augenblick kommt eine Polo-
naise von Larven, Hand in Hand, Miranda wird in die
Kette genommen und verschwindet mit den Larven.*

Don Roderigo  Juan, wo kommst du plötzlich her?

Don Juan  Hör zu.

Don Roderigo  Was treibst du dich im Park herum? Man erwartet dich, mein Freund, und alle fragen nach dem Bräutigam. Warum gehst du nicht hinein.

Don Juan  Wenn du mein Freund bist, Roderigo, ich bitte dich um einen Dienst, nicht der Rede wert, für dich ist's eine Kleinigkeit, für mich hängt alles dran. Ich fühle es so klar: Jetzt und hier, in dieser Nacht, wird sich entscheiden, was fortan unaufhaltsam wird. Ich weiß es seit einer Stunde, Roderigo, und kann nichts dazu tun. Ich nicht! Plötzlich hängt's an einem dummen Schimmel, Entscheidung über unser ganzes Leben, es ist entsetzlich. Willst du mir helfen, Roderigo?

Don Roderigo  Ich versteh kein Wort.

Don Juan  Hol mir den Schimmel aus dem Stall!

Don Roderigo  Wozu?

Don Juan  Ich muß fort, Roderigo.

Don Roderigo  Fort?

Don Juan  Noch bin ich frei – *Gelächter im Schloß; Don Juan nimmt seinen Freund an der Schulter und zieht ihn in den dunklen Vordergrund.* – Roderigo, ich habe Angst.

Don Roderigo  Du, der Held von Cordoba?

Don Juan  Laß diesen Unsinn!

Don Roderigo  Ganz Sevilla spricht von deinem Ruhm.

Don Juan  Ich weiß, sie glauben's im Ernst, ich habe mich nach Cordoba geschlichen, um die Festung zu messen, ich setze mein Leben aufs Spiel für ihren Kreuzzug.

Don Roderigo  Hast du das nicht getan?

Don Juan  Wofür hältst du mich?

Don Roderigo  Ich verstehe nicht...

Don Juan  Geometrie für Anfänger, Roderigo! Aber nicht einmal wenn ich es ihnen in den Sand zeichne, verstehen es die Herren, drum reden sie von Wunder und Gott im Himmel, wenn unsre Mörser endlich treffen, und werden bös, wenn ich lächle. *Er sieht sich angstvoll um.* Roderigo –

**Don Roderigo** Wovor hast du Angst?

**Don Juan** Ich kann sie nicht sehen!

**Don Roderigo** Wen?

**Don Juan** Ich habe keine Ahnung mehr, wie sie aussieht.

**Don Roderigo** Donna Anna?

**Don Juan** Keine Ahnung. Keine Ahnung... Ich bin geritten den ganzen Tag. Ich hatte Sehnsucht nach ihr. Ich ritt immer langsamer. Schon vor Stunden hätte ich hier sein können; als ich die Mauern von Sevilla sah, hockte ich an einer Zisterne, bis es dunkel wurde... Roderigo, laß uns redlich sein!

**Don Roderigo** Gewiß.

**Don Juan** Woher weißt du es, wen du liebst?

**Don Roderigo** Mein lieber Juan –

**Don Juan** Antworte!

**Don Roderigo** Ich begreife dich nicht.

**Don Juan** Ich begreife mich selbst nicht, Roderigo. Da draußen an der Zisterne mit dem Spiegelbild im schwarzen Wasser – du hast recht, Roderigo, es ist seltsam... Ich glaube, ich liebe. *Ein Pfau schreit.* Was war das? *Ein Pfau schreit.* Ich liebe. Aber wen?

**Don Roderigo** Donna Anna, deine Braut.

**Don Juan** Ich kann sie mir nicht vorstellen – plötzlich. *Eine Gruppe lustiger Larven huscht vorbei.*

**Don Juan** War sie dabei?

**Don Roderigo** Die Braut trägt keine Larve. Du bist von deinem Glück verwirrt, das ist alles, Juan. Laß uns hineingehen! Es ist Mitternacht vorbei.

**Don Juan** Ich kann nicht!

**Don Roderigo** Wo in aller Welt willst du denn hin?

**Don Juan** Fort!

**Don Roderigo** Zu deiner Geometrie?

| | |
|---|---|
| Don Juan | Wo ich weiß, was ich weiß: – ja ... Hier bin ich verloren. Als ich ums nächtliche Schloß ritt, sah ich im Fenster ein junges Weib: Ich hätte sie lieben können, die erste beste, jede, so gut wie meine Anna. |
| Don Roderigo | Vielleicht war sie's. |
| Don Juan | Vielleicht! Und darauf soll ich schwören, meinst du, wie ein Blinder, und jede kann kommen und sagen, sie sei's? |
| Don Roderigo | Still! |
| Don Juan | Du wirst mich nicht verraten, Roderigo, du hast mich nicht gesehen. |
| Don Roderigo | Wohin? |

*Don Juan schwingt sich über die Balustrade und verschwindet im finsteren Park. Don Roderigo zieht seine Larve wieder an, während Pater Diego und Donna Anna erscheinen, beide larvenlos.*

| | |
|---|---|
| Pater Diego | Hier, mein Kind, sind wir allein. |
| Donna Anna | Nein. |
| Pater Diego | Wieso nicht? |
| Donna Anna | Ein Mann –! |
| Don Roderigo | »Ich bin der Mann |

Und der Mond in dem Teich dieser Nacht,
Du bist die Frau
Und der Teich mit dem Mond dieser Nacht,
Nacht macht uns eins,
Gesicht gibt es keins,
Liebe macht blind,
Die da nicht Braut und Bräutigam sind.«
*Er verbeugt sich.*
Gott segne Donna Anna, die Braut!
*Don Roderigo entfernt sich.*

| | |
|---|---|
| Donna Anna | Vielleicht war er's? |
| Pater Diego | Der Bräutigam trägt keine Larve. |
| Donna Anna | Mir ist so bang. |
| Pater Diego | Kind! *Der Pfau schreit.* – Das ist der Pfau, mein |

Kind, kein Grund, daß du erschrickst. Er sucht nicht dich, der arme Pfau, seit sieben Wochen wirbt er mit dieser heiseren Stimme und schlägt sein buntes Rad immerzu, damit die Donna Pfau ihn erhöre. Aber ihr, so scheint es, ist bang wie dir, ich weiß nicht, wo sie sich versteckt... Was zitterst du?

Donna Anna   Ich liebe ihn ja – gewiß...

Pater Diego   Und dennoch willst du dich verstecken vor ihm? Vor dem zierlichsten Reiter, der sich je von einem Schimmel geschwungen hat, hopp! und wie er auf die Füße springt, als habe er Flügel. Frag deine Mama! Deine Mama schwört, es habe eine solche Gestalt noch nie gegeben, und wenn ich auch am Gedächtnis deiner Mama zweifeln und als Pater daran erinnern muß, daß eine schlanke Gestalt noch nicht alles ist, o nein, sondern daß es auch innere Werte gibt, die ein Weib oft übersieht, Vorzüge der Seele, die mehr wiegen als ein dreifaches Doppelkinn – was ich habe sagen wollen: Kein Zweifel, mein Kind, es wird ein schlanker Jüngling sein, was jeden Augenblick, stolz wie ein Pfau, vor dir erscheinen soll – *Donna Anna will fliehen.* Bleib! *Er zieht sie auf die Bank zurück.* Wohin denn?

Donna Anna   Ich werde in Ohnmacht fallen.

Pater Diego   Dann wird er dich halten, bis du erwachst, mein Kind, in seinem Arm, und alles wird gut sein.

Donna Anna   Wo ist er?

Pater Diego   Im Schloß, denke ich. Er sucht seine Braut, wie es Brauch ist... Die Heiden nannten es die Wilde Nacht. Ein wüster Brauch, sagt der Chronist; jedes paarte sich mit jedem, wie es sie gerade gelüstete, und niemand wußte in dieser Nacht, wen er umarmte. Denn alle trugen eine gleiche Larve und waren, so vermutet der Chronist, splitternackt, Männlein und Weiblein. Splitternackt. So war es bei den Heiden –

| | |
|---|---|
| Donna Anna | Da kommt jemand! |
| Pater Diego | Wo? |
| Donna Anna | Es tönte so. |
| Pater Diego | Palmen im Wind ... |
| Donna Anna | Ich bitte um Verzeihung, Pater Diego. |
| Pater Diego | So war es bei den Heiden, jedes paarte sich mit jedem, doch das ist lange her. – Die Christen nannten es die Nacht des Erkennens, und alles bekam einen frommen Sinn. Braut und Bräutigam waren fortan die einzigen, die sich in dieser Nacht umarmen durften, gesetzt, daß sie einander erkannten aus allen Larven heraus: kraft ihrer wahren Liebe. Ein schöner Sinn, ein würdiger Sinn, nicht wahr? |
| Donna Anna | Ja. |
| Pater Diego | Nur hat es sich leider nicht bewährt, sagt der Chronist, solange Braut und Bräutigam noch eine Larve trugen wie alle andern. Es gab, sagt der Chronist, zuviel Verwechslungen ... Warum hörst nicht zu? |
| Donna Anna | Es kommt jemand! |
| | *Donna Elvira kommt aus dem Schloß.* |
| Donna Elvira | Pater Diego! |
| Pater Diego | Was ist geschehn? |
| Donna Elvira | Kommen Sie! Aber geschwind! Kommen Sie! |
| | *Pater Diego folgt dem Alarm, und Donna Anna sitzt plötzlich allein in der Nacht. Der Pfau wiederholt seinen heiseren Schrei. Plötzlich von Grausen gepackt flieht sie über die gleiche Balustrade wie Don Juan zuvor und verschwindet im finstern Park, um ihm zu entgehen. Donna Elvira kommt zurück.* |
| Donna Elvira | Anna! Wo ist sie denn? Anna! |
| | *Pater Diego kommt zurück.* |
| Pater Diego | Natürlich ist sie eine Dirne, Miranda heißt sie, jedermann kennt ihren Namen, ein armes Geschöpf, das hier nichts zu suchen hat. Natürlich gehört sie auf die Gasse. *Er sieht die leere Bank.* Wo ist Donna Anna? |

| | |
|---|---|
| Donna Elvira | Anna? Anna! |
| Pater Diego | Sie wird schon drinnen sein ... |

*Donna Elvira und Pater Diego gehen hinein, Stille, der Pfau wiederholt seinen heiseren Schrei.*

## Intermezzo

*Vor dem Zwischenvorhang erscheinen Celestina und Miranda.*

Celestina  Heul nicht! sag ich. Und red mir keinen Kitsch. Wenn du nicht weißt, was sich gehört für eine Dirne: hier ist dein Bündel.

Miranda  Celestina?

Celestina  Du triefst ja von Seele.

Miranda  Celestina, wo soll ich denn hin?

Celestina  Verliebt! Und du wagst dich unter meine Augen? Verliebt in einen einzelnen Herrn. – Hier ist dein Bündel, und damit basta! ... Hab ich euch nicht immer und immer gewarnt: Laßt eure Seel aus dem Spiel? Ich kenne das Schlamassel der wahren Liebe. Wie sonst käme ich dazu, meinst du, ein Bordell zu führen? Ich kenne das Geschluchz, wenn's an die Seele geht. Einmal und nie wieder! Das hab ich mir geschworen. Bin ich nicht wie eine Mutter zu euch? Ein Geschöpf wie du, Herrgott, schön und verkäuflich, plötzlich wimmerst du wie ein Tier und schwatzest wie ein Fräulein: Seine Hände! Seine Nase! Seine Stirn! Und was hat er noch, dein Einziger? So sag es schon. Seine Zehen! Seine Ohrläppchen! Seine Waden! So sag es schon: Was hat er andres als alle die andern? Aber ich hab's ja kommen sehen, diese verschlagenen Augen schon seit Wochen – diese Innerlichkeit!

Miranda  O Celestina, er ist nicht wie alle.

Celestina  Hinaus!

Miranda  O Celestina –

Celestina  Hinaus! sage ich. Zum letzten Mal. Ich dulde keinen Kitsch auf meiner Schwelle. Verliebt in eine Persönlichkeit! das hat mir noch gefehlt. Und das wagst du mir ins Gesicht zu sagen, mir, Spaniens führender Kupplerin: Du liebst eine Persönlichkeit?

Miranda  Ja, Gott steh mir bei.

Celestina  *sprachlos*

Miranda  Ja.

Celestina  So dankst du mir für deine Erziehung.

Miranda  O Celestina –

Celestina  O Celestina, o Celestina! Du kannst dich lustig machen über mich, meinst du, mitten in der Nacht? Du kannst mich belügen wie einen Mann, das meinst du? Gott steh dir bei, ja, du hast es nötig; denn ich steh dir nicht bei, so wahr ich Celestina heiße. Ich weiß, was ich meinem Namen schuldig bin. Wozu denn, meinst du, kommen die Herren zu uns? Damit du dich verliebst, damit du sie unterscheidest? Ich sag's euch Tag für Tag: Mädchen gibt's auch draußen, Frauen von jeglichem Alter und von jeglicher Bereitschaft, verheiratete, unverheiratete, was einer nur will. Also wozu kommen sie hierher? Ich will es dir sagen, mein Schätzchen: Hier, mein Schätzchen, erholt sich der Mann von seinen falschen Gefühlen. Das nämlich ist's, wofür sie zahlen mit Silber und Gold. Was hat Don Octavio gesagt, der weise Richter, als sie mein Haus haben schließen wollen? Laßt mir die brave Hurenmutter in Ruh! hat er gesagt, und zwar öffentlich: Solang wir eine Belletristik haben, die so viele falsche Gefühle in die Welt setzt, kommen wir nicht umhin – nicht umhin! hat er gesagt, und das heißt: ich bin staatlich geschützt. Meinst du, ich wäre staatlich geschützt, wenn ich etwas Ungehöriges zuließe? Ich verkaufe hier keine Innerlichkeit. Verstanden? Ich verkaufe keine Mädchen, die innen herum von einem andern träumen. Das, mein Schätzchen, haben unsre Kun-

den auch zuhaus! – Nimm dein Bündel, sag ich, und
verschwinde.

Miranda  Was soll ich tun?

Celestina  Heirate.

Miranda  Celestina –

Celestina  Du verdienst es. Heirate! Du hättest eine großartige
Dirne sein können, die beste zur Zeit, gefragt und
verwöhnt. Aber nein! lieben mußt du. Bitte! Eine
Dame willst du sein. Bitte! Du wirst noch an uns
denken, mein Schätzchen, wenn es zu spät ist. Eine
Dirne verkauft nicht ihre Seele –

Miranda  *schluchzt.*

Celestina  Ich habe dir gesagt, was ich denke. Heul nicht auf
meiner Schwelle herum, wir sind ein Freudenhaus.
*Celestina geht.*

Miranda  Ich liebe . . .

## Zweiter Akt

*Saal im Schloß*
*Donna Anna sitzt als Braut gekleidet, umringt von*
*geschäftigen Frauen, Donna Inez kämmt die Braut.*

Donna Inez  Laßt es genug sein! Ich stecke den Schleier allein, ich bin die Brautführerin. Nur den Spiegel brauchen wir noch. *Die Frauen entfernen sich.* Wieso ist dein Haar so feucht? Das läßt sich kaum kämmen, so feucht. Sogar Erde ist drin. Wo bist du gewesen? Und Gras...

Donna Anna  *schweigt gradaus.*

Donna Inez  Anna?

Donna Anna  Ja.

Donna Inez  Du mußt erwachen, meine Liebe, deine Hochzeit ist da. Sie läuten schon die Glocken, hörst du nicht? Und die Leute, sagt Roderigo, stehen schon auf allen Balkonen, es wird eine Hochzeit geben, wie Sevilla noch keine erlebt hat, meint er...

Donna Anna  Ja.

Donna Inez  Du sagst Ja, als gehe dich alles nichts an.

Donna Anna  Ja.

Donna Inez  Schon wieder Gras! Ich möchte bloß wissen, wo du gewesen bist in deinem Traum... *Sie kämmt, dann nimmt sie den Spiegel zur Hand.* Anna, ich hab ihn gesehen!

Donna Anna  Wen?

Donna Inez  Durchs Schlüsselloch. Du fragst: wen? Wie ein gefangener Tiger geht er hin und her. Einmal blieb er plötzlich stehen, zog seine Klinge und betrachtete sie. Wie vor einem Duell. Aber ganz in Weiß, Anna, ganz in schillernder Seide.

Donna Anna  Wo bleibt der Schleier?

| | |
|---|---|
| Donna Inez | Ich sehe euch schon, und wie sie dann deinen Schleier heben, der schwarz ist wie die Nacht, und der Pater wird fragen: Don Juan, erkennest du sie? Donna Anna, erkennest du ihn? |
| Donna Anna | Und wenn wir uns nicht erkennen? |
| Donna Inez | Anna! |
| Donna Anna | Gib mir den Schleier. |
| Donna Inez | Erst schau dich im Spiegel! |
| Donna Anna | Nein. |
| Donna Inez | Anna, du bist schön. |
| Donna Anna | Ich bin glücklich. Wäre es schon wieder Nacht! Ich bin eine Frau. Sieh unsre Schatten an der Mauer, hat er gesagt, das sind wir: ein Weib, ein Mann! Es war kein Traum. Schäme dich nicht, sonst schäme ich mich auch! Es war kein Traum. Und wir haben gelacht, er nahm mich und fragte keinen Namen, er küßte meinen Mund und küßte, damit auch ich nicht fragte, wer er sei, er nahm mich und trug mich durch den Teich, ich hörte das Wasser um seine watenden Beine, das schwarze Wasser, als er mich trug – |
| Donna Inez | Dein Bräutigam? |
| Donna Anna | Er und kein andrer wird mein Bräutigam sein, Inez. Das ist alles, was ich weiß. Er und kein andrer. Ich werde ihn erkennen in der Nacht, wenn er mich erwartet am Teich. Kein andrer Mann in der Welt hat je ein Recht auf mich. Er ist mir vertrauter, als ich es mir selber bin. |
| Donna Inez | Still! |
| Donna Anna | O, wäre es schon Nacht! |
| Donna Inez | Sie kommen. |
| Donna Anna | Gib mir den Schleier! |
| | *Es kommen Don Gonzalo und Pater Diego.* |
| Don Gonzalo | Die Stunde ist da. Ich bin kein Mann der blühenden Rede. Was ein Vater empfinden muß an diesem Tag, mein Kind, laß es dir sagen mit diesem Kuß. |

Pater Diego  Wo bleibt der Schleier?

Donna Inez  Sogleich.

Pater Diego  Macht euch bereit, macht euch bereit!
*Donna Inez und Donna Anna entfernen sich.*

Pater Diego  Wir sind allein. Worum handelt es sich? Sprechen Sie ganz offen, Komtur. Warum sollen wir einander nicht verstehen, ein Ehemann und ein Mönch? *Sie setzen sich.* Nun?

Don Gonzalo  – wie gesagt, wir ritten also in die Burg von Cordoba, wo Muhamed mich empfing, der Heidenfürst, weinend über seine Niederlage, und die Höflinge ringsum weinten ebenfalls. Dies alles, sagte Muhamed, gehört Euch, Held der Christen, nehmt es und genießt es! Ich staunte über soviel Pracht; Paläste gibt es da, wie ich sie im Traum noch nie gesehen habe, Säle mit glimmernden Kuppeln darüber, Gärten voll Wasserkunst und Duft der Blumen, und Muhamed selbst, neuerdings weinend, gab mir den Schlüssel zu seiner Bibliothek, die ich sofort verbrennen ließ.

Pater Diego  Hm.

Don Gonzalo  Und hier, sagte Muhamed, indem er neuerdings weinte, hier ist mein Harem gewesen. Die Mädchen weinten ebenfalls. Es duftete seltsam nach Gewürzen. Dies alles, sagte er, gehört Euch, Held der Christen, nehmt es und genießt es!

Pater Diego  Hm.

Don Gonzalo  Es duftete seltsam nach Gewürzen.

Pater Diego  Das sagten Sie schon.

Don Gonzalo  Nehmt es und genießt es! sagte er –

Pater Diego  Wie viele waren's?

Don Gonzalo  Mädchen?

Pater Diego  Ungefähr.

Don Gonzalo  Sieben oder neun.

Pater Diego  Hm.

Don Gonzalo    Ich möchte nicht einer heiligen Trauung beiwohnen, Pater Diego, ohne vorher gebeichtet zu haben.

Pater Diego    Ich verstehe.

Don Gonzalo    Nämlich es handelt sich um meine Ehe.

Pater Diego    Sie erschrecken mich.

Don Gonzalo    Siebzehn Jahre habe ich die Treue gewahrt –

Pater Diego    Das ist berühmt. Ihre Ehe, Don Gonzalo, ist die einzige vollkommene Ehe, die wir den Heiden da drüben zeigen können. Die Heiden mit ihrem Harem haben es leicht, Witze zu machen über unsere Skandale in Sevilla. Ich sage immer: Wenn Spanien nicht einen Mann hätte wie Sie, Komtur, als Vorbild der spanischen Ehe – Doch sprechen Sie weiter!

Don Gonzalo    Das alles, sagte er, gehört Euch –

Pater Diego    Nehmt es und genießt es!

Don Gonzalo    Ja –

Pater Diego    Es duftete seltsam.

Don Gonzalo    Ja –

Pater Diego    Weiter!

Don Gonzalo    Die Mädchen verstehen bloß arabisch, sonst wäre es nie so weit gekommen; als sie mich entkleideten, wie sollte ich ihnen erklären, daß ich verheiratet bin und was das bedeutet für unsereinen?

Pater Diego    Die Mädchen entkleideten Sie?

Don Gonzalo    So hat Muhamed sie gelehrt.

Pater Diego    Weiter.

Don Gonzalo    Pater Diego, ich habe eine Sünde begangen.

Pater Diego    Ich höre.

Don Gonzalo    Eine Sünde im Geist.

Pater Diego    Wieso im Geist?

Don Gonzalo    Ich habe die Treue verflucht!

Pater Diego    Und dann?

Don Gonzalo    Verflucht die siebzehn Jahre der Ehe!

Pater Diego    Aber was haben Sie getan?

Don Gonzalo    Getan –

| | |
|---|---|
| Pater Diego | Zittern Sie nicht, Don Gonzalo, reden Sie offen; der Himmel weiß es ohnehin. |
| Don Gonzalo | Getan – |
| Pater Diego | Wir alle sind Sünder. |
| Don Gonzalo | Getan habe ich nichts. |
| Pater Diego | Warum nicht? |
| | *Auftreten in festlichen Gewändern: Donna Elvira, Tenorio, Don Roderigo, die drei Vettern und allerlei Mädchen, Weihrauchknaben, Posaunenbläser.* |
| Donna Elvira | Mein Gemahl! Man ist bereit. Mit Weihrauch und Posaunen wie vor siebzehn Jahren! Man möchte noch einmal jung sein – |
| Don Gonzalo | Wo ist der Bräutigam? |
| Donna Elvira | Ich finde ihn herrlich! |
| Don Gonzalo | Ich fragte, wo er ist. |
| Don Roderigo | Don Juan, mein Freund, bittet um Nachsicht, daß er gestern nacht das große Fest versäumte. Müde wie er war von seinem langen Ritt, so sagt er, habe er ein Weilchen ruhen wollen, bevor er sich den Schwiegereltern zeigte und der Braut. Und so, sagt er, sei es gekommen, daß er die Nacht im Park verschlief, bis ihn die Hähne weckten. Das ist's, was ich bestellen soll. Er ist verwirrt. Er getraut sich nicht zu seiner Hochzeit zu erscheinen, wenn ich ihm nicht versichern kann, daß ihm sein Schlaf im Park verziehen ist. |
| Donna Elvira | Er getraut sich nicht! Er ist der artigste Bräutigam, der mir je begegnet ist. Ich wüßte nichts, was ich ihm nicht verzeihen möchte. *Don Roderigo verbeugt sich und geht.* Ich habe ihn in der Loggia überrascht, ich kam von hinten. Warum er seine Fingernägel beiße, fragte ich ihn, und er starrte mich bloß an. Donna Anna? fragte er verwirrt, als wäre ich seine Braut, als könne er sich nicht besinnen, wie sie aussieht. Als wäre ich seine Braut! Er grüßte nicht einmal, als ich |

|              | meinen Rock raffte und ging, sondern starrte mir bloß nach; ich sah es im Spiegel. So benommen ist er, so ganz und gar in sich gekehrt – |

Tenorio Das will ich hoffen.

Donna Elvira – wie vor einer Hinrichtung.

*Posaunen ertönen, Don Roderigo kommt mit Don Juan.*

Tenorio Mein Sohn!

Don Juan Mein Papa.

Tenorio Die Sitte will es, daß ich ein paar Worte sage, obschon mir fast das Herz bricht, Gott weiß es, denn zum ersten Mal sehe ich dich als Bräutigam – zum ersten Mal, meine verehrten Freunde verstehen schon, was ich sagen möchte: zum ersten und hoffentlich, mein Sohn, zum letzten Mal...

Donna Elvira Wir verstehen.

Tenorio Die Sitte will es –

Pater Diego Machen Sie es kurz.

Tenorio Geb's Gott! Geb's Gott!

Don Juan *kniet nieder und läßt sich segnen.*

Donna Elvira Wie süß er kniet.

Pater Diego Was sagen Sie?

Donna Elvira Wie süß er kniet.

Don Juan *erhebt sich.*

Don Gonzalo Mein Sohn!

Don Juan Mein Schwiegervater.

Don Gonzalo Auch ich bin kein Mann der blühenden Rede, aber was ich sage, kommt von Herzen, und drum fasse ich mich kurz.

Don Juan *kniet neuerdings nieder.*

Don Gonzalo Die Stunde ist da –

Donna Elvira Mehr wird ihm nicht einfallen, Pater Diego, lassen Sie die Posaunen blasen, ich kenne ihn, mehr wird ihm nicht einfallen.

Don Gonzalo Die Stunde ist da –

Tenorio  Geb's Gott!

Don Gonzalo  Geb's Gott!

*Die beiden Väter umarmen einander, Posaunen er-*
*tönen, es erscheint die verschleierte Braut, von Donna*
*Inez geführt; eine schöne Zeremonie endet damit,*
*daß Don Juan, seidenweiß, und die Braut, seiden-*
*weiß mit schwarzem Schleier, einander gegenüber-*
*stehen, zwischen ihnen der Pater, alle übrigen knien.*

Pater Diego  »Herr, wer darf Gast sein in deinem Zelte?
Wer darf weilen auf deinem heiligen Berge?
Der unsträflich wandelt und Gerechtigkeit übt
und die Wahrheit redet von Herzen;
der Wort hält, auch wenn er sich zum Schaden
geschworen.
Wer das tut, wird nimmer wanken.« Amen. –
*Posaunen*

Pater Diego  Du: Donna Anna, Tochter des Don Gonzalo von
Ulloa, Komtur von Sevilla. Und du: Don Juan, Sohn
des Tenorio, Bankier von Sevilla. Ihr beide, gekleidet als Braut und Bräutigam, gekommen aus dem
freien Entschluß eurer Herzen, willens, die Wahrheit
zu sprechen vor Gott, eurem Schöpfer und Herrn,
antwortet mit klarer und voller Stimme auf die Frage,
so ich euch stelle im Angesicht des Himmels und der
Menschen, auf daß sie eure Zeugen sind auf Erden:
Erkennet ihr euch von Angesicht zu Angesicht? *Donna*
*Anna wird entschleiert.* Donna Anna, erkennest du
ihn? Antworte.

Donna Anna  Ja!

Pater Diego  Antworte, Don Juan, erkennest du sie?

Don Juan  *schweigt wie versteinert.*

Pater Diego  Antworte, Don Juan, erkennest du sie?

Don Juan  Ja... allerdings... o ja!
*Posaunen*

Pater Diego  So antwortet denn auf die andere Frage.

| | |
|---|---|
| Donna Elvira | Wie erschüttert er ist! |
| Pater Diego | Da ihr euch also erkennt, Donna Anna und Don Juan, seid ihr entschlossen und bereit, einander die Hand zu reichen zum ewigen Bündnis der Ehe, die euch behüte, auf daß nicht Satan, der gefallene Engel, das himmlische Wunder der Liebe verwandle in irdische Pein: seid ihr also bereit zu geloben, daß keine andere Liebe je in eurem Herzen sein soll, solang ihr lebt, denn diese, die wir weihen im Namen des Vaters, des Sohnes, des Heiligen Geistes. *Alle bekreuzigen sich.* Ich frage dich, Donna Anna. |
| Donna Anna | Ja! |
| Pater Diego | Ich frage dich, Don Juan. |
| Don Juan | – – – Nein. |
| | *Posaunen* |
| Pater Diego | So lasset uns beten. |
| Don Juan | Ich sage: Nein. *Der Pater beginnt zu beten.* Nein! *Alle Knienden beginnen zu beten.* Ich habe gesagt: Nein. *Das Gebet verstummt.* Ich bitte Sie, Freunde, erheben Sie sich. |
| Don Gonzalo | Was sagt er? |
| Tenorio | Junge, Junge! |
| Don Gonzalo | Nein – sagt er? |
| Don Juan | Ich kann nicht. Unmöglich. Ich bitte um Entschuldigung ... Warum erhebt ihr euch denn nicht? |
| Pater Diego | Was soll das heißen? |
| Don Juan | Ich sag es ja: Ich kann das nicht schwören. Unmöglich. Ich kann nicht. Wir haben einander umarmt in dieser Nacht, natürlich erkenne ich sie – |
| Don Gonzalo | Was sagt er? |
| Don Juan | Natürlich erkennen wir uns. |
| Don Gonzalo | Umarmt? sagt er. Umarmt? |
| Don Juan | Davon wollte ich nicht sprechen ... |
| Donna Anna | Es ist aber die Wahrheit. |
| Pater Diego | Weg, ihr Buben, weg mit dem Weihrauch! |

| | |
|---|---|
| Don Juan | Wir trafen einander im Park. Zufällig. Gestern in der Finsternis. Und auf einmal war alles so natürlich. Wir sind geflohen. Beide. Aber im Finstern, da wir nicht wußten, wer wir sind, war es ganz einfach. Und schön. Und da wir uns liebten, haben wir auch einen Plan gemacht – jetzt kann ich es ja verraten: Heute nacht, beim Teich, wollten wir uns wiedersehen. Das war unser Schwur. Und ich wollte das Mädchen entführen. |
| Don Gonzalo | Entführen? |
| Don Juan | Ja. |
| Don Gonzalo | Meine Tochter? |
| Don Juan | Ich hatte wirklich keine Ahnung, Don Gonzalo, daß sie es ist – |
| Don Gonzalo | Hast du verstanden, Elvira? |
| Donna Elvira | Besser als du. |
| Don Juan | Wäre ich nicht so sonderbar müde gewesen, so daß ich bis zum Morgengrauen schlief, Ehrenwort, ich hätte euch diese große Veranstaltung erspart. Was sollte ich tun? Es war zu spät. Ich hörte die Posaunen und wußte keinen andern Rat, ich dachte: Ich werde einen Meineid schwören. Entrüstet euch, ja, so stehe ich da: Ich nehme eure Hochzeit als Spiel, so dachte ich, und dann in der Nacht, wenn es abermals dunkel ist... *Er starrt auf Donna Anna:* – Gott weiß es, darauf war ich nicht gefaßt! |
| Pater Diego | Worauf? |
| Don Juan | Daß du es bist. |
| Tenorio | Junge, Junge! |
| Don Juan | Nur wegen Weihrauch und Posaunen, Papa, kann ich nicht schwören, was ich nicht glaube, und ich glaube mir selbst nicht mehr. Ich weiß nicht, wen ich liebe. Ehrenwort. Mehr kann ich nicht sagen. Das beste wird sein, man läßt mich gehen, je rascher um so besser. *Er verneigt sich.* – Ich selber bin bestürzt. |
| Don Gonzalo | Verführer! |

Don Juan *will gehen.*

Don Gonzalo Nur über meine Leiche! *Er zieht den Degen.* Nur über meine Leiche!

Don Juan Wozu?

Don Gonzalo Nur über meine Leiche!

Don Juan Das ist nicht Ihr Ernst.

Don Gonzalo Fechten Sie!

Don Juan Ich denke nicht daran.

Don Gonzalo Sie kommen nicht aus diesem Haus, so wahr ich Don Gonzalo heiße, nur über meine Leiche!

Don Juan Ich möchte aber nicht töten.

Don Gonzalo Nur über meine Leiche!

Don Juan Was ändert das? *Er wendet sich nach der andern Seite.* Ihr Gemahl, Donna Elvira, möchte mich zu seinem Mörder machen; gestatten Sie mir einen anderen Ausgang! *Er verbeugt sich vor Donna Elvira, indem er sich nach der andern Seite entfernen will, aber in diesem Augenblick haben auch die drei Vettern ihre Klingen gezogen, und er sieht sich umstellt.* Wenn das euer Ernst ist –

Don Gonzalo Tod dem Verführer!

Die Drei Tod!

Don Juan *zieht seinen Degen.*

Die Drei Tod dem Verführer!

Don Juan Ich bin bereit.

Donna Elvira Halt!

Don Juan Ich fürchte mich nicht vor Männern.

Donna Elvira Halt! *Sie tritt dazwischen.* Vier gegen einen! Und kaum wissen wir, warum der Jüngling so verwirrt ist. Seid ihr von Sinnen? Ich bitte um Verstand. Und zwar sofort! *Die Klingen werden gesenkt.* Pater Diego, warum sagen Sie denn kein Wort?

Pater Diego Ich –

Don Juan Was soll der Pater schon sagen? Er versteht mich am allerbesten. Wieso hat er denn nicht geheiratet?

Pater Diego  Ich?

Don Juan  Zum Beispiel Donna Elvira?

Pater Diego  Bei Gott –

Don Juan  Er nennt es Gott, ich nenne es Geometrie; jeder Mann hat etwas Höheres als das Weib, wenn er wieder nüchtern ist.

Pater Diego  Was soll das heißen?

Don Juan  Nichts.

Pater Diego  Was soll das heißen?

Don Juan  Ich weiß, was ich weiß. Man reize mich nicht! Ich weiß nicht, ob der Komtur es weiß.

Tenorio  Junge, Junge!

Don Juan  Es bricht dir das Herz, Papa, ich weiß, das sagst du schon seit dreizehn Jahren, es würde mich nicht wundern, Papa, wenn du eines Tages stirbst. *Zu den Vettern:* Fechten wir nun oder fechten wir nicht?

Donna Elvira  Lieber Juan –

Don Juan  Ich bin Kavalier, Donna Elvira, ich werde eine Dame nicht bloßstellen. Seien Sie getrost. Aber ich lasse mich nicht zum Dummen machen, bloß weil ich jung bin.

Donna Elvira  Mein lieber Juan –

Don Juan  Was will man von mir?

Donna Elvira  Antwort auf eine einzige Frage. *Zu den Vettern:* Steckt eure Klingen ein, ich warte darauf. *Zu Don Gonzalo:* Du auch! *Die Vettern stecken ihre Klingen ein...* Don Juan Tenorio, Sie sind gekommen, um Anna zu heiraten, Ihre Braut.

Don Juan  Das war gestern.

Donna Elvira  Ich verstehe Sie, plötzlich hatten Sie eine Scheu. Wie Anna auch. Sie flohen in den Park. Wie Anna auch. Sie hatten Scheu vor der Erfüllung. War es nicht so? Dann aber, in der Finsternis, fandet ihr euch, ahnungslos, wer ihr seid, und es war schön.

Don Juan  Sehr.

| | |
|---|---|
| Donna Elvira | Namenlos. |
| Don Juan | Ja. |
| Donna Elvira | Sie wollten die Braut, die Sie betrogen, nicht heiraten. Sie wollten mit dem Mädchen fliehen, mit dem andern, Sie wollten es entführen – |
| Don Juan | Ja. |
| Donna Elvira | Warum tun Sie es nicht? |
| Don Juan | Warum – |
| Donna Elvira | Sehen Sie denn nicht, wie das Mädchen Sie erwartet, Sie und keinen andern, wie es strahlt, daß Sie, der Bräutigam und der Entführer, ein und derselbe sind? |
| Don Juan | Ich kann nicht. |
| Donna Elvira | Warum? |
| Don Gonzalo | Warum! Warum! Hier gibt es kein Warum! *Er hebt neuerdings die Klinge.* Tod dem Schänder meines Kindes! |
| Donna Elvira | Mein Gemahl – |
| Don Gonzalo | Fechten Sie! |
| Donna Elvira | Mein Gemahl, wir sind in einem Gespräch. |
| Don Juan | Ich kann nicht. Das ist alles, was ich sagen kann. Ich kann nicht schwören. Wie soll ich wissen, wen ich liebe? Nachdem ich weiß, was alles möglich ist – auch für sie, meine Braut, die mich erwartet hat, mich und keinen andern, selig mit dem ersten besten, der zufällig ich selber war ... |
| Don Gonzalo | Fechten Sie! |
| Don Juan | Wenn Sie es nicht erwarten können, Ihr marmornes Denkmal, fangen Sie an! *Er lacht.* Sie werden mir unvergeßlich bleiben, Held der Christen, wie Sie im Harem von Cordoba standen. Nehmt und genießt! Ich habe Sie gesehen ... Fangen Sie an! – ich bin sein Zeuge: die maurischen Mädchen haben alles versucht, um ihn zu versuchen, unseren Kreuzritter der Ehe, aber vergeblich, ich schwör's, ich habe ihn gesehen, so bleich und splitternackt, seine Hände haben ge- |

zittert, der Geist war willig, doch das Fleisch war schwach ... Fangen Sie an!

Don Gonzalo *läßt den Degen fallen.*

Don Juan Ich bin bereit.

Donna Elvira Juan –

Don Juan Am besten, ich sagte es gleich, man läßt mich gehen; ich fühle, meine Höflichkeit läßt nach. *Er steckt die Klinge zurück.* Ich werde Sevilla verlassen.

Donna Anna Juan –

Don Juan Lebwohl! *Er küßt Donna Anna die Hand.* Ich habe dich geliebt, Anna, auch wenn ich nicht weiß, wen ich geliebt habe, die Braut oder die andere. Ich habe euch beide verloren, beide in dir. Ich habe mich selbst verloren. *Er küßt nochmals ihre Hand.* Lebwohl!

Donna Anna Lebwohl –

*Don Juan entfernt sich.*

Donna Anna Vergiß nicht, Juan: am Teich, wenn es Nacht ist – heute – wenn es Nacht ist – Juan? – Juan! ...

*Donna Anna geht ihm nach.*

Pater Diego So läßt man diesen Frevler einfach ziehen?

Don Gonzalo Der Himmel zerschmettere ihn!

Pater Diego Das kann auch ein Pater sagen. Der Himmel!

Don Gonzalo Verfolgt ihn! Los! Umzingelt den Park! Los! Laßt alle Hunde von der Kette und umzingelt den Park! Los, ihr alle, los!

*Es bleiben Donna Elvira und Tenorio.*

Tenorio Es bricht mir das Herz, Donna Elvira, wenn ich sehe, wie mein Sohn sich benimmt.

Donna Elvira Ich finde ihn herrlich.

Tenorio Wie stehe ich da?

Donna Elvira Das ist es, Vater Tenorio, was in diesem Augenblick uns alle, glauben Sie mir, am mindesten beschäftigt.

Tenorio Mein eignes Fleisch und Blut: mit Hunden gehetzt! Und dabei glaube ich es nicht einmal, daß er eure Tochter verführt hat, einer, der sich so wenig aus

den Frauen macht wie mein Sohn. Ich kenne ihn!
Am Ende ist es nur ein Lug und Trug, damit er wie-
der zu seiner Geometrie kommt, herzlos wie er ist.
Nicht einmal wundern würde es ihn, wenn ich eines
Tages stürbe – Sie haben es gehört – nicht einmal
wundern!

*Man hört Hundegebell, Pater Diego kommt zurück.*

Pater Diego    Auch Sie, Vater Tenorio, los!

*Donna Elvira bleibt allein.*

Donna Elvira    Ich finde ihn herrlich!

*Don Juan stürzt herein.*

Don Juan    Niedermachen werde ich sie, die ganze Meute, ich
heirate nicht, niedermachen werde ich sie.

Donna Elvira    Komm!

Don Juan    Wohin?

Donna Elvira    In meine Kammer –

*Tenorio kommt mit gezücktem Degen und sieht, wie
Don Juan und Donna Elvira einander umarmen und
in die Kammer fliehen.*

Tenorio    Junge, Junge!

*Es kommen die Verfolger mit blanken Klingen und
mit einer Meute wilder Hunde, die an den Leinen
reißen.*

Don Gonzalo    Wo ist er?

Tenorio    *greift an sein Herz.*

Don Gonzalo    Los! Umzingelt den Park!

*Die Verfolger stürzen davon.*

Tenorio    Ich – sterbe . . .

## Intermezzo

*Vor dem Zwischenvorhang erscheinen Miranda, ver-
kleidet als Braut, und Celestina mit Nähzeug.*

Celestina   Eins nach dem andern, Schätzchen, eins nach dem
andern. Du kommst schon noch zur rechten Zeit. So
eine Hochzeit dauert lang mit allen Reden dazu.

Miranda   Es darf mich niemand erkennen, Celestina, sie würden mich peitschen lassen und an den Pranger bin-
den. Gott steh mir bei! *Sie muß stillstehen, damit
Celestina nähen kann.* Celestina –

Celestina   Wenn du zitterst, kann ich nicht nähen.

Miranda   Celestina, und du findest wirklich, ich sehe aus wie
eine Braut?

Celestina   Zum Verwechseln. *Sie näht.* Ich sage dir, Männer
sind das Blindeste, was der liebe Herrgott erschaf-
fen hat. Ich bin Schneiderin gewesen, Schätzchen,
und du kannst es mir glauben. Falsche Spitzen oder
echte Spitzen, das sehn die wenigsten, bevor sie's
zahlen müssen. Ich sage dir: Was ein Mann ist, sieht
immer nur das Wesentliche.

Miranda   Celestina, ich kann kaum atmen.

Celestina   Das läßt sich richten. Es spannt dich um den Busen,
ich seh's, du bist keine Jungfrau. Wir trennen einfach die Naht unterm Arm, eine Kleinigkeit. Das
sieht er nicht, oder erst wenn es zu spät ist. Aber
nicht zittern! Sonst steche ich dich. Was hast du denn
darunter an?

Miranda   Darunter? – nichts.

Celestina   Das ist immer das beste.

Miranda   Wo's eh schon so knapp ist.

Celestina   In der Unterwäsche nämlich sind sie komisch, gerade die feineren Herrn. Plötzlich entsetzt sie ein

Rosa oder ein Lila, und sie sind befremdet über deinen Geschmack. Wie wenn man über Romane redet, plötzlich seufzt so ein Geck: Wir sind zwei Welten! und blickt zum Fenster hinaus. Drum sag ich euch immer, redet nicht über Romane! Plötzlich hat man die Kluft. Und mit der Unterwäsche genau so. Es gibt Männer, die vor keiner Fahne fliehen, aber ein rosa Fetzchen auf dem Teppich, und weg sind sie. Über Geschmack läßt sich nicht streiten. Keine Unterwäsche ist besser; es bestürzt, aber es befremdet nie.

| | |
|---|---|
| Miranda | Celestina – |
| Celestina | Nicht zittern, Schätzchen, nicht zittern! |
| Miranda | Ich weiß nicht, ob ich's wage, Celestina, hoffentlich ist es keine Versündigung, was ich vorhabe. |
| Celestina | Jetzt spannt es schon nicht mehr, siehst du, und der Busen ist straff genug... Was hast du denn vor? – Und unten, mein Schätzchen, machen wir einfach einen Saum, damit er deine Fesseln sieht. Die Fesseln sind wichtig. |
| Miranda | O Gott! |
| Celestina | Aber zuerst laß uns den Schleier stecken. |
| Miranda | O Gott! |
| Celestina | Warum seufzest du? |
| Miranda | Warum ist alles, was wir tun, nur Schein! |
| Celestina | Tja. *Sie hebt den Rock.* Und jetzt der Saum. |
| Miranda | Nicht so! |
| Celestina | Du meinst, ich bücke mich? |
| Miranda | Celestina – |
| Celestina | Mit sieben Stichen ist's geschehn. *Miranda dreht sich langsam wie ein Kreisel, während Celestina steht und den Saum an dem erhobenen Rock steckt.* Umarmen wird er dich, das meinst du wohl? Weil er dich für Donna Anna hält, seine Braut. Küssen und umarmen! Ich werde ja lachen, Schätzchen, wenn du |

dein blaues Wunder erlebst. Aber bitte! Es wird dir
die Flausen schon austreiben, und drum nämlich
helfe ich dir. Donna Anna? wird er sagen, wenn er
dich sieht, und ein mißliches Gewissen haben, das ist
alles, viel Ausreden und einen Schwall von Lügen
und keine Zeit für Umarmung, von Lust ganz zu
schweigen. Du überschätzest die Ehemänner, Schätzchen, du kennst sie bloß, wie sie bei uns sind. *Der
Saum ist fertig.* So –

Miranda    Danke.

Celestina    Wie fühlt sich die Braut? *Es klingelt.* Schon wieder
ein Kunde!

Miranda    Laß mir den Spiegel!
*Auftritt ein spanischer Edelmann.*

Celestina    Sie wünschen?

Lopez    Ich weiß nicht, ob ich richtig bin.

Celestina    Ich denke schon.

Lopez    Mein Name ist Lopez.

Celestina    Wie dem auch sei.

Lopez    Ich komme aus Toledo.

Celestina    Müd von der Reise, ich verstehe, Sie wünschen ein
Lager –

Lopez    Don Balthazar Lopez.

Celestina    Wir verlangen keine Personalien, hier genügt's, mein
Herr, wenn Sie im voraus bezahlen.

Lopez    *sieht sich um.*

Celestina    Sie sind richtig, treten Sie ein.

Lopez    *mustert Miranda.*

Celestina    Dieses Mädchen hat Ausgang.
*Miranda allein mit dem Spiegel.*

Miranda    Gott steh mir bei! Mehr will ich nicht: einmal erkannt sein als Braut, und wär's auch nur zum Schein,
einmal soll er zu meinen Füßen knien und schwören, daß es dieses Gesicht ist, Donna Anna, nur dieses Gesicht, das er liebt – mein Gesicht . . .

## Dritter Akt

*Vor dem Schloß*
*Im Morgengrauen sitzt Don Juan auf der Treppe,*
*in der Ferne noch immer das Gebell der Hunde, er*
*verzehrt ein Rebhuhn; Don Roderigo erscheint.*

Don Roderigo  Juan? Juan! – ich bin's, Don Roderigo, dein Freund seit je. *Don Juan ißt und schweigt.* Juan?

Don Juan  Was ist los, Roderigo, Freund seit je, daß du nicht einmal guten Morgen sagst?

Don Roderigo  Hörst du's nicht?

Don Juan  Gebell? Ich habe es die ganze Nacht gehört, mein Guter, von Kammer zu Kammer. Einmal ferner, einmal näher. Sie haben eine Ausdauer, die mich rührt.

Don Roderigo  Ich suche dich die ganze Nacht. *Don Juan ißt und schweigt.* Um dich zu warnen. *Don Juan ißt und schweigt.* Was machst du hier, Juan, mitten auf der Treppe?

Don Juan  Ich frühstücke.

Don Roderigo  Juan, hör zu –

Don Juan  Bist du bei deiner Braut gewesen?

Don Roderigo  Nein.

Don Juan  Das ist ein Fehler, Don Roderigo, Freund seit je, ein kühner Fehler. Du solltest dein Mädchen nie allein lassen. Plötzlich springt ein Unbekannter in ihre Kammer, von Hunden gehetzt, und sie entdeckt, daß auch du nicht der einzige Mann bist.

Don Roderigo  Was willst du damit sagen?

Don Juan  Die Wahrheit. *Er ißt.* Du hast eine süße Braut...

Don Roderigo  Juan, du hinkst ja?

Don Juan  Wie der Satan persönlich, ich weiß. Das kommt davon, wenn man aus dem Fenster springt. *Er ißt.* Es gibt keinen andern Ausweg zu dir selbst. *Er ißt*. Das Weib ist unersättlich...

Don Roderigo   Juan, ich muß dich warnen.

Don Juan   Ich muß dich ebenfalls warnen.

Don Roderigo   Ich spreche im Ernst, mein Freund. Etwas Schreckliches wird geschehen, wenn du nicht vernünftig bist, etwas Grauenvolles, was du dein Leben lang bereuen könntest. Plötzlich hört es auf, ein Spaß zu sein, und alles wird blutig. Und unwiderrufbar. Ich bin die ganze Nacht durch den Park geschlichen, Juan, ich habe gezittert für dich –

Don Juan   *ißt und schweigt.*

Don Roderigo   Ich habe meinen Augen nicht getraut, wie ich sie plötzlich vor mir sehe da draußen am Teich: wie ein Gespenst des Tods!

Don Juan   Wen?

Don Roderigo   Deine Braut.

Don Juan   – Anna?

Don Roderigo   Sie wartet auf dich, Juan, die ganze Nacht. Sie ist von Sinnen, scheint es. Stundenlang sitzt sie reglos wie eine Statue, stundenlang, dann flattert sie wieder am Ufer entlang. Ich habe sie gesprochen. Er ist draußen auf der kleinen Insel, sagt sie, und es ist dem Mädchen nicht auszureden. Kaum ist man weg, ruft sie deinen Namen. Immer wieder... Du mußt sprechen mit ihr.

Don Juan   Ich wüßte nicht, was ich sprechen sollte, Roderigo. Ich bin jetzt nicht in der Verfassung, Gefühle zu haben, und daß ich sie verlassen habe, weiß sie. Was weiter? Das einzige, was ich jetzt habe, ist Hunger.

Don Roderigo   Still!

*Auftritt Don Gonzalo mit gezückter Klinge.*

Don Gonzalo   Halt! Wer da?

Don Juan   Der kann ja kaum noch auf den Beinen stehen. Sag ihm doch, er soll es aufgeben.

Don Gonzalo   Wer da?

Don Juan    Er sucht einfach seinen Tod und sein Denkmal, du wirst sehen, vorher ist er nicht zufrieden.

*Auftreten die drei Vettern, blutig, zerfetzt, erschöpft.*

Don Gonzalo    Halt! Wer da?

Ein Vetter    Der Himmel zerschmettere den Frevler.

Don Gonzalo    Ihr habt ihn?

Ein Vetter    Wir sind am Ende, Onkel Gonzalo, zerfetzt haben sie uns, die verfluchten Hunde.

Ein Vetter    Du hast sie gepeitscht, Idiot.

Ein Vetter    Idiot, wenn sie mich anfallen.

Don Gonzalo    Wo sind die Hunde?

Ein Vetter    Ich habe sie nicht geschlachtet, Onkel.

Don Gonzalo    Geschlachtet?

Ein Vetter    Wir mußten.

Don Gonzalo    Geschlachtet? sagt ihr.

Ein Vetter    Wir mußten: sie oder wir.

Don Gonzalo    Meine Hunde?

Ein Vetter    Wir können nicht mehr, Onkel Gonzalo, der Himmel sorge selbst für seine Rache, wir sind am Ende.

Don Gonzalo    Meine Hunde ...

Ein Vetter    Wir müssen ihn verbinden.

*Die drei Vettern schleppen sich davon.*

Don Gonzalo    Ich werde nicht rasten noch ruhen, bis auch die Hunde gerächt sind. Sagt meiner Gemahlin, wenn sie erwacht: ich werde nicht rasten noch ruhen.

*Don Gonzalo geht nach der andern Seite.*

Don Juan    Hast du's gehört? Der Himmel zerschmettere den Frevler. Ein rührendes Losungswort. Ich bedaure jeden Hund, der sich dafür schlachten läßt.

Don Roderigo    Laß uns nicht spotten, Freund.

Don Juan    Ich spotte nicht über den Himmel, Freund, ich finde ihn schön. Besonders um diese Stunde. Man sieht ihn selten um diese Stunde.

Don Roderigo    Denk jetzt an deine Braut!

Don Juan    An welche?

| | |
|---|---|
| Don Roderigo | Die draußen um den Teich irrt und deinen Namen ruft – Juan, du hast sie geliebt, ich weiß es. |
| Don Juan | Ich weiß es auch. *Er wirft den Knochen fort.* Das war ein unvergeßliches Rebhuhn! *Er wischt sich die Finger.* Ich habe sie geliebt. Ich erinnere mich. Im Frühjahr, wie ich Donna Anna zum ersten Mal sah, hier bin ich auf die Knie gesunken, hier auf dieser Treppe. Stumm. Wie vom Blitz getroffen. So sagt man doch? Ich werde das nie vergessen: wie sie Fuß vor Fuß auf diese Stufen sinken ließ, Wind im Gewand, und dann, da ich kniete, blieb sie stehen, stumm auch sie. Ich sah ihren jungen Mund, unter dem schwarzen Schleier sah ich den Glanz zweier Augen, blau. Es war Morgen wie jetzt, Roderigo, es war, als flösse die Sonne durch meine Adern. Ich hatte nicht den Atem, um sie anzusprechen, es würgte mich im Hals, ein Lachen, das nicht zu lachen war, weil es geweint hätte. Das war die Liebe, ich glaube, das war sie. Zum ersten und zum letzten Mal. |
| Don Roderigo | Wieso zum letzten Mal? |
| Don Juan | Es gibt keine Wiederkehr ... Wenn sie jetzt, in diesem Augenblick, noch einmal über diese Stufen käme, Wind im Gewand, und unter dem Schleier sähe ich den Glanz ihrer Augen, weißt du, was ich empfinden würde? Nichts. Bestenfalls nichts. Erinnerung. Asche. Ich will sie nie wiedersehen. *Er reicht seine Hand.* Lebwohl, Roderigo! |
| Don Roderigo | Wohin? |
| Don Juan | Zur Geometrie. |
| Don Roderigo | Juan, das ist nicht dein Ernst. |
| Don Juan | Der einzige, der mir verblieben ist nach dieser Nacht. Bedaure mich nicht! Ich bin ein Mann geworden, das ist alles. Ich bin gesund, du siehst es, vom Scheitel bis zur Sohle. Und nüchtern vor Glück, daß es vorbei ist wie ein dumpfes Gewitter. Ich reite jetzt in den |

Morgen hinaus, die klare Luft wird mir schmecken.
Was brauche ich sonst? Und wenn ich an einen rau-
schenden Bach komme, werde ich baden, lachend vor
Kälte, und meine Hochzeit ist erledigt. Ich fühle mich
frei wie noch nie, Roderigo, leer und wach und voll
Bedürfnis nach männlicher Geometrie.

Don Roderigo Geometrie!...

Don Juan Hast du es nie erlebt, das nüchterne Staunen vor
einem Wissen, das stimmt? Zum Beispiel: was ein
Kreis ist, das Lautere eines geometrischen Orts. Ich
sehne mich nach dem Lauteren, Freund, nach dem
Nüchternen, nach dem Genauen; mir graust vor dem
Sumpf unsrer Stimmungen. Vor einem Kreis oder
einem Dreieck habe ich mich noch nie geschämt, nie
geekelt. Weißt du, was ein Dreieck ist? Unentrinnbar
wie ein Schicksal: es gibt nur eine einzige Figur aus
den drei Teilen, die du hast, und die Hoffnung, das
Scheinbare unabsehbarer Möglichkeiten, was unser
Herz so oft verwirrt, zerfällt wie ein Wahn vor diesen drei Strichen. So und nicht anders! sagt die Geometrie. So und nicht irgendwie! Da hilft kein Schwindel und keine Stimmung, es gibt eine einzige Figur,
die sich mit ihrem Namen deckt. Ist das nicht schön?
Ich bekenne es, Roderigo, ich habe noch nichts Grö-
ßeres erlebt als dieses Spiel, dem Mond und Sonne
gehorchen. Was ist feierlicher als zwei Striche im
Sand, zwei Parallelen? Schau an den fernsten Hori-
zont, und es ist nichts an Unendlichkeit; schau auf
das weite Meer, es ist Weite, nun ja, und schau in die
Milchstraße empor, es ist Raum, daß dir der Verstand verdampft, unausdenkbar, aber es ist nicht das
Unendliche, das sie allein dir zeigen: zwei Striche im
Sand, gelesen mit Geist... Ach Roderigo, ich bin
voll Liebe, voll Ehrfurcht, nur darum spotte ich.
Jenseits des Weihrauchs, dort wo es klar wird und

heiter und durchsichtig, beginnen die Offenbarungen; dort gibt es keine Launen, Roderigo, wie in der menschlichen Liebe; was heute gilt, das gilt auch morgen, und wenn ich nicht mehr atme, es gilt ohne mich, ohne euch. Nur der Nüchterne ahnt das Heilige, alles andere ist Geflunker, glaub mir, nicht wert, daß wir uns aufhalten darin. *Er reicht nochmals die Hand.* Lebwohl!

Don Roderigo  Und das Mädchen am Teich?

Don Juan  Ein andrer wird sie trösten.

Don Roderigo  Glaubst du das wirklich?

Don Juan  Mann und Weib – warum wollt ihr immer glauben, was euch gefällt, und im Grunde glaubt man ja bloß, man könne die Wahrheit ändern, indem man nicht darüber lacht. Roderigo, mein Freund seit je, ich lache über dich! Ich bin dein Freund; woher aber weißt du, daß es mich nicht einmal jucken könnte, unsere Freundschaft aufs Spiel zu setzen? Ich ertrage keine Freunde, die meiner sicher sind. Woher denn weißt du, daß ich nicht von deiner Inez komme?

Don Roderigo  Laß diesen Scherz!

Don Juan  Woher weißt du, daß es ein Scherz ist?

Don Roderigo  Ich kenne meine Inez.

Don Juan  Ich auch.

Don Roderigo  Woher?

Don Juan  Ich sag es ja: Ich war bei ihr.

Don Roderigo  Das ist nicht wahr!

Don Juan  Ich bin wißbegierig, mein Freund, von Natur. Ich fragte mich, ob ich dazu imstande bin. Inez ist deine Braut, und du liebst sie, und sie liebt dich. Ich fragte mich, ob auch sie dazu imstande ist. Und ob du es glauben wirst, wenn ich es dir sage.

Don Roderigo  Juan –!

Don Juan  Glaubst du's oder glaubst du's nicht? *Pause.* Glaub es nicht!

Don Roderigo  Du bist teuflisch.

Don Juan  Ich liebe dich. *Er tritt zu Don Roderigo und küßt ihn auf die Stirne.* Glaub es nie!

Don Roderigo  Wenn es wahr wäre, Juan, ich würde mich umbringen auf der Stelle, nicht dich, nicht sie, aber mich.

Don Juan  Es wäre schade um dich. *Er nimmt seine Weste, die auf der Treppe liegt und zieht sie an.* Ich weiß jetzt, warum mich die Zisterne mit meinem Wasserbild erschreckt hat, dieser Spiegel voll lieblicher Himmelsbläue ohne Grund. Sei nicht wißbegierig, Roderigo, wie ich! Wenn wir die Lüge einmal verlassen, die wie eine blanke Oberfläche glänzt, und diese Welt nicht bloß als Spiegel unsres Wunsches sehen, wenn wir es wissen wollen, wer wir sind, ach Roderigo, dann hört unser Sturz nicht mehr auf, und es saust dir in den Ohren, daß du nicht mehr weißt, wo Gott wohnt. Stürze dich nie in deine Seele, Roderigo, oder in irgendeine, sondern bleibe an der blauen Spiegelfläche wie die tanzenden Mücken über dem Wasser — auf daß du lange lebest im Lande, Amen. *Er hat seine Weste angezogen.* In diesem Sinn: Lebwohl! *Er umarmt Don Roderigo.* Einen Freund zu haben, einen Roderigo, der für mich zitterte in dieser Nacht, es war schön; ich werde fortan für mich selbst zittern müssen.

Don Roderigo  Juan, was ist geschehen mit dir?

Don Juan  *lacht.*

Don Roderigo  Etwas ist geschehen mit dir.

Don Juan  Ich habe ausgeliebt. *Er will gehen, aber Don Roderigo hält ihn.* Es war eine kurze Jugend. *Er macht sich los.* Laß mich.

*Don Juan geht, aber in diesem Augenblick erkennt er die Gestalt der Donna Anna, die oben auf der Treppe erschienen ist in Brautkleid und Schleier.*

Don Juan  Wozu das? *Die Gestalt kommt langsam die Stufen*

*herab ... Donna Anna ... Die Gestalt bleibt auf der*
*drittletzten Stufe stehen.* Ich habe dich verlassen.
Wozu diese Wiederkehr? Ich habe dich verlassen.
Was ganz Sevilla weiß, weißt du es nicht? Ich habe
dich verlassen!

Die Gestalt  *lächelt und schweigt.*

Don Juan  Ich erinnere mich. O ja! Ich sehe deinen jungen Mund,
wie er lächelt. Wie damals. Und unter dem Schleier
sehe ich den Glanz deiner Augen. Alles wie damals.
Nur ich bin es nicht mehr, der damals vor dir kniete
hier auf dieser Treppe, und es gibt kein Zurück.

Die Gestalt  Mein lieber Juan –

Don Juan  Du hättest nicht kommen dürfen, Anna, nicht über
diese Stufen. Dein Anblick erfüllt mich mit einer
Erwartung, die es nimmermehr gibt. Ich weiß jetzt,
daß die Liebe nicht ist, wie ich sie auf diesen Stufen
erwartet habe. *Pause.* Geh! *Pause.* Geh! *Pause.* Geh!
sage ich. Geh! im Namen des Himmels und der Hölle.
Geh!

Die Gestalt  Warum gehst denn du nicht?

Don Juan  *steht gebannt und schaut sie an.*

Die Gestalt  Mein lieber Juan –

Don Juan  Dein lieber Juan! *Er lacht.* Weißt du denn, wo er
gewesen ist in dieser Nacht, dein lieber Juan? Bei
deiner Mutter ist er gewesen, dein lieber Juan! Sie
könnte dich etliches lehren, aber auch sie hat er verlassen, dein lieber Juan, der so voll Liebe ist, daß er
aus dem Fenster sprang, um in das nächste zu fliehen.
Bei deiner Mutter, hörst du? Mit Hunden haben sie
ihn gehetzt, als wäre er nicht gehetzt genug, und ich
weiß nicht einmal, wie sie heißt, die dritte im Ver-
lauf seiner Hochzeit, ein junges Weib, nichts weiter,
Weib wie hundert Weiber in der Finsternis. Wie
machte es ihm Spaß, deinem lieben Juan, dich zu
vergessen in dieser Finsternis ohne Namen und Ge-

sicht, zu töten und zu begraben, was sich als kindisch erwiesen hat, und weiterzugehen. Was willst du von ihm, der bloß noch lachen kann? Und dann, wie alles so öde war und ohne Reiz – es war nicht Hoffnung, was ihn in die letzte Kammer lockte, deinen lieben Juan, und nicht ihr helleres Haar und die andere Art ihres Kusses, auch nicht die Lust an ihrem mädchenhaften Widerstand; sie wehrte sich so wild und bis zur Verzückung, schwächer zu sein als dein lieber Juan. Draußen kläfften die Hunde. O ja, die Unterschiede sind zauberisch, doch währt ihr Zauber nicht lang, und in unseren Armen sind alle so ähnlich, bald zum Erschrecken gleich. Etwas aber hatte sie, die letzte dieser wirren Nacht, was keine hat und jemals wieder haben wird, etwas einziges, das ihn reizte, etwas Besonderes, etwas Unwiderstehliches: – sie war die Braut seines einzigen Freundes.

Don Roderigo  Nein!

Don Juan  Sie hat dich nicht vergessen, Roderigo, nicht einen Augenblick, im Gegenteil, dein Name brannte auf unsrer Stirne, und wir genossen die Süße der Niedertracht, bis die Hähne krähten.

Don Roderigo  Nein!

Don Juan  Aber das ist die lautere Wahrheit.

*Don Roderigo stürzt davon.*

Don Juan  So, Donna Anna, habe ich diese Nacht verbracht, da du am Teich auf mich gewartet hast, und so knie ich vor dir. *Er kniet nieder.* Zum letzten Mal, ich weiß es. Du bist noch einmal erschienen, um mir das Letzte zu nehmen, was mir verblieben ist: mein Gelächter ohne Reue. Warum habe ich dich umarmt und nicht erkannt? Und lassen wirst du mir das Bild dieser Stunde, das Bild der Verratenen, die nicht aufhören wird dazustehen in der Morgensonne, wohin ich auch gehe fortan.

| | |
|---|---|
| Die Gestalt | Mein Juan! |
| Don Juan | Wie solltest du noch einmal glauben können, daß ich dich liebe? Ich dachte, die Erwartung wird nie wiederkehren. Wie soll ich selbst es glauben können? |
| Die Gestalt | Erheb dich! |
| Don Juan | Anna. |
| Die Gestalt | Erheb dich. |
| Don Juan | Ich knie nicht um Vergebung. Nur ein Wunder, nicht die Vergebung kann mich retten aus der Erfahrung, die ich gemacht habe – |
| Die Gestalt | Erheb dich! |
| Don Juan | *erhebt sich.* Wir haben einander verloren, um einander zu finden für immer. Ja! Für immer. *Er umarmt sie.* Mein Weib! |
| Die Gestalt | Mein Mann! *Don Gonzalo erscheint mit seiner gezückten Klinge.* |
| Don Gonzalo | Ah! da ist er. |
| Don Juan | Ja, Vater. |
| Don Gonzalo | Fechten Sie! |
| Don Juan | Sie kommen zu spät, Vater, wir haben uns wieder vermählt. |
| Don Gonzalo | Mörder! |
| Don Juan | Wozu? |
| Don Gonzalo | Fechten Sie! |
| Don Juan | Er kann es nicht fassen, dein Vater, er sieht es mit eignen Augen, unser Glück, aber er kann es nicht fassen! |
| Don Gonzalo | Glück – Glück, sagt er, Glück – |
| Don Juan | Ja, Vater, lassen Sie uns allein. |
| Don Gonzalo | – und du, Hure, du läßt dich noch einmal beschwatzen von diesem Verbrecher, wenn ich ihn nicht auf der Stelle ersteche. *Er bedroht Don Juan, so daß Don Juan ziehen muß.* Nieder mit ihm! |
| Don Juan | Halt! |

Don Gonzalo  Fechten Sie!

Don Juan  Wieso Mörder? Schließlich sind es Doggen, ganz abgesehen davon, daß nicht ich sie getötet habe –

Don Gonzalo  Und Don Roderigo?

Don Juan  Wo ist er?

Don Gonzalo  In seinem Blute röchelnd hat er Sie verflucht als
Schänder seiner Braut.

Don Juan  – Roderigo?

*Don Juan ist von der Nachricht betroffen und starrt
vor sich hin, während die fuchtelnde Klinge des
Komturs ihn belästigt wie ein Insekt, das er ärger-
lich abwehrt.*

Halt! sage ich.

*Don Gonzalo fällt durch einen blitzschnellen Stich,
bevor es zu einer Fechterei gekommen ist, und stirbt,
während Don Juan, die Klinge einsteckend, vor sich
hinstarrt wie zuvor.*

Don Juan  Sein Tod erschüttert mich – ich meine Roderigo.
Was hatte ich ihn der Wahrheit auszuliefern? Er hat
mich nie verstanden, mein Freund seit je, ich mochte
ihn von Herzen gern. Ich habe ihn gewarnt: ich ertrage keine Freunde, die meiner sicher sind. Warum
habe ich nicht geschwiegen? Noch eben stand er hier...

Die Gestalt  Tod, Tod!

Don Juan  Schrei nicht.

Die Gestalt  O Juan!

Don Juan  Laß uns fliehen!

*Pater Diego erscheint im Hintergrund, die ertrun-
kene Donna Anna auf den Armen, aber Don Juan
sieht ihn noch nicht.*

Laß uns fliehen! Wie wir es geschworen haben am
nächtlichen Teich, ach, so kindlich geschworen, als
läge es in unsrer Macht, daß wir uns nicht verirren
und verlieren. Was zögerst du? Ich halte deine Hand
wie ein Leben, das uns noch einmal geschenkt ist,

wirklicher als das erste, das kindliche, voller um
unser Wissen, wie leicht es vertan ist. Du zitterst?
Schau mich an: dankbar wie ein Begnadigter fühle
ich die Sonne dieses Morgens und alles, was lebt –
*Er erblickt den Pater mit der Leiche.* Was bedeutet
das, Pater Diego? *Schweigen.* Antwortet! *Schweigen.*
Welche ist meine Braut? *Er schreit:* Antwortet!

Pater Diego   Sie wird nicht mehr antworten, Don Juan, und wenn
du noch so schreist. Nie wieder. Sie hat sich ertränkt.
Das ist das Ende deiner Hochzeit, Don Juan, das ist
die Ernte deines Übermuts.

Don Juan   Nein –

Pater Diego   *legt die Leiche auf die Erde.*

Don Juan   Das ist nicht meine Braut. Das ist nicht wahr. Ich
habe mich dem Leben vermählt, nicht einer Wasser-
leiche mit baumelnden Armen und Haaren von Tang.
Was soll dieser Spuk am hellichten Tag? Ich sage:
das ist nicht meine Braut.

Pater Diego   Wer denn ist deine Braut?

Don Juan   Jene! – die andere.

Pater Diego   Und warum will sie fliehen?

  *Die Gestalt versucht treppauf zu entfliehen, aber in
diesem Augenblick sind die drei Vettern erschienen.*

Don Juan   Meine Herrn, ich begrüße euer Erscheinen. Mein
Freund ist tot –

Ein Vetter   Tot.

Don Juan   Und diese da?

Pater Diego   Tot.

Don Juan   Und dieser auch. Wer wird es glauben, daß er mir
in die Klinge lief wie ein Huhn? Er wird als Denkmal auferstehen.

Ein Vetter   Der Himmel zerschmettere den Frevler!

Don Juan   Und was ist mit meinem Vater?

Ein Vetter   Tot.

Don Juan   Ist das wahr?

Die Vettern   Tot.

Don Juan   Ich bekenne, Pater Diego, ich komme mir wie ein Erdbeben vor oder wie ein Blitz. *Er lacht.* Was euch betrifft, ihr meine Vettern, steckt endlich eure Klingen ein, damit ihr überlebt und Zeugen meiner Hochzeit seid. Hier: zwei Bräute, und ich soll wählen, eine Lebende, eine Tote, und Pater Diego sagt, daß ich der Leiche vermählt sei. Ich aber sage: sie – *Er tritt zur verschleierten Gestalt und faßt ihre Hand:* – sie und keine andere ist meine Braut, sie, die Lebendige, sie, die nicht in den Tod gegangen ist, um mich zu verdammen bis ans Ende meiner Tage, sie, die noch einmal erschienen ist vor dem Verirrten, damit ich sie erkenne, und ich habe sie erkannt.

Die Gestalt   O Juan!

Don Juan   Nimm deinen Schleier ab!

Die Gestalt   *nimmt ihren Schleier ab.*

Pater Diego   Miranda!?

   *Don Juan deckt sein Gesicht mit beiden Händen, bis er allein ist, bis die Toten weggetragen sind, bis das Geläute, das den Trauerzug begleitet, verstummt ist.*

Don Juan   Begrabt das arme Kind, aber wartet nicht darauf, daß ich mich bekreuzige, und hofft nicht, daß ich weine. Und tretet mir nicht in den Weg. Jetzt fürchte ich nichts mehr. Wir wollen sehen, wer von uns beiden, der Himmel oder ich, den andern zum Gespött macht!

*Pause*

## Vierter Akt

*Ein Saal*
*Don Juan, jetzt ein Mann von dreiunddreißig Jah-*
*ren, steht vor einer festlichen Tafel mit Silber und*
*Kerzen, die er mustert. Sein Diener, Leporello, stellt*
*Karaffen auf den Tisch. Drei Musikanten warten auf*
*Instruktionen. Im Hintergrund ein großer Vorhang.*

Don Juan   Ihr bleibt in dieser Kammer nebenan. Begriffen? Und
was das Halleluja betrifft: wenn sich irgend etwas
ereignen sollte, ein Unfall oder so – zum Beispiel
könnte es ja sein, daß mich die Hölle verschlingt –

Musikant   Herr!

Don Juan   – einfach weiterspielen. Begriffen? Das Halleluja
wird wiederholt, bis niemand mehr in diesem Saal
ist. *Er strupft seine weißen Handschuhe von den*
*Fingern, indem er abermals die Tafel mustert.* So
macht euch bereit!

Musikant   Und unser Honorar?

Don Juan   Davon später!

Musikant   Wenn niemand mehr im Saal ist –?

Don Juan   Meine Herrn: ich erwarte dreizehn Damen, die behaupten, daß ich sie verführt habe, und damit nicht
genug, ich erwarte den Bischof von Cordoba, der
auf Seiten der Damen ist, wie jedermann weiß, ich
erwarte ein Denkmal, das ich ebenfalls eingeladen
habe, einen Gast aus Stein – meine Herrn: ich habe
jetzt nicht die Nerven für euer Honorar, nicht die
Nerven...

*Die Musikanten verziehen sich.*

Don Juan   Es sieht nicht übel aus.

Leporello   Der Wein, Herr, wird nicht lang reichen, ein Gläs-
lein für jeden Gast –

Don Juan  Das reicht. Die Lust zu trinken, so hoffe ich, wird ihnen bald vergehen, spätestens wenn der steinerne Gast kommt.

Leporello  – Herr ...

Don Juan  Wir sind bankrott. *Es klingelt draußen.* Wo sind die Tischkarten?

Leporello  – Herr ... Sie glauben's aber nicht im Ernst, daß er wirklich kommt, der mit dem steinernen Sockel?

Don Juan  Glaubst du es denn im Ernst?

Leporello  Ich! *Er versucht ein schallendes Hohnlachen, das ihm im Augenblick, da es zum zweiten Mal klingelt, wie eine Larve vom entsetzten Gesicht fällt.* – vielleicht ist er das! ...
*Don Juan legt Tischkarten.*

Leporello  – Herr ...

Don Juan  Wenn es wieder diese verschleierte Dame ist, sage ihr, ich empfange grundsätzlich keine verschleierten Damen mehr. Wir kennen das. Sie möchten immer meine Seele retten und hoffen, daß ich sie aus Widerspruch verführe. Sage der Dame, wir kennen dieses Verfahren und sind es müde. *Es klingelt zum dritten Mal.* Warum gehst du nicht ans Tor?
*Leporello geht ängstlich. Die Musikanten nebenan probieren jetzt ihre Instrumente, was ein wirres Geflatter von Tönen ergibt, während Don Juan sorgsam die Tischkarten legt; er kommt zur letzten Karte und hält inne.*

Don Juan  Du, lebendiger als alle, die leben, du kommst nicht, du, die einzige, die ich geliebt habe, die Erste und die Letzte, geliebt und nicht erkannt – *Er verbrennt die Karte über einer Kerze.* Asche.
*Leporello kommt zurück.*

Leporello  Der Bischof von Cordoba!

Don Juan  Blase diese Asche von der Tafel und sage dem Bischof von Cordoba, er möge einen Augenblick warten.

Aber sag es höflich! Der Bischof ist zwar kein Gläubiger, ich meine, ich schulde ihm nichts; aber ich brauche ihn sehr. Ohne Kirche keine Hölle.

Leporello — Herr...

Don Juan Warum zitterst du immerfort?

Leporello Genug ist genug, Herr, man soll's nicht auf die Spitze treiben, ein Grabmal einzuladen zum Essen, einen Toten, der lang schon verwest und vermodert ist, alles was recht ist, Herr, ich war ein Spitzbube, wo immer es sich lohnte, und für eine gewisse Beute tu ich alles, Herr, ich bin kein Feigling, Herr, aber was Sie gestern auf dem Friedhof verlangt haben, Herr, das ist Spitzbüberei aus purer Gesinnung, Herr, ein Grabmal einzuladen zum Essen —

Stimme Don Juan?

Leporello Maria und Joseph!

Stimme Don Juan?

Don Juan Augenblick.

Leporello Er kommt!

Don Juan Augenblick, sag ich, Augenblick.

Leporello Erbarmen! Ich bin unschuldig, ich mußte, ich habe Familie, Herrgott im Himmel, fünf Kinder und ein Weib. *Er wirft sich auf die Knie.* Erbarmen!

Don Juan Wenn du beten möchtest, geh hinaus.

Leporello Es hat gerufen, ich hab's gehört.

Don Juan Steh auf!
*Leporello erhebt sich.*

Don Juan Tu jetzt, was ich dich heiße: Sag dem Bischof von Cordoba, ich lasse bitten. Aber sag es mit vielen Worten und Floskeln; ich brauche noch drei Minuten hier.

Leporello Maria und Joseph —

Don Juan Und vergiß nicht den Kniefall, wo er hingehört.
*Leporello geht.*

Don Juan Was ist denn los da hinten? *Er tritt zum großen*

*Vorhang im Hintergrund, und hervor tritt Cele-*
*stina, als Denkmal verkleidet, nur ihr Kopf ist noch*
*unverhüllt.* Warum ziehen Sie den Plunder nicht an?

Celestina  Dieser Helm ist mir zu knapp.

Don Juan  Das merkt kein Mensch.

Celestina  Außer mir.

*Don Juan winkt, daß sie verschwinden soll.*

Celestina  Ich hab's mir noch einmal überlegt: –

Don Juan  Was?

Celestina  Sie können mir sagen, was Sie wollen, es ist halt eine
Gotteslästerung, und das mach ich nicht für fünfhundert, mein Herr, ich nicht.

Don Juan  Celestina –?

Celestina  Tausend ist das mindeste, was ich dafür haben muß.
Nämlich wenn ich Sie an die Herzogin von Ronda
verkaufe, dann bekomm ich auch meine tausend
Pesos und blank auf den Tisch.

Don Juan  Das nenne ich Erpressung.

Celestina  Nennen Sie's, wie Sie wollen, Don Juan, es geht mir
nicht um die Benennung, sondern ums Geld, und
fünfhundert ist mir zu wenig.

Don Juan  Ich habe nicht mehr.

Celestina  Dann mach ich's nicht.

*Don Juan reißt sich etwas vom Hals.*

Celestina  Ein Amulett?

Don Juan  Das letzte, was ich habe. Verschwinden Sie! Wenn
jetzt die Höllenfahrt nicht gelingt, bin ich verloren.

Celestina  Es ist nicht meine Schuld, Don Juan, daß Sie bankrott sind. Warum wollen Sie nichts wissen von meinem Angebot? Sie wären reicher als der Bischof von
Cordoba. Ich sag es Ihnen: ein Schloß mit vierundvierzig Zimmern –

Don Juan  Kein Wort mehr davon!

Celestina  Noch ist es Zeit.

Don Juan  Verschonen Sie mich endlich mit dieser Kuppelei!

Ganz Spanien weiß es, und ich sage es zum letzten Mal: Ich heirate nicht!

Celestina  Das hat schon manch einer gesagt.

Don Juan  Still!

*Celestina verschwindet hinter dem Vorhang, Don Juan wartet, aber eintritt bloß Leporello.*

Don Juan  Was ist los?

Leporello  Herr – ich hab's vergessen, Herr, was ich ihm sagen soll. Der ist so feierlich, Herr, und geht in der Halle auf und ab, als könnt er's nicht erwarten, bis der Himmel uns zerschmettert.

Don Juan  Sag ihm, ich lasse bitten.

*Leporello geht und läßt jetzt beide Türflügel offen. Don Juan bereitet den Empfang des Bischofs vor: er rückt einen Sessel zurecht, probiert, wo und wie er seinen Kniefall machen will, dann gibt er den Musikanten einen Wink. Man hört jetzt eine feierliche Musik. Don Juan steht vor einem Spiegel, seine Krause ordnend, als durch die offene Türe langsam eine verschleierte Dame eintritt. Pause. Don Juan entdeckt sie im Spiegel und zuckt zusammen, ohne sich umzudrehen.*

Die Dame  Warum erschrickst du?

Don Juan  Da ich das einzig Wissenswerte weiß: Du bist nicht Donna Anna, denn Donna Anna ist tot – wozu dieser Schleier? *Er dreht sich um.* Wer sind Sie?

Die Dame  Du hast mir den Empfang verweigert. Plötzlich fand ich die Türen offen...

Don Juan  Womit kann ich dienen?

Die Dame  Ich habe dich einmal geliebt, weil ein Schach dich unwiderstehlicher lockte als ein Weib. Und weil du an mir vorbei gegangen bist wie ein Mann, der ein Ziel hat. Hast du es noch? Es war die Geometrie. Lang ist es her! Ich sehe dein Leben: voll Weib, Juan, und ohne Geometrie.

**Don Juan** Wer bist du?!

**Die Dame** Ich bin jetzt die Herzogin von Ronda.

**Don Juan** Schwarz wie der Tod, Herzogin, sind Sie in meinen Spiegel getreten. Es hätte solcher Schwärze nicht bedurft, um mich zu erschrecken. Das Weib erinnert mich an Tod, je blühender es erscheint.

**Die Dame** Ich bin schwarz, weil ich Witwe bin.

**Don Juan** Durch mich?

**Die Dame** Nein.

**Don Juan** Worum handelt es sich, Herzogin von Ronda?

**Die Dame** Um deine Rettung.

**Don Juan** Sie sind die Dame, die mich heiraten will. Sie sind das Schloß mit den vierundvierzig Zimmern. Ihre Ausdauer ist erstaunlich, Herzogin von Ronda. Im übrigen haben Sie recht: obschon mich ein Schach unwiderstehlicher lockt als ein Weib, ist mein Leben voll Weib. Und dennoch irren Sie sich! Noch hat das Weib mich nicht besiegt, Herzogin von Ronda, und eher fahre ich in die Hölle als in die Ehe –

**Die Dame** Ich komme nicht als Weib.

**Don Juan** Sie beschämen mich.

**Die Dame** Ich hatte Männer bis zum Überdruß, der überging in Lächeln, und ihrer einer, der ohne dieses Lächeln nicht glaubte leben zu können, machte mich zur Herzogin, worauf er starb.

**Don Juan** Ich verstehe.

**Die Dame** Nun habe ich dieses Schloß in Ronda –

**Don Juan** Es wurde mir geschildert.

**Die Dame** Ich dachte so: Du kannst im linken Flügel wohnen, ich wohne im rechten wie bisher. Und dazwischen ist ein großer Hof. Springbrunnenstille. Wir müssen einander überhaupt nicht begegnen, es sei denn, man habe ein Verlangen nach Gespräch. Und hinzu käme ein herzogliches Vermögen, groß genug, um nicht allein deine dummen Schulden zu tilgen, groß genug,

daß die Gerichte dieser Welt, die dich des Mords
verklagen, davor verstummen. Kurz und gut: kein
Mensch, solange du in Ronda wohnst, vermag dich
zu stören in deiner Geometrie.

Don Juan  Aber?

Die Dame  Kein Aber.

Don Juan  Ihr Verständnis für den Mann, ich gebe es zu, ist
außerordentlich, Herzogin von Ronda. Was aber ist
der Preis für diese Rettung?

Die Dame  Daß du sie annimmst, Juan.

Don Juan  Nichts weiter?

Die Dame  Mag sein, ich liebe dich noch immer, doch soll es dich
nicht erschrecken; ich habe erfahren, daß ich dich
nicht brauche, Juan, und das vor allem ist es, was
ich dir biete; ich bin die Frau, die frei ist vom Wahn,
ohne dich nicht leben zu können. *Pause.* Überlege es
dir. *Pause.* Du hast immer bloß dich selbst geliebt
und nie dich selbst gefunden. Drum hassest du uns.
Du hast uns stets als Weib genommen, nie als Frau.
Als Episode. Jede von uns. Aber die Episode hat
dein ganzes Leben verschlungen. Warum glaubst du
nicht an eine Frau, Juan, ein einziges Mal? Es ist der
einzige Weg, Juan, zu deiner Geometrie.
*Leporello führt den Bischof von Cordoba herein.*

Leporello  Seine Eminenz!

Don Juan  Sie entschuldigen mich, Herzogin von Ronda, seine
Eminenz und ich haben ein geschäftliches Gespräch,
aber ich hoffe, Sie bald bei Tisch zu sehen: ohne
Schleier.

Die Dame  In Ronda, mein lieber Juan!
*Die Dame rafft ihren Rock und macht einen tiefen
Knicks vor dem Bischof, dann entfernt sie sich, ge-
folgt von Leporello, der die Türen schließt.*

Don Juan  Sie sehen, Eminenz, nicht einen Augenblick habe ich
Ruhe. Alle wollen mich retten durch Heirat ...

|  | Eminenz! *Er kniet nieder.* Ich danke, daß Sie gekommen sind! |
| --- | --- |
| Bischof | Erheben Sie sich. |
| Don Juan | Zwölf Jahre lang hat die spanische Kirche mich verfolgt – ich knie nicht aus Gewöhnung, weiß der Himmel, ich knie aus Dankbarkeit; wie habe ich mich gesehnt, Eminenz, mit einem Mann zu sprechen! |
| Bischof | Erheben Sie sich. |
|  | *Don Juan erhebt sich.* |
| Bischof | Worum handelt es sich? |
| Don Juan | Wollen Eminenz sich nicht setzen? |
|  | *Bischof setzt sich.* |
| Don Juan | Ich kann keine Damen mehr sehen noch hören, Eminenz. Ich verstehe die Schöpfung nicht. War es nötig, daß es zwei Geschlechter gibt? Ich habe darüber nachgedacht: über Mann und Weib, über die unheilbare Wunde des Geschlechts, über Gattung und Person, das vor allem, über den verlorenen Posten der Person – |
| Bischof | Kommen wir zur Sache. |
|  | *Don Juan setzt sich.* |
| Bischof | Worum handelt es sich? |
| Don Juan | Kurz gesprochen: Um die Gründung einer Legende. |
| Bischof | – wie bitte? |
| Don Juan | Um die Gründung einer Legende. *Er greift nach einer Karaffe.* Ich habe vergessen zu fragen, Eminenz: Trinken Sie etwas? *Der Bischof wehrt ab.* Wir haben wenig Zeit, bis die Damen erscheinen, und Sie gestatten, daß ich ohne Umschweife spreche. |
| Bischof | Ich bitte drum. |
| Don Juan | Mein Vorschlag ist einfach und klar: Don Juan Tenorio, Ihr nachgerade volkstümlicher Erzfeind, der vor Ihnen sitzt im Glanz seiner besten Mannesjahre und im Begriff, unsterblich zu werden, ja, ich darf es wohl sagen: ein Mythos zu werden – Don Juan |

Tenorio, sage ich, ist entschlossen und bereit, tot zu sein mit dem heutigen Tag.

Bischof Tot?

Don Juan Unter gewissen Bedingungen.

Bischof Welcher Art?

Don Juan Wir sind unter uns, Eminenz. Also rundheraus: Sie, die spanische Kirche, geben mir eine bescheidene Rente, nichts weiter, eine Klause im Kloster, Männerkloster, nicht allzu winzig, wenn ich Wünsche äußern darf, und womöglich mit Aussicht auf die andalusischen Berge; allda lebe ich mit Brot und Wein, namenlos, vom Weib verschont, still und zufrieden mit meiner Geometrie.

Bischof Hm.

Don Juan Und Ihnen, Bischof von Cordoba, liefere ich dafür, was die spanische Kirche dringender braucht als Geld: die Legende von der Höllenfahrt des Frevlers. *Pause.* Was sagen Sie dazu?

Bischof Hm.

Don Juan Jetzt sind es zwölf Jahre schon, Eminenz, seit dieses Denkmal steht mit dem peinlichen Spruch: DER HIMMEL ZERSCHMETTERE DEN FREVLER, und ich, Don Juan Tenorio, spaziere dran vorbei, sooft ich in Sevilla bin, unzerschmettert wie irgendeiner in Sevilla. Wie lang, Eminenz, wie lang denn soll ich es noch treiben? Verführen, erstechen, lachen, weitergehen ... *Er erhebt sich.* Es muß etwas geschehen, Bischof von Cordoba, es muß etwas geschehen!

Bischof Es wird.

Don Juan Was mache ich für einen Eindruck auf unsre Jugend? Die Jugend nimmt mich zum Vorbild, ich sehe es kommen, ein ganzes Zeitalter sehe ich kommen, das in die Leere rennt wie ich, aber kühn nur, weil sie gesehen haben, es gibt kein Gericht, ein ganzes Geschlecht von Spöttern, die sich für meinesgleichen halten, eitel in einem Hohn, der billig wird, modisch, ordinär, dumm zum Verzweifeln – ich sehe das kommen!

Bischof Hm.

Don Juan Sie nicht? *Der Bischof nimmt die Karaffe und füllt sich ein Glas.* Verstehen Sie mich richtig, Bischof von Cordoba, nicht bloß der Damen bin ich müde, ich meine es geistig, ich bin des Frevels müde. Zwölf Jahre eines unwiederholbaren Lebens: vertan in dieser kindischen Herausforderung der blauen Luft, die man Himmel nennt! Ich bin vor nichts zurückgeschreckt, aber Sie sehen ja selbst, Eminenz, meine Frevel haben mich bloß berühmt gemacht. *Der Bischof trinkt.* Ich bin verzweifelt. *Der Bischof trinkt.* Dreiunddreißigjährig teile ich das Geschick so vieler berühmter Männer: alle Welt kennt unsere Taten, fast niemand ihren Sinn. Mich schaudert's, wenn ich die Leute reden höre über mich. Als wäre es mir je um die Damen gegangen!

Bischof Immerhin –

Don Juan Im Anfang, ich bekenne es, macht es Spaß. Meine Hände, so höre ich, sind wie Wünschelruten; sie finden, was der Gatte zehn Jahre lang nie gefunden hat an Quellen der Lust.

Bischof Sie denken an den braven Lopez?

Don Juan Ich möchte hier keine Namen nennen, Eminenz.

Bischof Don Balthazar Lopez.

Don Juan Auf alles war ich gefaßt, Eminenz, aber nicht auf Langeweile. Ihre verzückten Münder, ihre Augen dazu, ihre wässerigen Augen, von Wollust schmal, ich kann sie nicht mehr sehen! Gerade Sie, Bischof von Cordoba, sorgen für meinen Ruhm wie kein andrer, es ist ein Witz: die Damen, die von euren Predigten kommen, träumen ja von mir, und ihre Ehegatten ziehen die Klinge, bevor ich die Dame

auch nur bemerkt habe, so muß ich mich schlagen,
wo ich stehe und gehe, Übung macht mich zum Meister, und noch bevor ich meine Klinge wieder ein-
stecke, hangen die Witwen an meinem Hals, schluch-
zend, damit ich sie tröste. Was bleibt mir andres
übrig, ich bitte Sie, als meinem Ruhm zu entspre-
chen, Opfer meines Ruhms zu sein – davon redet ja
niemand in unserem höflichen Spanien: wie das
Weib sich an mir vergeht! – oder aber: ich lasse die
Witwe einfach liegen, drehe mich auf dem Absatz
und gehe meines wirklichen Wegs, was alles andere
als einfach ist, Eminenz, wir kennen die lebensläng-
liche Rachsucht des Weibes, das einmal vergeblich
auf Verführung gehofft hat –
*Es klopft an der Türe.*

Don Juan   Augenblick!
*Es klopft an der Türe.*

Bischof   Warum blicken Sie mich so an?

Don Juan   Merkwürdig.

Bischof   Was ist merkwürdig?

Don Juan   Zum ersten Mal sehe ich Sie aus der Nähe, Bischof
von Cordoba; waren Sie nicht immer viel runder?

Bischof   Mein Vorgänger vielleicht.

Don Juan   Trotzdem habe ich plötzlich das Gefühl, ich kenne
Ihr finsteres Gesicht. Wo haben wir einander schon
einmal getroffen?
*Es klopft an der Türe.*

Don Juan   Sehr merkwürdig...
*Es klopft an der Türe.*

Don Juan   Ich sprach von meiner Not.

Bischof   Ehen geschändet, Familien zerstört, Töchter verführt,
Väter erstochen, ganz zu schweigen von den Ehe-
männern, die ihre Schande überleben müssen – und
Sie, der alles dies verschuldet hat, Sie wagen es, Don
Juan Tenorio, zu sprechen von Ihrer eignen Not!

Don Juan  Sie zittern ja.

Bischof  Im ganzen Land verlacht zu sein als ein gehörnter Ehemann, haben Sie schon einmal erlebt, was das heißt?

Don Juan  Haben Sie's, Eminenz?

Bischof  Ein Mann wie dieser brave Lopez –

Don Juan  Eminenz scheinen ja verwandt mit ihm zu sein, daß Sie ihn immerfort erwähnen, Ihren braven Lopez, der, ich weiß, ein halbes Vermögen gestiftet hat, damit die spanische Kirche es nicht aufgibt mich zu verfolgen, und jetzt ist er sogar dazu übergegangen, Ihr braver Lopez, mein Haus mit seinen Schergen zu umstellen. Sie erbleichen, Eminenz, aber es ist Tatsache: ich kann mein Haus nicht mehr verlassen, ohne jemand zu erstechen – es ist eine Not, Eminenz, glauben Sie mir, eine wirkliche Not.

*Leporello ist eingetreten.*

Don Juan  Stör uns jetzt nicht!

*Leporello verzieht sich.*

Bischof  Um bei der Sache zu bleiben: –

Don Juan  Bitte.

Bischof  Gründung einer Legende.

Don Juan  Sie brauchen bloß ja zu sagen, Bischof von Cordoba, und die Legende ist gemacht. Ich habe eine Person gemietet, die uns den toten Komtur spielt, und die Damen werden schon kreischen, wenn sie seine Grabesstimme hören. Machen Sie sich keine Sorge! Dazu ein schnödes Gelächter meinerseits, so daß es ihnen kalt über den Rücken rieselt, ein Knall im rechten Augenblick, so daß die Damen ihre Gesichter verbergen – Eminenz sehen die sinnreiche Maschine unter dem Tisch! – und schon stinkt es nach Schwefel und Rauch. Alldies sehr kurz, versteht sich; Verblüffung ist die Mutter des Wunders. Und Sie, so dachte ich, sprechen sofort ein passendes Wort, wie Sie es gerne tun, ein Wort von der Zuverlässigkeit des Himmels, meine Musikanten spielen das bestellte Halleluja, und Schluß.

Bischof   Und Sie?

Don Juan   Ich bin in den Keller gesprungen – Eminenz sehen diesen sinnreichen Deckel in der Diele! – natürlich nicht ohne einen geziemenden Schrei, der Furcht und Mitleid erregt, wie Aristoteles es verlangt. Im Keller erwarten mich eine braune Kutte und ein geschärftes Messer, um meinen allzu berühmten Schnurrbart zu entfernen, und auf staubigem Pfad wandelt ein Mönch.

Bischof   Ich verstehe.

Don Juan   Bedingung: Wir beide wahren das Geheimnis. Sonst kommt ja keiner auf seine Rechnung. Meine Höllenfahrt – das Gerücht wird sich im Nu verbreiten, und je weniger die wenigen Augenzeugen wirklich gesehen haben, um so reicher machen es die vielen, die nicht dabei gewesen sind, um so stichhaltiger vor jeglichem Zweifel – meine Höllenfahrt tröstet die Damen, die Ehemänner, das drohende Heer meiner Gläubiger, kurzum, jedermann kommt auf seine innere Rechnung. Was wäre wunderbarer?

Bischof   Ich verstehe.

Don Juan   Don Juan ist tot. Ich habe meine Ruhe zur Geometrie. Und Sie, die Kirche, haben einen Beweis von himmlischer Gerechtigkeit, wie Sie ihn sonst in ganz Spanien nicht finden.

Bischof   Ich verstehe.

*Leporello tritt wieder ein.*

Leporello   Herr –

Don Juan   Was ist denn?

Leporello   Die Damen sind da.

Don Juan   Wo?

Leporello   Im Hof. Und ziemlich empört, Herr. Dachte jede:

Unter vier Augen und so. Hätte ich nicht flugs den Riegel geschoben, wäre schon keine mehr hier. Das flattert und schnattert wie ein andalusischer Hühnerhof.

Don Juan  Gut.

Leporello  Das heißt, um genau zu sein, wie mein Herr es immer wünschen: Jetzt grad sind sie still, alle mustern einander von der Seite, jede fächelt sich.

Don Juan  Laß sie herein! *Nach einem Blick zum Bischof* – sagen wir: in fünf Minuten.
*Leporello geht.*

Don Juan  Eminenz, nennen Sie mir das Kloster!

Bischof  Sie sind Ihrer Sache sehr sicher –

Don Juan  Natürlich kann die Kirche eine Legende nur brauchen, wenn sie gelingt. Ich verstehe Ihr Zögern, Bischof von Cordoba, aber seien Sie getrost: die Geschichte ist glaubwürdig, keineswegs originell, ein alter Sagenstoff, eine Statue erschlägt den Mörder, das kommt schon in der Antike vor, und die Verspottung eines Totenschädels, der dann den Spötter ins Jenseits holt, denken Sie an die bretonischen Balladen, die unsre Soldaten singen; wir arbeiten mit Überlieferung –

Bischof  *nimmt seine Verkleidung ab und die dunkle Brille, die er getragen hat, und zeigt sein wirkliches Gesicht.*

Don Juan  Don Balthazar Lopez?

Lopez  Ja.

Don Juan  Also doch.

Lopez  Wir haben einander ein einziges Mal gesehen, Don Juan, für einen kurzen Augenblick. Ein weißer Vorhang wehte in die Kerze, als ich die Türe öffnete und Sie bei meiner Gattin fand; eine plötzliche Fahne von rotem Feuer, Sie erinnern sich, und ich mußte löschen –

Don Juan  Richtig.

Lopez  Zum Fechten blieb keine Zeit.

Don Juan  *zieht seinen Degen.*

Lopez  Nachdem ich erfahren habe, was Sie im Schilde führen, um unsrer Rache zu entgehen, soll es mir ein
Vergnügen sein, Ihre gotteslästerliche Legende zu
entlarven. Lassen Sie die Damen herein! Sie bleiben auf dieser Erde, Don Juan Tenorio, genau wie
wir, und ich werde nicht ruhen, bis meine Rache
vollendet ist, bis ich auch Sie, Don Juan Tenorio, als
Ehemann sehe.

Don Juan  Ha!

Lopez  Und zwar mit meiner Frau!
*Eintritt Leporello.*

Leporello  Die Damen!

Lopez  Auch ein Meister im Schach, scheint es, greift einmal
die falsche Figur, und plötzlich, seines schlauen Sie-
ges gewiß, setzt er sich selber matt.

Don Juan  Wir werden ja sehen –
*Es kommen die dreizehn Damen in voller Entrü-
stung, die beim Anblick des vermeintlichen Bischofs
vorerst verstummen; Lopez hat seinen bischöflichen
Hut wieder aufgesetzt, und die Damen küssen den
Saum seines Gewandes. Dies in Würde, aber dann:*

Donna Elvira  Eminenz, wir sind betrogen –

Donna Belisa  Schamlos betrogen –

Donna Elvira  Ich dachte, er liege im Sterben –

Donna Isabel  Ich auch –

Donna Viola  Jede von uns –

Donna Elvira  Ehrenwort, sonst wäre ich nie gekommen –

Donna Fernanda  Keine von uns –

Donna Elvira  Ich, die Witwe des Komturs –

Donna Fernanda  Ich dachte auch, er liege im Sterben –

Donna Inez  Ich auch, ich auch –

Donna Elvira  Ich dachte, er bereue –

Donna Belisa  Jede von uns –

Donna Isabel  Er will Buße tun, dachte ich –

|   |   |
|---|---|
| Donna Viola | Was sonst – |
| Donna Elvira | Eminenz, ich bin eine Dame – |
| Donna Belisa | Und wir? |
| Bischof | Donna Belisa – |
| Donna Belisa | Sind wir keine Damen, Eminenz? |
| Bischof | Beruhigen Sie sich, Donna Belisa, ich weiß, Sie sind die Gattin des braven Lopez. |
| Donna Belisa | Nennen Sie seinen Namen nicht! |
| Bischof | Warum nicht? |
| Donna Belisa | Der brave Lopez! wie er sich immer selber nennt, und nicht einmal gefochten hat er für mich, Eminenz, nicht einmal gefochten, alle andern Ehemänner haben wenigstens gefochten, ich bin die einzige in diesem Kreis, die keine Witwe ist. |
| Bischof | Fassen Sie sich! |
| Donna Belisa | Der brave Lopez! |
| Donna Elvira | Ich war gefaßt, Eminenz, auf alles, aber nicht auf eine Parade von aufgeputzten Ehebrecherinnen, die sich für meinesgleichen halten. |
| Die Damen | Ah! |
| Donna Elvira | Entrüstet euch nur, ihr heuchlerisches Gesindel, fächelt euch, ich weiß genau, wozu ihr in dieses verruchte Haus gekommen seid. |
| Donna Belisa | Und Sie? |
| Donna Elvira | Wo ist er überhaupt, euer Geliebter, wo ist er, damit ich ihm die Augen auskratze? |
| Don Juan | Hier. |
|  | *Don Juan tritt in den Kreis wie ein Torero.* |
|  | Ich danke euch, meine Geliebten, daß ihr alle gekommen seid, alle sind es freilich nicht, aber genug, so denke ich, um meine Höllenfahrt zu feiern. |
| Leporello | Herr –! |
| Don Juan | Meine Geliebten, setzen wir uns. |
|  | *Die Damen stehen, ohne sich zu fächeln, reglos.* |
| Don Juan | Ich gestehe, ja, es ist seltsam, seine Geliebten zusam- |

men in einem Saal zu sehen, ja, sehr seltsam, ich habe es mir schon vorzustellen versucht, aber vergeblich, und ich weiß nicht, wie ich sprechen soll in dieser feierlichen Stunde, da ich euch zusammen sehe, einander fremd und wieder nicht, vereint allein durch mich, getrennt durch mich, so, daß keine mich anblickt –
*Die Damen fächeln sich.*

Don Juan Meine Damen, wir haben einander geliebt.
*Eine Dame spuckt ihm vor die Füße.*

Don Juan Ich staune selbst, Donna Viola, wie wenig davon geblieben ist –

Donna Isabel Ich heiße nicht Viola!

Don Juan Verzeih.

Donna Viola Viola nennt er sie!

Don Juan Verzeih auch du.

Donna Viola Das halt ich nicht aus!

Don Juan Wie flüchtig gerade jene Empfindung ist, die uns im Augenblick, da wir sie haben, dem Ewigen so nahebringt, daß wir als Person davon erblinden, ja, Donna Fernanda, es ist bitter.

Donna Isabel Ich heiße auch nicht Fernanda!

Don Juan Meine Liebe –

Donna Isabel Das hast du jeder gesagt: Meine Liebe!

Don Juan Ich meinte es nie persönlich, Donna Isabel – jetzt erinnere ich mich: Donna Isabel! Du mit der Seele, die immer überfließt, warum hast du nicht sogleich geschluchzt? *Zum Bischof:* Das Gedächtnis des Mannes ist sonderbar, Sie haben recht, man weiß nur noch die Nebensachen: Ein weißer Vorhang, der in die brennende Kerze weht –

Donna Belisa O Gott.

Don Juan Ein andermal war es ein Rascheln im Röhricht, und erschreckt, wie ich war, zog ich die Klinge: es war eine Ente im Mondschein.

| | |
|---|---|
| Donna Viola | O Gott. |
| Don Juan | Was im Gedächtnis bleibt, sind Gegenstände: eine geschmacklose Vase, Pantoffeln, ein Kruzifix aus Porzellan. Und manchmal Gerüche: Duft verwelkter Myrrhen – |
| Donna Isabel | O Gott. |
| Don Juan | Und so weiter und so weiter. Und ganz in der Ferne meiner Jugend, die kurz war, höre ich das heisere Gekläff einer Meute im nächtlichen Park – |
| Donna Elvira | O Gott. |
| Donna Clara | O Gott. |
| Donna Inez | O Gott. |
| Don Juan | Das ist alles, woran ich mich erinnern kann. |

*Die Damen haben ihre Fächer vors Gesicht genommen.*

| | |
|---|---|
| Don Juan | Leporello, zünde die Kerzen an! |

*Leporello zündet die Kerzen an.*

| | |
|---|---|
| Don Juan | Ich weiß nicht, ob ich anders bin als andere Männer. Haben sie ein Erinnern an die Nächte mit Frauen? Ich erschrecke, wenn ich auf mein Leben zurückblicke, ich sehe mich wie einen Schwimmer im Fluß: ohne Spur. Sie nicht? Und wenn ein Jüngling mich fragte: Wie ist das mit Frauen? ich wüßte es nicht, offengestanden, es vergißt sich wie Speisen und Schmerzen, und erst wenn es wieder da ist, weiß ich: So ist das, ach ja, so war es immer... |

*Leporello hat die Kerzen entzündet.*

| | |
|---|---|
| Don Juan | Ich weiß nicht, Don Balthazar, ob Sie sich jetzt schon entlarven möchten oder später. |
| Donna Belisa | Was sagt er? |

*Der Bischof entlarvt sich.*

| | |
|---|---|
| Lopez | Mein Name ist Lopez. |
| Donna Belisa | Du?! |
| Lopez | Don Balthazar Lopez. |
| Don Juan | Schatzkanzler von Toledo, wenn ich nicht irre, Inhaber verschiedener Orden, wie ihr seht, Herr Lopez |

hat in selbstloser Weise das immer heikle Amt über-
nommen, die Eifersucht der Ehemänner zu vertreten.

Lopez  Ihr Spott, Don Juan, ist am Ende.

*Man hört ein dumpfes Poltern.*

Don Juan  Ruhe!

*Man hört ein dumpfes Poltern.*

Don Juan  Herr Lopez von Toledo hat das Wort.

*Man hört ein dumpfes Poltern.*

Lopez  Erschrecken Sie nicht, meine Damen, ich weiß, was
hier gespielt wird, hören Sie mich an!

Leporello  Herr –

Don Juan  Still.

Leporello  – die Türen sind geschlossen.

*Die Damen kreischen.*

Lopez  Hören Sie mich an!

*Die Damen sind zu den Türen gelaufen, die geschlos-
sen sind; Don Juan hat sich auf die Tischkante gesetzt
und schenkt sich Wein in ein Glas.*

Don Juan  Hören Sie ihn an!

Lopez  Meine Damen –

Don Juan  Sie gestatten, daß ich unterdessen trinke; ich habe
Durst. *Er trinkt.* So reden Sie schon!

Lopez  Er wird dieses Haus nicht verlassen, meine Damen,
nicht ohne die gerechte Strafe. Dafür habe ich gesorgt.
Die Stunde des Gerichtes ist da, das Maß seiner Frevel ist voll.

Don Juan  Ist es das nicht schon lang? *Er trinkt.* Und trotzdem
geschieht nichts, das ist ja der Witz. Gestern auf dem
Friedhof, Leporello, haben wir nicht alles unternom-
men, um den toten Komtur zu verhöhnen?

Leporello  – Herr ...

Don Juan  Habe ich ihn nicht zu dieser Tafel geladen?

Donna Elvira  Meinen Gemahl?!

Don Juan  Mein braver Diener hat es mit eignen Augen gesehen, wie er mit seinem steinernen Helm gewackelt

hat, dein Gemahl, offenbar zum Zeichen, daß er heute Zeit hat. Warum kommt er nicht? Es ist Mitternacht vorbei. Was soll ich denn noch tun, damit euer Himmel mich endlich zerschmettere?

*Man hört das dumpfe Poltern.*

Lopez  Bleiben Sie, Donna Elvira, bleiben Sie!

*Man hört das dumpfe Poltern.*

Lopez  Es ist nicht wahr, eine Spitzbüberei ohnegleichen, es ist alles nicht wahr, er will Sie zum Narren halten – hier: sehen Sie diese sinnreiche Maschine unter dem Tisch? Knall und Schwefel sollen Sie erschrecken, damit Sie alle Vernunft verlieren, damit Sie glauben, Don Juan sei zur Hölle gefahren, ein Gericht des Himmels, das nichts als Theater ist, eine Gotteslästerung sondergleichen, damit er der irdischen Strafe entgehe. Ganz Spanien zum Narren zu halten, das ist sein Plan gewesen, eine Legende in die Welt zu setzen, damit er unsrer Strafe entgehe, nichts weiter, das ist sein Plan gewesen, nichts als Theater –

*Don Juan lacht.*

Lopez  Bestreiten Sie es?

Don Juan  Durchaus nicht.

Lopez  Sie hören es, meine Damen!

Don Juan  Nichts als Theater.

Lopez  Hier: Sie sehen diesen sinnreichen Deckel in der Diele, meine Damen, hier, meine Damen, überzeugen Sie sich mit eigenen Augen!

*Don Juan lacht.*

Lopez  Nichts als Theater!

Don Juan  Was sonst. *Er trinkt.* Das sage ich ja schon seit zwölf Jahren: Es gibt keine wirkliche Hölle, kein Jenseits, kein Gericht des Himmels. Herr Lopez hat vollkommen recht: Nichts als Theater.

Lopez  Hören Sie's, meine Damen?

Don Juan  Hier: – *Er erhebt sich und tritt zum Vorhang im*

*Hintergrund, den er öffnet, so daß man das thea-*
*tralische Denkmal des Komturs sieht: – bitte.*
*Die Damen kreischen.*

Don Juan  Warum zittert ihr?

Stimme  Don Juan!

Leporello  – Herr – Herr . . .

Stimme  Don Juan!

Don Juan  Nichts als Theater.

Stimme  Don Juan!

Leporello  Herr – es streckt seinen Arm . . .

Don Juan  Ich fürchte mich nicht, meine Lieben, ihr seht es, ich
greife seine steinerne Hand –
*Don Juan greift die Hand des Denkmals, Knall und*
*Rauch, Don Juan und das Denkmal versinken in*
*der Versenkung, die Musikanten spielen das bestellte*
*Halleluja.*

Lopez  Es ist nicht wahr, meine Damen, nicht wahr, ich be-
schwöre Sie, bekreuzigen Sie sich nicht!
*Die Damen knien und bekreuzigen sich.*

Lopez  Weiber . . .
*Alle Türen öffnen sich, ein Scherge in jeder Türe.*

Lopez  Warum bleibt ihr nicht auf euren Posten?

Scherge  Wo ist er?

Lopez  – jetzt hat er's erreicht . . .

## Intermezzo

*Vor dem Zwischenvorhang erscheinen Celestina und Leporello.*

Celestina  Ich muß unter vier Augen mit ihr reden. Bleib bei der Kutsche! Ich kenne dich: ein bißchen Klostergarten, ein bißchen Vesperglöcklein, und schon wirst du weich. Demnächst glaubst du noch selbst daran, daß er in der Hölle sei.

*Eine Nonne erscheint.*

Celestina  Schwester Elvira?

*Leporello entfernt sich.*

Celestina  Ich bin gekommen, Schwester Elvira, weil ich ein schlechtes Gewissen hab. Wegen damals. Ich hätte das nicht machen sollen. Wenn ich seh, was ich angerichtet habe, ich mach mir wirklich Vorwürfe, wenn ich seh, wie Sie beten den ganzen Tag, bloß weil Sie hereingefallen sind auf den Schwindel mit dem Steinernen Gast. Ich habe nicht geglaubt, daß jemand es wirklich glauben würde. Ehrenwort! Und heut glaubt es schon ganz Spanien. Öffentlich kann man ja die Wahrheit schon nicht mehr sagen. Dieser unselige Lopez! Das haben Sie gehört: des Landes verwiesen, bloß weil er öffentlich zu sagen wagte, ein Schwindler spielte den Geist des Komturs. Schwester Elvira, ich bin's gewesen, der den Steinernen Gast gespielt hat, ich, niemand anders als ich. Dieser unselige Lopez! Das haben Sie gehört: jetzt hat er sich in Marokko drüben erhängt, der Arme, nachdem er der spanischen Kirche sein ganzes Vermögen geschenkt hat, und jetzt glaubt ihm nicht einmal die Kirche. Warum hat's die Wahrheit in Spanien so schwer? Ich bin drei Stunden gefahren, bloß um die

Wahrheit zu sagen, Schwester Elvira, die schlichte
Wahrheit. Hören Sie mir denn zu? Ich bin die letzte
eingeweihte Person in dieser dummen Geschichte, es
liegt mir wirklich auf der Seele, seit ich weiß, daß
Sie deswegen ins Kloster gegangen sind, Schwester
Elvira, deswegen. Ich hab nichts gegen das Kloster.
Unter vier Augen, Schwester Elvira: Er ist nicht in
der Hölle. Glauben Sie mir! Ich weiß, wo er ist,
aber ich darf es nicht sagen, ich bin bestochen, Schwester Elvira, und zwar anständig – sonst könnte ich
mir nicht seinen Diener leisten ... Schwester Elvira,
von Frau zu Frau: Don Juan lebt, ich hab ihn ja mit
eignen Augen gesehen, von Hölle kann nicht die
Rede sein, da können Sie für ihn beten, soviel Sie
wollen.
*Vesperglocke, die Nonne entfernt sich betend.*

Celestina  Nichts zu machen!
*Leporello kommt.*

Celestina  Marsch auf den Bock! Ich hab keine Zeit für Leute,
die es für Glauben halten, wenn sie die Wahrheit
nicht wissen wollen. Bekreuzige dich!

Leporello  Celestina –

Celestina  Don Juan ist in der Hölle.

Leporello  Und mein Lohn? Mein Lohn?

Celestina  Marsch auf den Bock!

Leporello  »Voilà par sa mort un chacun satisfait: Ciel offensé,
lois violées, filles séduites, familles déshonorées, pa-
rents outragés, femmes mises à mal, maries poussés
à bout, tout le monde est content. Il n'y a que moi
seul de malheureux, qui, après tant d'années de ser-
vice, n'ai point d'autre récompense que de voir à
mes yeux l'impiété de mon maître punie par le plus
épouvantable châtiment du monde!«

## Fünfter Akt

*Eine Loggia*
*Im Vordergrund steht ein Tisch, gedeckt für zwei*
*Personen. Don Juan wartet offensichtlich auf die*
*andere Person. Nach einer Weile reißt ihm die Ge-*
*duld, er schellt mit einer Klingel, worauf ein Diener*
*erscheint.*

Don Juan  Ich habe gebeten, man soll mich nicht aus meiner
Arbeit holen, bevor man wirklich essen kann. Nun
warte ich schon wieder eine halbe Stunde. Sind meine
Tage nicht kurz genug? Ich weiß, Alonso, es liegt
nicht an dir. *Er greift zu einem Buch.* Wo ist sie
denn? *Der Diener zuckt die Achseln.* Ich danke. Es
ist gut. Ich habe nichts gesagt. *Der Diener entfernt*
*sich, und Don Juan versucht in einem Buch zu lesen,*
*das er plötzlich in die Ecke schmeißt; er ruft:* Alonso!
Wenn es soweit ist, daß man wirklich essen kann:
ich bin drüben in meiner Klause.

*Don Juan will sich entfernen, aber aus dem Garten*
*kommt der rundliche Bischof von Cordoba, ehe-*
*mals Pater Diego, mit einer Aster in der Hand.*

Bischof  Wohin denn so eilig?

Don Juan  Ah!

Bischof  Wir haben Sie in den Gärten erwartet, mein Lieber.
Ein betörender Abend da draußen. Wie leid es mir
tut, daß ich heute nicht bleiben kann! Da vorn in
den Arkaden, wo man die Schlucht von Ronda sieht,
die letzte Sonne in den glühenden Astern, rot und
violett, dazu die blaue Kühle im Tal, das schon im
Schatten liegt, ich denke es jedesmal: Es ist ein Paradies, was euch zu Füßen liegt.

Don Juan  Ich weiß.

Bischof   Aber Herbst ist es geworden...

Don Juan   Sie nehmen einen Wein, Diego?

Bischof   Gerne. *Während Don Juan eine Karaffe nimmt und zwei Gläser füllt:* — ich sagte eben: Was doch die alten Mauren, die solche Gärten bauten, für ein Talent besaßen, mit der Haut zu leben. All diese Höfe, Durchblick um Durchblick, diese Fluchten voll traulicher Kühle, und die Stille darin wird nicht zum Grab, sie bleibt voll Geheimnis der verblauenden Ferne hinter zierlichen Gittern, man wandelt und labt sich am Schatten, aber die Kühle bleibt heiter vom milden Spiegelschein einer besonnten Mauer; wie witzvoll und zärtlich und ganz für die Haut ist alldies gemacht! Zu schweigen von den Wasserspielen; welche Kunst, die Schöpfung spielen zu lassen auf dem Instrument unsrer Sinne, welche Meisterschaft, das Vergängliche zu kosten, geistig zu werden bis zur Oberfläche, welche Kultur! *Er riecht an der Aster.* Die Herzogin wird jeden Augenblick kommen.

Don Juan   Wird sie.

Bischof   Es sei ihr nicht ganz wohl, sagt sie.
*Don Juan überreicht das gefüllte Glas.*

Bischof   Wie geht's der Geometrie?

Don Juan   Danke.

Bischof   Was Sie das letzte Mal erzählten, hat mich noch lang beschäftigt, Ihre Geschichte mit den Dimensionen, wissen Sie, und daß auch die Geometrie zu einer Wahrheit kommt, die man sich nicht mehr vorstellen kann. So sagten Sie doch? Linie, Fläche, Raum; was aber soll die vierte Dimension sein? Und doch können Sie durch Denken beweisen, daß es sie geben muß —
*Don Juan kippt sein Glas.*

Bischof   Don Juan, was ist los mit Ihnen?

Don Juan Mit mir? Nichts. Wieso? Gar nichts. *Er füllt sein Glas zum zweiten Mal.* Nicht der Rede wert! *Er kippt sein Glas zum zweiten Mal.* Was soll los sein?

Bischof Zum Wohl.

Don Juan Zum Wohl. *Er füllt sein Glas zum dritten Mal.* – jeden Tag wiederhole ich meinen schlichten Wunsch, man soll mich nicht rufen, bevor man wirklich essen kann. Nicht zu machen! Erst war es der Gong, den die Herzogin nicht hörte, wenn im Tal die Grillen zirpten, und ich habe einen andern verfertigen lassen, der die Schlucht von Ronda übertönt. Im Ernst, ganz Ronda weiß, wann hier gegessen werden soll. Nur die Herzogin nicht. Ich habe meine Diener erzogen, die Herzogin persönlich zu suchen und zu finden, persönlich zu unterrichten: das Essen ist bereit! und mich nicht zu rufen, bevor die Herzogin tatsächlich über den Hof kommt. Sie lächeln! Es sind Nichtigkeiten, ich weiß, nicht der Rede wert; gerade das macht sie zur Folter. Was soll ich tun? Ich bin ja ihr Gefangener, vergessen Sie das nicht, ich kann ja nicht aus diesem Schloß heraus; wenn man mich draußen sieht, ist meine Legende hin, und das heißt, ich hätte abermals als Don Juan zu leben – *Er kippt das dritte Glas.* Reden wir nicht davon!

Bischof Ein köstlicher Jerez.

*Don Juan schweigt zornig.*

Bischof Ein köstlicher Jerez.

Don Juan Verzeihung. *Er füllt auch das Glas des Bischofs nach.* Ich habe nichts gesagt.

Bischof Zum Wohl.

Don Juan Zum Wohl.

Bischof Die Herzogin ist eine wunderbare Frau. *Er nippt.* Sie ist glücklich, aber klug; sie weiß sehr wohl, daß Sie, der Mann, nicht glücklich sind, und das ist das einzige, was sie unter vier Augen beklagt.

Don Juan  Sie kann nichts dafür, ich weiß.

Bischof  Aber?

Don Juan  Reden wir nicht davon!

*Bischof nippt.*

Don Juan  — jeden Tag, wenn ich in diese Loggia trete, jeden Tag, jahrein und jahraus, dreimal am Tag, jedesmal habe ich das lichterlohe Gefühl, ich halte es nicht aus. Lappalien! Aber ich halte es nicht aus! Und wenn sie endlich kommt, tu ich, als wäre es wirklich eine Lappalie; wir setzen uns an den Tisch, und ich sage: Mahlzeit.

Bischof  Sie lieben sie.

Don Juan  Das kommt noch dazu. Wenn sie eine Woche drüben in Sevilla weilt, um sich die Haare färben zu lassen, ich will nicht sagen, daß ich sie vermisse —

Bischof  Aber Sie vermissen sie.

Don Juan  Ja.

Bischof  Es ist nicht gut, daß der Mann allein sei, so heißt es in der Schrift, drum schuf Gott ihm eine Gefährtin.

Don Juan  Und meinte er, dann sei es gut?

*Der Diener erscheint mit einem silbernen Tablett.*

Don Juan  Wir sind noch nicht soweit. —

*Der Diener geht mit dem silbernen Tablett.*

Don Juan  Im Ernst, mein Unwille gegen die Schöpfung, die uns gespalten hat in Mann und Weib, ist lebhafter als je. Ich zittere vor jeder Mahlzeit. Welche Ungeheuerlichkeit, daß der Mensch allein nicht das Ganze ist! Und je größer seine Sehnsucht ist, ein Ganzes zu sein, um so verfluchter steht er da, bis zum Verbluten ausgesetzt dem andern Geschlecht. Womit hat man das verdient? Und dabei habe ich dankbar zu sein, ich weiß. Ich habe nur die Wahl, tot zu sein oder hier. Dankbar für dieses Gefängnis in paradiesischen Gärten!

Bischof  Mein Freund —

Don Juan  Es ist ein Gefängnis!

Bischof  Mit vierundvierzig Zimmern. Denken Sie an alle

die andern, Don Juan, die nur eine kleine Wohnung
haben.

Don Juan Ich beneide sie.

Bischof Wieso?

Don Juan Sie werden irrsinnig, denke ich, und merken nichts
mehr davon ... Warum hat man mich nicht ins Kloster gelassen?

Bischof Nicht alle können ins Kloster.

Don Juan Mehret euch und seid fruchtbar!

Bischof So steht es geschrieben.

Don Juan Kein Bann der Kirche, Sie wissen es, und keine
Klinge der Welt haben mich je zum Zittern gebracht;
aber sie, eine Frau, die mich liebt, sie bringt mich
jeden Tag dazu. Und womit eigentlich? Ich sehe bloß,
daß ich über das Lächerliche nicht mehr zu lächeln
vermag. Und daß ich mich abfinden werde, wo es
ein Abfinden nicht gibt. Sie ist eine Frau – mag sein:
die beste aller denkbaren Frauen – aber eine Frau,
und ich bin ein Mann. Dagegen ist nichts zu machen,
Eminenz, und mit gutem Willen schon gar nicht. Es
wird nur ein Ringen daraus, wer das andere durch
guten Willen beschämt. Sie sollten uns sehen und
hören, wenn wir allein sind. Kein lautes Wort! Wir
sind ein Idyll. Einmal ein Glas an die Wand, einmal
und nie wieder! Wir haben es zu einer fürchterlichen
Noblesse gebracht; wir leiden dran, wenn das andere nicht glücklich ist. Was wollen Sie mehr, um die
Ehe vollkommen zu machen? *Pause.* Es fehlt jetzt
nur, daß das Geschlecht mir auch noch die letzte
Schlinge um den Hals wirft ...

Bischof Und das wäre?

Don Juan Daß es mich zum Vater macht. Was werde ich tun?
Sie kann ja nichts dafür. Wir werden uns an den
Tisch setzen wie immer und sagen: Mahlzeit!
*Miranda, die Herzogin von Ronda, erscheint.*

Miranda  Habe ich die Herren unterbrochen?

Bischof  Durchaus nicht, meine liebe Miranda. Wir plauderten grad von der Höllenfahrt des Don Juan. *Zu Don Juan:* Haben Sie das Spektakel in Sevilla gesehen? *Zu Miranda:* Sie geben es jetzt auf dem Theater –

Don Juan  Ich komme ja nicht nach Sevilla.

Miranda  Ein Spektakel? sagen Sie.

Bischof  »DER BURLADOR VON SEVILLA«, nennt es sich, »ODER DER STEINERNE GAST«, ich habe es mir neulich ansehen müssen, weil es heißt, unser Prior, der Gabriel Tellez, habe es geschrieben.

Miranda  Wie ist es denn?

Bischof  Nicht ohne Witz: Don Juan fährt tatsächlich in die Hölle, und das Publikum jubelt vor Gruseln. Sie sollten es sich wirklich einmal ansehen, Don Juan.

Don Juan  Wie ich in die Hölle fahre?

Bischof  Was bleibt dem Theater andres übrig? Wahrheit läßt sich nicht zeigen, nur erfinden. Denken wir uns bloß ein Publikum, das den wirklichen Don Juan sehen könnte: hier auf dieser herbstlichen Loggia in Ronda! – die Damen würden sich brüsten und auf dem Heimweg sagen: Siehst du! Und die Ehemänner würden sich die Hände reiben vor Schadenfreude: Don Juan unter dem Pantoffel! Kommt doch das Ungewöhnliche gern an einen Punkt, wo es dem Gewöhnlichen verzweifelt ähnlich sieht. Und wo, so riefen meine Sekretäre, wo bleibt die Strafe? Nicht aufzuzählen wären die Mißverständnisse. Und ein junger Geck, der sich als Pessimist gefällt, würde erklären: Die Ehe, versteht ihr, das ist die wahre Hölle! und was der Platitüden mehr sind... Nein, es wäre gräßlich, dieses Publikum zu hören, das nur die Wirklichkeit sieht. *Er reicht die Hand.* Leben Sie wohl, Herzogin von Ronda!

Miranda  Sie wollen wirklich gehen?

Bischof  Ich muß, ich muß. *Er gibt Don Juan die Hand.* Leben
Sie wohl, Burlador von Sevilla!

Don Juan  Wird es gedruckt?

Bischof  Ich nehme an. Die Leute genießen es über die Maßen,
zuweilen einen Mann zu sehen, der auf der Bühne
macht, was sie nur machen möchten, und der es schließlich büßen muß für sie.

Miranda  Aber ich, Diego, ich komme nicht drin vor?

Bischof  Nein.

Miranda  Gott sei Dank.

Bischof  Ich auch nicht, Gott sei Dank – sonst hätten wir es
verbieten müssen, und das Theater braucht Stücke.
Übrigens zweifle ich, ob es wirklich ein Tirso de Molina ist; es ist allzu fromm, scheint mir, und sprach-
lich nicht auf der Höhe seiner andern Stücke. Aber
wie dem auch sei – *Er stellt die Aster auf den Tisch:*
Gott segne eure Mahlzeit!
*Der Bischof geht, begleitet von Don Juan. Miranda
ist einige Augenblicke allein, eine Geste verrät, daß
ihr nicht wohl ist. Sie findet das Buch am Boden,
Don Juan kommt zurück.*

Miranda  Was ist denn mit diesem Buch geschehen?

Don Juan  Ach so.

Miranda  Hast du es in die Ecke geworfen?

Don Juan  Was ist es eigentlich?

Miranda  Da fragst du, ob es gedruckt wird. Das ist es ja:
EL BURLADOR DE SEVILLA Y CONVIDADO
DE PIEDRA.

Don Juan  Dann hat er es uns geschenkt.

Miranda  Und warum hast du es in die Ecke geworfen? *Don
Juan rückt ihr den Sessel zurecht.* Ist es Zeit zum
Essen? *Sie setzt sich.* Bist du zornig gewesen? *Don
Juan setzt sich.* Du tust mir unrecht, Juan –

Don Juan  Sicher, meine Liebe, sicher.

Miranda  Ich mußte mich wirklich einen Augenblick hinlegen.

Don Juan  Nimmst du Wein?

Miranda  Danke, nein.

Don Juan  Wieso nicht?

Miranda  Plötzlich war mir wieder so schwindlig, ich glaube,
wir bekommen ein Kind.

Don Juan  Ein Kind –

*Der Diener erscheint.*

Don Juan  Wir sind soweit. –

*Der Diener geht.*

Miranda  Du mußt jetzt nicht behaupten, daß es dich freut,
Juan, aber es wird mich glücklich machen, wenn ich
eines Tages sehe, daß es dich wirklich freut.

*Der Diener kommt mit dem silbernen Tablett und
serviert.*

Don Juan  Mahlzeit.

Miranda  Mahlzeit.

*Sie beginnen schweigsam zu essen, langsam fällt der
Vorhang.*

# Biedermann und die Brandstifter

*Ein Lehrstück ohne Lehre*

*Die Bühne ist finster, dann leuchtet ein Streichholz auf: man sieht das Gesicht von Herrn Biedermann, der sich eine Zigarre anzündet und jetzt, da es heller wird, sich seinerseits umsieht. Ringsum stehen Feuerwehrmänner in Helmen.*

**Biedermann** Nicht einmal eine Zigarre kann man heutzutage anzünden, ohne an Feuersbrunst zu denken! ... das ist ja widerlich –

*Biedermann verbirgt die rauchende Zigarre und verzieht sich, worauf die Feuerwehr vortritt in der Art des antiken Chors. Eine Turmuhr schlägt: ein Viertel.*

**Chor** Bürger der Vaterstadt, seht
Wächter der Vaterstadt uns,
Spähend,
Horchend,
Freundlichgesinnte dem freundlichen Bürger –

**Chorführer** Der uns ja schließlich bezahlt.

**Chor** Trefflichgerüstete
Wandeln wir um euer Haus,
Wachsam und arglos zugleich.

**Chorführer** Manchmal auch setzen wir uns,
Ohne zu schlafen jedoch, unermüdlich

**Chor** Spähend,
Horchend,
Daß sich enthülle Verhülltes,
Eh' es zum Löschen zu spät ist,
Feuergefährliches.
*Eine Turmuhr schlägt halb.*

**Chorführer** Feuergefährlich ist viel,
Aber nicht alles, was feuert, ist Schicksal,
Unabwendbares.

**Chor** Anderes nämlich, Schicksal genannt,
Daß du nicht fragest, wie's kommt,
Städtevernichtendes auch, Ungeheueres,
Ist Unfug,

Chorführer    Menschlicher,
Chor    Allzumenschlicher,
Chorführer    Tilgend das sterbliche Bürgergeschlecht.
*Eine Turmuhr schlägt: drei Viertel.*
Chor    Viel kann vermeiden Vernunft.
Chorführer    Wahrlich:
Chor    Nimmer verdient es der Gott,
Nimmer der Mensch,
Denn der, achtet er Menschliches so,
Nimmer verdient er den Namen
Und nimmer die göttliche Erde,
Die unerschöpfliche,
Fruchtbar und gnädig dem Menschen,
Und nimmer die Luft, die er atmet,
Und nimmer die Sonne –
Nimmer verdient,
Schicksal zu heißen, bloß weil er geschehen:
Der Blödsinn,
Der nimmerzulöschende einst!
*Die Turmuhr schlägt: vier Viertel.*
Chorführer    Unsere Wache hat begonnen.
*Der Chor setzt sich, während der Stundenschlag tönt:
neun Uhr.*


Szene 1

*Stube*
*Gottlieb Biedermann sitzt in seiner Stube und liest
die Zeitung, eine Zigarre rauchend, und Anna, das
Dienstmädchen mit weißem Schürzchen, bringt eine
Flasche Wein.*
Anna    Herr Biedermann? – *Keine Antwort.*
Herr Biedermann –
*Er legt die Zeitung zusammen.*

Biedermann  Aufhängen sollte man sie. Hab ich's nicht immer gesagt? Schon wieder eine Brandstiftung. Und wieder dieselbe Geschichte, sage und schreibe: wieder so ein Hausierer, der sich im Dachboden einnistet, ein harmloser Hausierer ...
*Er nimmt die Flasche.*
Aufhängen sollte man sie!
*Er nimmt den Korkenzieher.*

Anna  Herr Biedermann –

Biedermann  Was denn?

Anna  Er ist noch immer da.

Biedermann  Wer?

Anna  Der Hausierer, der Sie sprechen möchte.

Biedermann  Ich bin nicht zu Haus!

Anna  Das hab ich ihm gesagt, Herr Biedermann, schon vor einer Stunde. Er sagt, er kenne Sie. Herr Biedermann, ich kann diesen Menschen nicht vor die Tür werfen. Ich kann's nicht!

Biedermann  Wieso nicht?

Anna  Nämlich er ist sehr kräftig ...
*Biedermann zieht den Korken.*

Biedermann  Er soll morgen ins Geschäft kommen.

Anna  Ich hab's ihm gesagt, Herr Biedermann, schon dreimal, aber das interessiert ihn nicht.

Biedermann  Wieso nicht?

Anna  Er will kein Haarwasser.

Biedermann  Sondern?

Anna  Menschlichkeit ...
*Biedermann riecht am Korken.*

Biedermann  Sagen Sie ihm, ich werde ihn eigenhändig vor die Tür werfen, wenn er nicht sofort verschwindet.
*Er füllt sorgsam sein Burgunderglas.*
Menschlichkeit! ...
*Er kostet den Wein.*
Er soll im Flur draußen warten. Ich komme sofort.

Wenn er irgend etwas verkauft, ein Traktat oder Rasierklingen, ich bin kein Unmensch, aber – ich bin kein Unmensch, Anna, das wissen Sie ganz genau! – aber es kommt mir keiner ins Haus. Das habe ich Ihnen schon hundertmal gesagt! Und wenn wir drei freie Betten haben, es kommt nicht in Frage, sag ich, nicht in Frage. Man weiß, wohin das führen kann – heutzutage ...

*Anna will gehen und sieht, daß der Fremde eben eingetreten ist: ein Athlet, sein Kostüm erinnert halb an Strafanstalt und halb an Zirkus, Tätowierung am Arm, Lederbinde um die Handgelenke. Anna schleicht hinaus. Der Fremde wartet, bis Biedermann seinen Wein gekostet hat und sich umdreht.*

Schmitz Guten Abend.

*Biedermann verliert die Zigarre vor Verblüffung.*

Ihre Zigarre, Herr Biedermann –

*Er hebt die Zigarre auf und gibt sie Biedermann.*

Biedermann Sagen Sie mal –

Schmitz Guten Abend!

Biedermann Was soll das heißen? Ich habe dem Mädchen ausdrücklich gesagt, Sie sollen im Flur draußen warten. Wieso – ich muß schon sagen ... ohne zu klopfen ...

Schmitz Mein Name ist Schmitz.

Biedermann Ohne zu klopfen.

Schmitz Schmitz Josef.

*Schweigen*

Guten Abend!

Biedermann Und was wünschen Sie?

Schmitz Herr Biedermann brauchen keine Angst haben: Ich bin kein Hausierer!

Biedermann Sondern?

Schmitz Ringer von Beruf.

Biedermann Ringer?

Schmitz Schwergewicht.

Biedermann   Ich sehe.

Schmitz   Das heißt: gewesen.

Biedermann   Und jetzt?

Schmitz   Arbeitslos.

*Pause*

Herr Biedermann brauchen keine Angst haben, ich suche keine Arbeit. Im Gegenteil. Die Ringerei ist mir verleidet... Bin nur gekommen, weil's draußen so regnet.

*Pause*

Hier ist's wärmer.

*Pause*

Hoffentlich stör ich nicht. –

*Pause*

Biedermann   Rauchen Sie?

*Er bietet Zigarren an.*

Schmitz   Das ist schrecklich, Herr Biedermann, wenn einer so gewachsen ist wie ich. Alle Leute haben Angst vor mir... Danke!

*Biedermann gibt ihm Feuer.*

Danke.

*Sie stehen und rauchen.*

Biedermann   Kurz und gut, was wünschen Sie?

Schmitz   Mein Name ist Schmitz.

Biedermann   Das sagten Sie schon, ja, sehr erfreut –

Schmitz   Ich bin obdachlos.

*Er hält die Zigarre unter die Nase und kostet den Duft.*

Ich bin obdachlos.

Biedermann   Wollen Sie – ein Stück Brot?

Schmitz   Wenn Sie nichts andres haben...

Biedermann   Oder ein Glas Wein?

Schmitz   Brot und Wein... Aber nur wenn ich nicht störe, Herr Biedermann, nur wenn ich nicht störe!

*Biedermann geht zur Tür.*

Biedermann  Anna!
           *Biedermann kommt zurück.*
Schmitz    Das Mädchen hat mir gesagt, Herr Biedermann will
           mich persönlich hinauswerfen, aber ich habe gedacht,
           Herr Biedermann, daß das nicht Ihr Ernst ist ...
           *Anna ist eingetreten.*
Biedermann  Anna, bringen Sie ein zweites Glas.
Anna       Sehr wohl.
Biedermann  Und etwas Brot – ja.
Schmitz    Und wenn's dem Fräulein nichts ausmacht: etwas
           Butter. Etwas Käse oder kaltes Fleisch oder so. Nur
           keine Umstände. Ein paar Gurken, eine Tomate oder
           so, etwas Senf – was Sie grad haben, Fräulein.
Anna       Sehr wohl.
Schmitz    Nur keine Umstände!
           *Anna geht hinaus.*
Biedermann  Sie kennen mich, haben Sie dem Mädchen gesagt.
Schmitz    Freilich, Herr Biedermann, freilich.
Biedermann  Woher?
Schmitz    Nur von Ihrer besten Seite, Herr Biedermann, nur
           von Ihrer besten Seite. Gestern Abend am Stamm-
           tisch, ich weiß, Herr Biedermann haben mich gar
           nicht bemerkt in der Ecke, die ganze Wirtschaft hat
           sich gefreut, Herr Biedermann, jedes Mal, wenn Sie
           mit der Faust auf den Tisch geschlagen haben.
Biedermann  Was habe ich denn gesagt?
Schmitz    Das Einzigrichtige.
           *Er raucht seine Zigarre, dann:*
           Aufhängen sollte man sie. Alle. Je rascher, um so
           besser. Aufhängen. Diese Brandstifter nämlich ...
           *Biedermann bietet einen Sessel an.*
Biedermann  Bitte. –
           *Schmitz setzt sich.*
Schmitz    Männer wie Sie, Herr Biedermann, das ist's, was wir
           brauchen!

Biedermann   Jaja, gewiß, aber –

Schmitz   Kein Aber, Herr Biedermann, kein Aber! Sie sind noch vom alten Schrot und Korn, Sie haben noch eine positive Einstellung. Das kommt davon.

Biedermann   Gewiß –

Schmitz   Sie haben noch Zivilcourage.

Biedermann   Sicher –

Schmitz   Das kommt eben davon.

Biedermann   Wovon?

Schmitz   Sie haben noch ein Gewissen, das spürte die ganze Wirtschaft, ein regelrechtes Gewissen.

Biedermann   Jaja, natürlich –

Schmitz   Herr Biedermann, das ist gar nicht natürlich. Heutzutage. Im Zirkus, wo ich gerungen hab, zum Beispiel – und drum, sehn Sie, ist er dann auch niedergebrannt, der ganze Zirkus! – unser Direktor zum Beispiel, der hat gesagt: Sie können mir, Sepp! – ich heiße doch Josef ... Sie können mir! hat er gesagt: Wozu soll ich ein Gewissen haben? Wörtlich. Was ich brauch, um mit meinen Bestien fertigzuwerden, das ist 'ne Peitsche. Wörtlich! So einer war das. Gewissen! hat er gelacht: Wenn einer ein Gewissen hat, so ist es meistens ein schlechtes ...

*Er raucht genußvoll.*

Gott hab ihn selig.

Biedermann   Das heißt, er ist tot?

Schmitz   Verbrannt mit seinem ganzen Plunder ...

*Eine Standuhr schlägt neun.*

Biedermann   Versteh nicht, was das Mädchen so lang macht!

Schmitz   Ich hab Zeit. –

*Es gibt sich, daß sie einander plötzlich in die Augen blicken.*

Sie haben auch kein freies Bett im Haus, Herr Biedermann, das Mädchen sagte es schon –

Biedermann   Warum lachen Sie?

Schmitz Leider kein freies Bett! das sagen nämlich alle, kaum daß ein Obdachloser – und dabei will ich gar kein Bett.

Biedermann Nein?

Schmitz Ich bin's gewohnt, Herr Biedermann, auf dem Boden zu schlafen. Mein Vater war Köhler. Ich bin's gewohnt ...

*Er raucht vor sich hin.*

Kein Aber, Herr Biedermann, kein Aber! sag ich: Sie sind keiner von denen, der in der Wirtschaft ein großes Maul verreißt, weil er Schiß hat. Ihnen glaub ich's. Leider kein freies Bett! – das sagen alle – aber Ihnen, Herr Biedermann, glaub ich aufs Wort ... Wo führt das noch hin, wenn keiner mehr dem andern glaubt? Ich sag immer: Wo führt das noch hin, Kinder! jeder hält den andern für einen Brandstifter, nichts als Mißtrauen in der Welt. Oder hab ich nicht recht? Das spürte die ganze Wirtschaft, Herr Biedermann: Sie glauben noch an das Gute in den Menschen und in sich selbst. Oder hab ich nicht recht? Sie sind der erste Mensch in dieser Stadt, der unsereinen nicht einfach wie einen Brandstifter behandelt –

Biedermann Hier ist ein Aschenbecher.

Schmitz Oder hab ich nicht recht?

*Er schlägt sorgsam die Asche seiner Zigarre ab.*

Die meisten Leute heutzutage glauben nicht an Gott, sondern an die Feuerwehr.

Biedermann Was wollen Sie damit sagen?

Schmitz Die Wahrheit.

*Anna bringt ein Tablettchen.*

Anna Kaltes Fleisch haben wir keins.

Schmitz Das genügt, Fräulein, das genügt – nur den Senf haben Sie noch vergessen.

Anna Entschuldigung!

*Anna geht hinaus.*

Biedermann  Essen Sie! –
*Biedermann füllt die Gläser.*
Schmitz  Nicht überall, Herr Biedermann, wird man so emp-
fangen. Das kann ich Ihnen sagen! Ich habe schon
Dinge erlebt – Kaum tritt unsereiner über die Schwelle,
Mann ohne Krawatte, obdachlos, hungrig: Nehmen
Sie Platz! heißt es, und hintenherum rufen sie die
Polizei. Was finden Sie dazu? Ich frage nach einem
Obdach, nichts weiter, ein braver Ringer, der sein
Leben lang gerungen hat; da packt so ein Herr, der
noch nie gerungen hat, unsereinen am Kragen – Wie-
so? frag ich und dreh mich bloß um, bloß um ihn
anzublicken, schon hat er die Schulter gebrochen.
*Er nimmt das Glas.*
Prost!
*Sie trinken, und Schmitz beginnt zu futtern.*
Biedermann  Es ist halt so eine Sache, mein Herr, heutzutage. Keine
Zeitung kann man mehr aufschlagen: Schon wieder
so eine Brandstifterei! Und wieder die alte Geschichte,
sage und schreibe: Wieder ein Hausierer, der um Ob-
dach bittet, und am andern Morgen steht das Haus
in Flammen . . . Ich meine nur – offengesprochen: Ich
kann ein gewisses Mißtrauen schon verstehen.
*Er greift zu einer Zeitung.*
Hier: bitte!
*Er legt ihm die offene Zeitung neben den Teller.*
Schmitz  Ich hab's gesehen.
Biedermann  Ein ganzer Stadtteil.
*Er erhebt sich, um es Schmitz zu zeigen.*
Hier: lesen Sie das!
*Schmitz futtert und liest und trinkt.*
Schmitz  Beaujolais?
Biedermann  Ja.
Schmitz  Dürfte noch etwas wärmer sein . . .
*Er liest über den Teller hinweg.*

»– scheint es, daß die Brandstiftung nach dem gleichen Muster geplant und durchgeführt worden ist wie schon das letzte Mal.«

*Sie geben einander einen Blick.*

Biedermann   Ist das nicht unglaublich?!

*Schmitz legt die Zeitung weg.*

Schmitz   Drum les ich ja keine Zeitungen.

Biedermann   Wie meinen Sie das?

Schmitz   Weil's immer wieder dasselbe ist.

Biedermann   Jaja, mein Herr, natürlich, aber – das ist doch keine Lösung, mein Herr, einfach keine Zeitung lesen; schließlich und endlich muß man doch wissen, was einem bevorsteht.

Schmitz   Wozu?

Biedermann   Einfach so.

Schmitz   Es kommt ja doch, Herr Biedermann, es kommt ja doch!

*Er riecht an der Wurst.*

Gottesgericht.

*Er schneidet sich Wurst ab.*

Biedermann   Meinen Sie?

*Anna bringt den Senf.*

Schmitz   Danke, Fräulein, danke!

Anna   Sonst noch etwas?

Schmitz   Heute nicht.

*Anna bleibt bei der Türe.*

Senf ist nämlich meine Leibspeise –

*Er drückt Senf aus der Tube.*

Biedermann   Wieso Gottesgericht?!

Schmitz   Weiß ich's . . .

*Er futtert und blickt nochmals in die Zeitung.*

»– scheint es den Sachverständigen, daß die Brandstiftung nach dem gleichen Muster geplant und durchgeführt worden ist wie schon das letzte Mal.«

*Er lacht kurz, dann füllt er sein Glas mit Wein.*

Anna Herr Biedermann?

Biedermann Was denn?

Anna Herr Knechtling möchte Sie sprechen.

Biedermann Knechtling? Jetzt? Knechtling?

Anna Er sagt –

Biedermann Kommt nicht in Frage.

Anna Er könne Sie gar nicht verstehen –

Biedermann Wozu muß er mich verstehen?

Anna Er habe eine kranke Frau und drei Kinder –

Biedermann Kommt nicht in Frage! sag ich.

*Er ist aufgestanden vor Ungeduld.*

Herr Knechtling! Herr Knechtling! Herr Knechtling soll mich gefälligst in Ruh lassen, Herrgott nochmal, oder er soll einen Anwalt nehmen. Bitte! Ich habe Feierabend. Herr Knechtling! Ich verbitte mir dieses Getue wegen einer Kündigung. Lächerlich! Und dabei gibt's heutzutage Versicherungen wie noch nie in der Geschichte der Menschheit ... Ja! Soll er einen Anwalt nehmen. Bitte! Ich werde auch einen Anwalt nehmen. Beteiligung an seiner Erfindung. Soll er sich unter den Gasherd legen oder einen Anwalt nehmen – bitte! – wenn Herr Knechtling es sich leisten kann, einen Prozeß zu verlieren oder zu gewinnen. Bitte! Bitte!

*Er beherrscht sich mit Blick auf Schmitz.*

Sagen Sie Herrn Knechtling: Ich habe Besuch.

*Anna geht hinaus.*

Sie entschuldigen!

Schmitz Sie sind hier zu Haus, Herr Biedermann.

Biedermann Schmeckt es denn?

*Er setzt sich und schaut zu, wie der Gast genießt.*

Schmitz Wer hätte gedacht, ja, wer hätte gedacht, daß es das noch gibt! Heutzutage.

Biedermann Senf?

Schmitz Menschlichkeit.

*Er schraubt die Tube wieder zu.*

Ich meine nur so: Daß Sie mich nicht einfach am Kragen packen, Herr Biedermann, um unsereinen einfach auf die Straße zu werfen – hinaus in den Regen! – sehen Sie, das ist's, Herr Biedermann, was wir brauchen: Menschlichkeit.

*Er nimmt die Flasche und gießt sich ein.*

Vergelt's Gott.

*Er trinkt und genießt es sichtlich.*

Biedermann  Sie müssen jetzt nicht denken, Herr Schmitz, daß ich ein Unmensch sei –

Schmitz  Herr Biedermann!

Biedermann  Frau Knechtling nämlich behauptet das!

Schmitz  Wenn Sie ein Unmensch wären, Herr Biedermann, dann würden Sie mir heute nacht kein Obdach geben, das ist mal klar.

Biedermann  Nicht wahr?

Schmitz  Und wenn's auch nur auf dem Dachboden ist.

*Er stellt das Glas nieder.*

Jetzt ist er richtig, unser Wein.

*Es klingelt an der Haustür.*

Polizei –?

Biedermann  Meine Frau –

Schmitz  Hm.

*Es klingelt nochmals.*

Biedermann  Kommen Sie! ... Aber unter einer Bedingung, mein Herr: Kein Lärm! Meine Frau ist herzkrank –

*Man hört Frauenstimmen draußen, und Biedermann winkt dem Schmitz, daß er sich beeile, und hilft, Tablettchen und Glas und Flasche werden mitgenommen, sie gehen auf Fußspitzen nach rechts, wo aber der Chor sitzt.*

Biedermann  Sie entschuldigen!

*Er steigt über die Bank.*

Schmitz  Sie entschuldigen!

*Er steigt über die Bank, und sie verschwinden, während von links Frau Biedermann in die Stube tritt, begleitet von Anna, die ihr die Sachen abnimmt.*

Babette  Wo ist mein Mann? Sie wissen, Anna, wir sind keine Spießer: Sie können einen Schatz haben, aber ich will nicht, Anna, daß Sie ihn im Haus verstecken.

Anna  Frau Biedermann, ich hab aber keinen.

Babette  Und wem gehört das rostige Fahrrad, das unten neben unsrer Haustüre steht? Ich bin ja zu Tod erschrocken –

*Dachboden*
*Biedermann knipst das Licht an, man sieht den Dachboden, er winkt dem Schmitz, daß er eintreten soll, es wird nur geflüstert.*

Biedermann  Hier ist der Schalter... Wenn Sie kalt haben, irgendwo gibt's ein altes Schaffell, glaub ich – aber leise, Herrgott nochmal ... Ziehn Sie die Schuhe aus!
*Schmitz stellt das Tablettchen ab und zieht einen Schuh aus.*
Herr Schmitz –

Schmitz  Herr Biedermann?

Biedermann  Sie versprechen es mir aber: Sie sind aber wirklich kein Brandstifter?
*Schmitz muß lachen.*
Scht!
*Er nickt gut' Nacht, geht hinaus und macht die Türe zu, Schmitz zieht den anderen Schuh aus.*

*Stube*
*Babette hat etwas gehört und horcht, sie blickt entsetzt, dann plötzliche Erleichterung, sie wendet sich an den Zuschauer.*

Babette  Mein Mann, der Gottlieb, hat mir versprochen, jeden

Abend persönlich auf den Dachboden zu gehen, um persönlich nachzuschauen, ob kein Brandstifter da ist. Ich bin ihm dankbar. Sonst könnte ich nämlich die halbe Nacht lang nicht schlafen ...

*Dachboden*
*Schmitz geht zum Schalter, jetzt in Socken, und löscht das Licht.*

*Chor*
Bürger der Vaterstadt, seht
Wachen uns, Wächter der Unschuld,
Arglos noch immer,
Freundlichgesinnte der schlafenden Stadt,
Sitzend,
Stehend –

Chorführer  Manchmal eine Pfeife stopfend zur Kurzweil.

Chor  Spähend,
Horchend,
Daß nicht ein Feuer aus traulichen Dächern
Lichterloh
Tilge die Vaterstadt uns.
*Eine Turmuhr schlägt drei.*

Chorführer  Jedermann weiß, daß wir da sind, und weiß:
Anruf genügt.
*Er stopft sich die Pfeife.*

Chor  Wer denn macht Licht in der Stube
Um diese Stunde?
Wehe, in nervenzerrüttetem Zustand
Schlaflos-unselig
Seh ich die Gattin.
*Babette erscheint im Morgenrock.*

Babette  Da hustet einer! ...

*Man hört Schnarchen.*
Gottlieb! Hörst du's denn nicht?
*Man hört Husten.*
Da ist doch einer! ...
*Man hört Schnarchen.*
Männer! dann nehmen sie einfach ein Schlafpulver.
*Eine Turmuhr schlägt vier.*

Chorführer 's ist vier Uhr.
*Babette löscht das Licht wieder.*

Chorführer Aber ein Anruf kam nicht.
*Er steckt die Pfeife wieder ein, es wird hell im Hintergrund.*

Chor Strahl der Sonne,
Wimper, o göttlichen Auges,
Aufleuchtet noch einmal Tag
Über den traulichen Dächern der Stadt.
    Heil uns!
Nichts ist geschehen der nächtlichen Stadt,
Heute noch nichts ...
    Heil uns!
*Der Chor setzt sich.*


Szene 2

*Stube*
*Biedermann steht in Mantel und Hut, Ledermappe*
*unterm Arm, trinkt seinen Morgenkaffee und spricht*
*zur Stube hinaus.*

Biedermann – zum letzten Mal: Er ist kein Brandstifter.
Stimme Woher weißt du das?
Biedermann Ich habe ihn ja selbst gefragt ... Und überhaupt:
Kann man eigentlich nichts anderes mehr denken in
dieser Welt? Das ist ja zum Verrücktwerden, ihr mit
euren Brandstiftern die ganze Zeit –

*Babette kommt mit einem Milchkrug.*
Zum Verrücktwerden!

**Babette** Schrei mich nicht an.

**Biedermann** Ich schrei nicht dich an, Babette, ich schreie ganz allgemein.

*Sie gießt Milch in seine Tasse.*
Ich muß ja gehn!

*Er trinkt seinen Kaffee, der zu heiß ist.*
Wenn man jedermann für einen Brandstifter hält, wo führt das hin? Man muß auch ein bißchen Vertrauen haben, Babette, ein bißchen Vertrauen –

*Er blickt auf seine Armbanduhr.*

**Babette** Du bist zu gutmütig. Das mach ich nicht mit, Gottlieb. Du läßt dein Herz sprechen, während ich die ganze Nacht nicht schlafen kann ... ich will ihm ein Frühstück geben, aber dann, Gottlieb, schick ich ihn auf den Weg.

**Biedermann** Tu das.

**Babette** In aller Freundlichkeit, weißt du, ohne ihn zu kränken.

**Biedermann** Tu das.

*Er stellt die Tasse hin.*
Ich muß zum Rechtsanwalt.

*Er gibt Babette einen Gewohnheitskuß, in diesem Augenblick erscheint Schmitz, der ein Schaffell trägt; sie sehen ihn noch nicht.*

**Babette** Warum hast du Knechtling entlassen?

**Biedermann** Weil ich ihn nicht mehr brauche.

**Babette** Du warst immer so zufrieden mit ihm.

**Biedermann** Das ist es ja, was er ausnutzen will. Beteiligung an seiner Erfindung! Und dabei weiß Knechtling ganz genau, was unser Haarwasser ist: eine kaufmännische Leistung, aber keine Erfindung. Lächerlich! Die guten Leute, die unser Haarwasser auf die Glatze streichen, könnten ebensogut ihren eigenen Harn –

Babette        Gottlieb!
Biedermann     Es ist aber auch wahr!
               *Er vergewissert sich, ob er alles in der Mappe hat.*
               Ich bin zu gutmütig, du hast recht: Diesem Knecht-
               ling werde ich die Kehle schon umdrehn.
               *Er will gehen und sieht Schmitz.*
Schmitz        Guten Morgen, die Herrschaften!
Biedermann     Herr Schmitz –
               *Schmitz streckt ihm die Hand hin.*
Schmitz        Sagen Sie doch einfach Sepp!
               *Biedermann gibt seine Hand nicht.*
Biedermann     – meine Frau wird mit Ihnen sprechen, Herr Schmitz.
               Ich muß gehen. Leider. Ich wünsche Ihnen aber alles
               Gute . . .
               *Er schüttelt dem Schmitz die Hand.*
               Alles Gute, Sepp, alles Gute!
               *Biedermann geht weg.*
Schmitz        Alles Gute, Gottlieb, alles Gute!
               *Babette starrt ihn an.*
               Ihr Mann heißt doch Gottlieb? . . .
Babette        Wie haben Sie geschlafen?
Schmitz        Danke, kalt. Aber ich habe mir gestattet, Madame,
               das Schaffell zu nehmen – Erinnert mich an meine
               Jugend in den Köhlerhütten . . . Ja – Bin die Kälte
               gewohnt . . .
Babette        Ihr Frühstück ist bereit.
Schmitz        Madame!
               *Sie weist ihm den Sessel an.*
               Das kann ich nicht annehmen!
               *Sie füllt seine Tasse.*
Babette        Sie müssen tüchtig essen, Sepp. Sie haben sicherlich
               einen langen Weg vor sich.
Schmitz        Wieso?
               *Sie weist ihm nochmals den Sessel an.*
Babette        Nehmen Sie ein weiches Ei?

Schmitz  Zwei.

Babette  Anna!

Schmitz  Sie sehen, Madame, ich fühl mich schon wie zu Haus...
Ich bin so frei –
*Er setzt sich, Anna ist eingetreten.*

Babette  Zwei weiche Eier.

Anna  Sehr wohl.

Schmitz  Dreieinhalb Minuten.

Anna  Sehr wohl.
*Anna will gehen.*

Schmitz  Fräulein!
*Anna steht in der Tür.*
Guten Tag!

Anna  Tag.
*Anna geht hinaus.*

Schmitz  Wie das Fräulein mich ansieht! Verdammtnochmal!
Wenn's auf die ankäme, ich glaub, ich stünde drau-
ßen im strömenden Regen.
*Babette gießt Kaffee ein.*

Babette  Herr Schmitz –

Schmitz  Ja?

Babette  Wenn ich offen sprechen darf: –

Schmitz  Sie zittern, Madame!?

Babette  Herr Schmitz –

Schmitz  Was bekümmert sie?

Babette  Hier ist Käse.

Schmitz  Danke.

Babette  Hier ist Marmelade.

Schmitz  Danke.

Babette  Hier ist Honig.

Schmitz  Eins nach dem andern, Madame, eins nach dem
andern!
*Er lehnt zurück und ißt sein Butterbrot, zum Hören
bereit.*
Was ist's?

Babette  Rundheraus, Herr Schmitz –
Schmitz  Sagen Sie doch einfach Sepp.
Babette  Rund heraus –
Schmitz  Sie möchten mich los sein?
Babette  Nein, Herr Schmitz, nein! so würd ich es nicht sagen –
Schmitz  Wie würden Sie's denn sagen?

*Er nimmt Käse.*

Tilsiter ist nämlich meine Leibspeis.

*Er lehnt wieder zurück und futtert, zum Hören bereit.*

Madame halten mich also für einen Brandstifter –
Babette  Mißverstehen Sie mich nicht! Was hab ich denn gesagt? Nichts liegt mir ferner, Herr Schmitz, als Sie zu kränken. Ehrenwort! Sie haben mich ganz verwirrt. Wer redet denn von Brandstiftern! Ich beklage mich ja in keiner Weise, Herr Schmitz, über Ihr Benehmen –

*Schmitz legt das Besteck nieder.*

Schmitz  Ich weiß: Ich hab kein Benehmen.
Babette  Nein, Herr Schmitz, das ist es nicht –
Schmitz  Ein Mensch, der schmatzt –
Babette  Unsinn –
Schmitz  Das haben sie mir schon im Waisenhaus immer gesagt: Schmitz, schmatze nicht!

*Sie nimmt die Kanne, um Kaffee einzugießen.*

Babette  Sie mißverstehen mich, ach Gott, vollkommen.

*Er hält die Hand auf seine Tasse.*

Schmitz  Ich geh.
Babette  Herr Schmitz –
Schmitz  Ich geh.
Babette  Noch eine Tasse?

*Er schüttelt den Kopf.*

Babette  Eine halbe?

*Er schüttelt den Kopf.*

So dürfen Sie nicht gehen, Herr, ich habe Sie nicht

kränken wollen, Herr, ich habe doch kein Wort ge-
sagt, daß Sie schmatzen!
*Er erhebt sich.*
Habe ich Sie gekränkt?
*Er faltet die Serviette zusammen.*

Schmitz  Was können Madame dafür, daß ich kein Benehmen
habe! Mein Vater war Köhler. Woher soll unsereiner ein Benehmen haben! Hungern und frieren,
Madame, das macht mir nichts, aber – keine Bildung,
Madame, kein Benehmen, Madame, keine Kultur ...

Babette  Ich versteh.

Schmitz  Ich geh.

Babette  Wohin?

Schmitz  Hinaus in den Regen ...

Babette  Ach Gott.

Schmitz  Bin ich gewohnt.

Babette  Herr Schmitz ... Blicken Sie mich nicht so an! –
Ihr Vater war Köhler, das sehe ich doch ein, Herr
Schmitz, Sie haben sicherlich eine harte Jugend ge-
habt –

Schmitz  Überhaupt keine, Madame.
*Er senkt den Blick und fingert an seinen Fingern
herum.*
Überhaupt keine. Ich zählte sieben Jahr, als meine
Mutter starb ...
*Er dreht sich und wischt sich die Augen.*

Babette  Sepp! – aber Sepp ...
*Anna kommt und bringt die weichen Eier.*

Anna  Sonst noch etwas?
*Anna bekommt keine Antwort und geht hinaus.*

Babette  Ich schicke Sie gar nicht fort, mein Herr, das habe
ich ja gar nicht gesagt. Was habe ich denn gesagt?
Sie mißverstehen mich wirklich, Herr Schmitz, das
ist ja furchtbar. Was kann ich denn tun, daß Sie mir
glauben?

*Sie faßt ihn (nicht ohne Zögern) am Ärmel.*
Kommen Sie, Sepp, essen Sie!
*Schmitz setzt sich wieder an den Tisch.*
Wofür halten Sie uns! Ich habe nicht bemerkt, daß Sie schmatzen, Ehrenwort! Und wenn schon: Wir geben nichts auf Äußerlichkeiten, Herr Schmitz, das müssen Sie doch spüren, Herr Schmitz, wir sind nicht so ...
*Er köpft sein Ei.*

Schmitz    Vergelt's Gott!

Babette    Hier ist Salz.
*Er löffelt das Ei.*

Schmitz    's ist wahr, Madame haben mich ja gar nicht fortgeschickt, kein Wort davon, 's ist wahr. Bitte um Entschuldigung, daß ich Madame so mißverstanden habe ...

Babette    Ist es denn richtig, das Ei?

Schmitz    Etwas weich ... Bitte sehr um Entschuldigung.
*Er hat es ausgelöffelt.*
Was haben Sie denn sagen wollen, Madame, vorher als Sie sagten: Rundheraus!

Babette    Ja, was hab ich eigentlich sagen wollen ...
*Er köpft das zweite Ei.*

Schmitz    Vergelt's Gott.
*Er löffelt das zweite Ei.*
Der Willi, der sagt immer, das gibt's gar nicht mehr: die private Barmherzigkeit. Es gibt heutzutage keine feinen Leute mehr. Verstaatlichung! Es gibt keine Menschen mehr. Sagt er! – drum geht die Welt in den Eimer – drum! ...
*Er salzt das Ei.*
Der wird Augen machen! – wenn er ein solches Frühstück bekommt, der wird Augen machen! ... Der Willi!
*Es klingelt an der Haustür.*

Schmitz  Vielleicht ist er das.
*Es klingelt an der Haustür.*
Babette  Wer ist der Willi?
Schmitz  Der hat Kultur, Madame, Sie werden sehen, der ist
doch Kellner gewesen damals im Metropol, bevor's
niedergebrannt ist, das Metropol –
Babette  Niedergebrannt?
Schmitz  Oberkellner.
*Anna ist eingetreten.*
Babette  Wer ist's?
Anna  Ein Herr.
Babette  Und was will er?
Anna  Von der Feuerversicherung, sagt er, nämlich er müsse
sich das Haus ansehen.
*Babette erhebt sich.*
Er trägt einen Frack –
*Babette und Anna gehen hinaus, Schmitz gießt sich
Kaffee ein.*
Schmitz  Der Willi!


*Chor*
Nun aber sind es schon zwei,
Die unsern Argwohn erwecken,
Fahrräder nämlich, verrostete, die
Jemand gehören, doch wem?
Chorführer  Eines seit gestern, das andre seit heut.
Chor  Wehe!
Chorführer  Wieder ist Nacht, und wir wachen.
*Eine Turmuhr schlägt.*
Chor  Viel sieht, wo nichts ist, der Ängstliche,
Den nämlich schreckt schon der eigene Schatten,
Kampfmutig findet ihn jedes Gerücht,
So daß er strauchelt,
So, schreckhaft, lebt er dahin,

Bis es eintritt:
In seine Stube.
*Die Turmuhr schlägt.*

Chorführer  Daß sie das Haus nicht verlassen, die zwei,
Wie soll ich's deuten?
*Die Turmuhr schlägt.*

Chor  Blinder als blind ist der Ängstliche,
Zitternd vor Hoffnung, es sei nicht das Böse,
Freundlich empfängt er's,
Wehrlos, ach, müde der Angst,
Hoffend das beste …
Bis es zu spät ist.
*Die Turmuhr schlägt.*

Chor  Wehe!
*Der Chor setzt sich.*

## Szene 3

*Dachboden*
*Schmitz, immer im Kostüm des Ringers, und der*
*Andere, der seinen Frack ausgezogen hat und nur die*
*weiße Weste trägt, sind dabei, Fässer in den Estrich*
*zu rollen, Fässer aus Blech, wie sie zum Transport*
*von Benzin üblich sind, alles so leise als möglich;*
*beide haben ihre Schuhe ausgezogen.*

Der Andere  Leise! Leise!

Schmitz  Und wenn er auf die Idee kommt und die Polizei ruft?

Der Andere  Vorwärts!

Schmitz  Was dann?

Der Andere  Langsam! Langsam … Halt.
*Sie haben das Faß zu den andern gerollt, die schon*
*im Dämmerdunkel stehen; der Andere nimmt Putz-*
*fäden, um sich die Finger zu wischen.*

Der Andere  Wieso soll er die Polizei rufen?

Schmitz   Wieso nicht?

Der Andere   Weil er selber strafbar ist.

*Man hört Gurren von Tauben.*

's ist leider Tag, gehn wir schlafen!

*Er wirft die Putzfäden weg.*

Jeder Bürger ist strafbar, genau genommen, von einem gewissen Einkommen an. Mach dir keine Sorge!...

*Es klopft an der verriegelten Tür.*

Biedermann   Aufmachen! Aufmachen!

*Es poltert und rüttelt.*

Der Andere   Das tönt aber nicht nach Frühstück.

Biedermann   Aufmachen! sag ich. Sofort!

Schmitz   So war er noch nie.

*Es poltert mehr und mehr. Der Andere zieht seinen Frack an. Ohne Hast, aber flink. Er zieht die Krawatte zurecht und wischt sich den Staub ab, dann öffnet er die Tür: – eintritt Biedermann im Morgenrock, wobei er den neuen Gesellen, da dieser hinter der aufgehenden Tür steht, nicht bemerkt.*

Biedermann   Herr Schmitz!

Schmitz   Guten Morgen, Herr Biedermann, guten Morgen, hoffentlich hat Sie das blöde Gepolter nicht geweckt –

Biedermann   Herr Schmitz!

Schmitz   Soll nie wieder vorkommen.

Biedermann   Sie verlassen mein Haus. –

*Pause*

Ich sage: Sie verlassen mein Haus!

Schmitz   Wann?

Biedermann   Sofort.

Schmitz   Wieso?

Biedermann   Oder meine Frau (ich kann und ich werde es nicht hindern!) ruft die Polizei.

Schmitz   Hm.

Biedermann   Und zwar sofort!

*Pause*

Worauf warten Sie?
*Schmitz, stumm, nimmt seine Schuhe.*
Ich will keine Diskussionen!

Schmitz    Ich sag ja gar nichts.

Biedermann    Wenn Sie meinen, Herr Schmitz, ich lasse mir alles
gefallen, bloß weil Sie ein Ringer sind – ein solches
Gepolter die ganze Nacht –
*Er zeigt mit gestrecktem Arm zur Tür.*
Hinaus! Hinaus! sag ich. Hinaus!
*Schmitz spricht zum Andern hinüber.*

Schmitz    So war er noch nie . . .
*Biedermann dreht sich um und ist sprachlos.*

Der Andere    Mein Name ist Eisenring.

Biedermann    Meine Herrn –?

Eisenring    Wilhelm Maria Eisenring.

Biedermann    Wieso, meine Herrn, wieso sind Sie plötzlich zwei?
*Schmitz und Eisenring blicken einander an.*
Ohne zu fragen!

Eisenring    Siehst du.

Biedermann    Was soll das heißen?

Eisenring    Ich hab's dir ja gesagt. Das macht man nicht, Sepp,
du hast kein Benehmen. Ohne zu fragen. Was ist das
für eine Art: – plötzlich sind wir zwei.

Biedermann    Ich bin außer mir.

Eisenring    Siehst du!
*Er wendet sich an Biedermann.*
Ich hab es ihm gesagt!
*Er wendet sich an Schmitz.*
Hab ich es dir nicht gesagt?
*Schmitz schämt sich.*

Biedermann    Was stellen Sie sich eigentlich vor, meine Herren?
Schließlich und endlich, meine Herren, bin ich der
Hauseigentümer. Ich frage: Was stellen Sie sich eigent-
lich vor?
*Pause*

Eisenring   Antworte, wenn der Herr dich fragt!
*Pause*

Schmitz   Der Willi ist doch mein Freund ...

Biedermann   Was weiter?

Schmitz   Wir sind doch zusammen in die Schule gegangen, Herr Biedermann, schon als Kinder ...

Biedermann   Und?

Schmitz   Da hab ich gedacht ...

Biedermann   Was?

Schmitz   Da hab ich gedacht ...
*Pause*

Eisenring   Nichts hast du gedacht!
*Er wendet sich an Biedermann.*
Ich versteh Sie vollkommen, Herr Biedermann. Alles was recht ist, aber schließlich und endlich –
*Er schreit Schmitz an.*
Meinst du eigentlich, ein Hauseigentümer braucht sich alles gefallen zu lassen?
*Er wendet sich an Biedermann.*
Der Sepp hat Sie überhaupt nicht gefragt?

Biedermann   Kein Wort!

Eisenring   Sepp –

Biedermann   Kein Wort!

Eisenring   – und dann wunderst du dich, wenn man dich auf die Straße wirft?
*Er schüttelt den Kopf und lacht wie über einen Dummkopf.*

Biedermann   Es ist nicht zum Lachen, meine Herren. Es ist mir bitterernst, meine Herren. Meine Frau ist herzkrank –

Eisenring   Siehst du!

Biedermann   Meine Frau hat die halbe Nacht nicht geschlafen. Wegen dieser Polterei. Und überhaupt: – Was machen Sie da eigentlich?
*Er sieht sich um.*
Was, zum Teufel, sollen diese Fässer hier?

*Schmitz und Eisenring sehen dahin, wo keine Fässer*
*sind.*
Hier! Bitte! Was ist das?
*Er klopft auf ein Faß.*
Was ist das?

Schmitz Fässer...

Biedermann Wo kommen die her?

Schmitz Weißt du's, Willi? wo sie herkommen.

Eisenring Import, es steht drauf.

Biedermann Meine Herren –

Eisenring Irgendwo steht's drauf!
*Eisenring und Schmitz suchen die Anschrift.*

Biedermann Ich bin sprachlos. Was stellen Sie sich eigentlich vor?
Mein ganzer Dachboden voll Fässer – gestapelt, geradezu gestapelt!

Eisenring Ja eben.

Biedermann Was wollen Sie damit sagen?

Eisenring Der Sepp hat sich verrechnet...Zwölf auf fünfzehn
Meter! hast du gesagt, und dabei hat er keine hundert Quadratmeter, dieser ganze Dachboden... Ich
kann meine Fässer nicht auf der Straße lassen, Herr
Biedermann, das werden Sie verstehen.

Biedermann Nichts verstehe ich –
*Schmitz zeigt eine Etikette.*

Schmitz Hier, Herr Biedermann, hier ist die Etikette!

Biedermann Ich bin sprachlos –

Schmitz Hier steht's, wo sie herkommen. Hier.

Biedermann – einfach sprachlos.
*Er betrachtet die Etikette.*


*Unten*
*Anna führt einen Polizisten in die Stube.*

Anna Ich werde ihn rufen.
*Sie geht, und der Polizist wartet.*

*Oben*

Biedermann  Benzin!? –

*Unten*
*Anna kommt nochmals zurück.*

Anna  Und worum handelt es sich, Herr Wachtmeister?
Polizist  Geschäftlich.
*Anna geht, und der Polizist wartet.*

*Oben*

Biedermann  Ist das wahr, meine Herren, ist das wahr?
Eisenring  Was?
Biedermann  Was auf dieser Etikette steht.
*Er zeigt ihnen die Etikette.*
Wofür halten Sie mich eigentlich? Das ist mir noch nicht vorgekommen. Glauben Sie eigentlich, ich kann nicht lesen?
*Sie betrachten die Etikette.*
Bitte! –
*Er lacht, wie man über eine Unverschämtheit lacht.*
Benzin!
*Er spricht wie ein Untersuchungsrichter.*
Was ist in diesen Fässern?
Eisenring  Benzin.
Biedermann  Machen Sie keine Witze! Ich frage zum letzten Mal, was in diesen Fässern ist. Sie wissen so gut wie ich, daß Benzin nicht in den Dachboden gehört –
*Er fährt mit dem Finger über ein Faß.*
Bitte – da: riechen Sie selbst!
*Er hält ihnen den Finger unter die Nase.*
Ist das Benzin oder ist das kein Benzin?
*Sie schnuppern und blicken einander an.*
Antworten Sie!

Eisenring Es ist.
Schmitz Es ist.
Beide Eindeutig.
Biedermann Sind Sie eigentlich wahnsinnig? Mein ganzer Dachboden voll Benzin –
Schmitz Drum, Herr Biedermann, rauchen wir auch nicht.
Biedermann Und das, meine Herren, in dieser Zeit, wo man in jeder Zeitung, die man aufschlägt, gewarnt wird. Was denken Sie sich eigentlich? Meine Frau bekommt einen Schlag, wenn sie das sieht.
Eisenring Siehst du!
Biedermann Sagen Sie nicht immer: Siehst du!
Eisenring Das kannst du einer Frau nicht zumuten, Sepp, einer Hausfrau, ich kenne die Hausfrauen –
*Anna ruft im Treppenhaus.*
Anna Herr Biedermann! Herr Biedermann!
*Biedermann macht die Türe zu.*
Biedermann Herr Schmitz! Herr –
Eisenring Eisenring.
Biedermann Wenn Sie diese Fässer nicht augenblicklich aus dem Hause schaffen, aber augenblicklich! sag ich –
Eisenring Dann rufen Sie die Polizei.
Biedermann Ja.
Schmitz Siehst du!
*Anna ruft im Treppenhaus.*
Anna Herr Biedermann!
*Biedermann flüstert.*
Biedermann Das war mein letztes Wort!
Eisenring Welches?
Biedermann Ich dulde kein Benzin in meinem Dachstock. Ein für allemal! Ich dulde es nicht.
*Es klopft an die Tür.*
Ich komme!
*Er öffnet die Tür, um zu gehen, und eintritt ein Polizist.*

Polizist  Da sind Sie ja, Herr Biedermann, da sind Sie ja. Sie brauchen nicht herunterzukommen, ich will nicht lange stören.

Biedermann  Guten Morgen!

Polizist  Guten Morgen!

Eisenring  Morgen ...

Schmitz  Morgen ...

*Schmitz und Eisenring verneigen sich.*

Polizist  Es handelt sich um einen Unfall –

Biedermann  Um Gottes willen!

Polizist  Ein alter Mann, dessen Frau behauptet, er habe bei Ihnen gearbeitet – als Erfinder! – hat sich heute nacht unter den Gashahn gelegt.

*Er sieht in seinem Notizbüchlein nach.*

Polizist  Knechtling, Johann, wohnhaft Roßgasse 11.

*Er steckt das Büchlein ein.*

Haben Sie einen solchen gekannt?

Biedermann  Ich –

Polizist  Vielleicht ist's Ihnen lieber, Herr Biedermann, wenn wir unter vier Augen –

Biedermann  Ja.

Polizist  Geht ja die Angestellten nichts an!

Biedermann  Nein –

*Er bleibt in der Tür stehen.*

Wenn mich jemand sucht, meine Herren, ich bin bei der Polizei. Verstanden? Ich komme sofort.

*Schmitz und Eisenring nicken.*

Polizist  Herr Biedermann –

Biedermann  Gehen wir!

Polizist  Was haben Sie denn in diesen Fässern da?

Biedermann  – ich?

Polizist  Wenn man fragen darf.

Biedermann  ... Haarwasser ...

*Er blickt zu Schmitz und Eisenring.*

Eisenring  HORMOFLOR.

Schmitz »Die Männerwelt atmet auf.«

Eisenring HORMOFLOR.

Schmitz »Versuchen Sie es noch heute.«

Eisenring »Sie werden es nicht bereuen.«

Beide HORMOFLOR, HORMOFLOR.

*Der Polizist lacht.*

Biedermann Ist er tot?

*Biedermann und der Polizist gehen.*

Eisenring Eine Seele von Mensch.

Schmitz Hab ich's nicht gesagt?

Eisenring Aber von Frühstück kein Wort.

Schmitz So war er noch nie ...

*Eisenring greift in seine Hosentasche.*

Eisenring Hast du die Zündkapsel?

*Schmitz greift in seine Hosentasche.*

Schmitz So war er noch nie ...


*Chor*

Strahl der Sonne,

Wimper, o göttlichen Auges,

Aufleuchtet noch einmal

Tag

Über den traulichen Dächern der Stadt.

Chorführer Heute wie gestern.

Chor Heil uns!

Chorführer Nichts ist geschehen der schlafenden Stadt.

Chor Heil uns!

Chorführer Immer noch nichts ...

Chor Heil uns!

*Man hört Verkehrslärm, Hupen, Straßenbahn.*

Chorführer Klug ist und Herr über manche Gefahr,

Wenn er bedenkt, was er sieht,

Der Mensch.

Aufmerkenden Geistes vernimmt er

Zeichen des Unheils
Zeitig genug, wenn er will.

Chor  Was aber, wenn er nicht will?

Chorführer  Der, um zu wissen, was droht,
Zeitungen liest
Täglich zum Frühstück entrüstet
Über ein fernes Ereignis,
Täglich beliefert mit Deutung,
Die ihm das eigene Sinnen erspart,
Täglich erfahrend, was gestern geschah,
Schwerlich durchschaut er, was eben geschieht
Unter dem eigenen Dach: –

Chor  Unveröffentlichtes!

Chorführer  Offenkundiges.

Chor  Hanebüchenes!

Chorführer  Tatsächliches.

Chor  Ungern durchschaut er's, denn sonst –
*Der Chorführer unterbricht mit einem Zeichen der Hand.*

Chorführer  Hier kommt er.
*Der Chor schwenkt die Front.*

Chor  Nichts ist geschehen der schlafenden Stadt,
Heute wie gestern,
Um zu vergessen, was droht,
Stürzt sich der Bürger
Sauber rasiert
In sein Geschäft...
*Auftritt Biedermann in Mantel und Hut, Mappe im Arm.*

Biedermann  Taxi!... Taxi?... Taxi!
*Der Chor steht ihm im Weg.*
Was ist los?

Chor  Wehe!

Biedermann  Sie wünschen?

Chor  Wehe!

Biedermann  Das sagten Sie schon.

Chor  Dreimal Wehe!

Biedermann  Wieso?

Chorführer  Allzuverdächtiges, scheint uns,
Feuergefährliches hat sich enthüllt
Unseren Blicken wie deinen.
Wie soll ich's deuten?
Fässer voll Brennstoff im Dach –
*Biedermann schreit.*

Biedermann  Was geht das Sie an!
*Schweigen*
Lassen Sie mich durch. – Ich muß zu meinem Rechtsanwalt. – Was will man von mir? – Ich bin unschuldig...
*Biedermann scheint verängstigt.*
Soll das ein Verhör sein?
*Biedermann zeigt herrenhafte Sicherheit.*
Lassen Sie mich durch, ja.
*Der Chor steht reglos.*

Chor  Nimmer geziemt es dem Chor,
Richter zu sein über Bürger, die handeln.

Chorführer  Der nämlich zusieht von außen, der Chor,
Leichter begreift er, was droht.

Chor  Fragend nur, höflich
Noch in Gefahr, die uns schreckt,
Warnend nur, ach kalten Schweißes gefaßt
Naht sich bekanntlich der Chor,
Ohnmächtig-wachsam, mitbürgerlich,
Bis es zum Löschen zu spät ist,
Feuerwehrgleich.
*Biedermann blickt auf seine Armbanduhr.*

Biedermann  Ich bin eilig.

Chor  Wehe!

Biedermann  Ich weiß wirklich nicht, was Sie wünschen.

Chorführer  Daß du sie duldest, die Fässer voll Brennstoff,
Biedermann Gottlieb, wie hast du's gedeutet?

**Biedermann** Gedeutet?

**Chorführer** Wissend auch du, wie brennbar die Welt ist,
Biedermann Gottlieb, was hast du gedacht?

**Biedermann** Gedacht?

*Er mustert den Chor.*

Meine Herrn, ich bin ein freier Bürger. Ich kann denken, was ich will. Was sollen diese Fragen? Ich habe das Recht, meine Herrn, überhaupt nichts zu denken – ganz abgesehen davon, meine Herrn: Was unter meinem Dach geschieht – ich muß schon sagen, schließlich und endlich bin ich der Hauseigentümer!

**Chor** Heilig sei Heiliges uns,
Eigentum,
Was auch entstehe daraus,
Nimmerzulöschendes einst,
Das uns dann alle versengt und verkohlt:
Heilig sei Heiliges uns!

**Biedermann** Also. –

*Schweigen*

Warum lassen Sie mich nicht durch?

*Schweigen*

Man soll nicht immer das Schlimmste denken. Wo führt das hin! Ich will meine Ruhe und meinen Frieden haben, nichts weiter, und was die beiden Herren betrifft – ganz abgesehen davon, daß ich zur Zeit andere Sorgen habe . . .

*Auftritt Babette in Mantel und Hut.*

Was willst du hier?

**Babette** Stör ich?

**Biedermann** Ich habe eine Besprechung mit dem Chor.

*Babette nickt zum Chor, dann flüstert sie Biedermann ins Ohr.*

Natürlich mit Schleife! Das spielt doch keine Rolle, was er kostet, Hauptsache, daß es ein Kranz ist.

*Babette nickt zum Chor.*

Babette   Sie verzeihen, meine Herren.
          *Babette entfernt sich.*
Biedermann   ...kurz und gut, meine Herrn, ich habe es satt, Ihr mit
          euren Brandstiftern! Ich geh an keinen Stammtisch
          mehr, so satt hab ich's. Kann man eigentlich nichts
          andres mehr reden heutzutag? Schließlich lebe ich nur
          einmal. Wenn wir jeden Menschen, ausgenommen uns
          selbst, für einen Brandstifter halten, wie soll es jemals
          besser werden? Ein bißchen Vertrauen, Herrgottnoch-
          mal, muß man schon haben, ein bißchen guten Willen.
          Finde ich. Nicht immer nur das Böse sehen. Herrgott-
          nochmal! Nicht jeder Mensch ist ein Brandstifter.
          Finde ich! Ein bißchen Vertrauen, ein bißchen ...
          *Pause*
          Ich kann nicht Angst haben die ganze Zeit!
          *Pause*
          Heute nacht, meinen Sie denn, ich habe ein einziges
          Auge geschlossen? Ich bin ja nicht blöd. Benzin ist
          Benzin! Ich habe mir die allerschwersten Gedanken
          gemacht – auf den Tisch bin ich gestiegen, um zu
          horchen, und später sogar auf den Schrank, um mein
          Ohr an die Zimmerdecke zu legen. Jawohl! Ge-
          schnarcht haben sie. Geschnarcht! Mindestens vier-
          mal bin ich auf den Schrank gestiegen. Ganz fried-
          lich geschnarcht! ... Und trotzdem: – Einmal stand
          ich schon draußen im Treppenhaus, ob Sie's glauben
          oder nicht, im Pyjama – vor Wut. Ich war drauf
          und dran, die beiden Halunken zu wecken und auf
          die Straße zu werfen – mitsamt ihren Fässern! –
          eigenhändig, rücksichtslos, mitten in der Nacht!
Chor      Eigenhändig?
Biedermann   Ja.
Chor      Rücksichtslos?
Biedermann   Ja.
Chor      Mitten in der Nacht?

Biedermann  Ich war drauf und dran, ja – wäre meine Frau nicht
gekommen, die fürchtete, daß ich mich erkälte –
drauf und dran!
*Er nimmt sich eine Zigarre aus Verlegenheit.*

Chorführer  Wie soll ich's abermals deuten?
Schlaflos verging ihm die Nacht.
Daß sie die Güte des Bürgers mißbrauchen,
Schien es ihm denkbar?
Argwohn befiel ihn. Wieso?
*Biedermann zündet seine Zigarre an.*

Chor  Schwer hat es, wahrlich, der Bürger!
Der nämlich, hart im Geschäft,
Sonst aber Seele von Mensch,
Gerne bereit ist,
Gutes zu tun.

Chorführer  Wo es ihm paßt.

Chor  Hoffend, es komme das Gute
Aus Gutmütigkeiten,
Der nämlich irrt sich gefährlich.

Biedermann  Was wollen Sie damit sagen?

Chor  Uns nämlich dünkte, es stinkt nach Benzin.
*Biedermann schnuppert.*

Biedermann  Also, meine Herren, ich rieche nichts …

Chor  Weh uns!

Biedermann  Rein gar nichts.

Chor  Weh uns!

Chorführer  So schon gewohnt ist er bösen Geruch.

Chor  Weh uns!

Biedermann  Und kommen Sie nicht immer mit diesem Defaitis
mus, meine Herrn, sagen Sie nicht immer: Weh uns
*Man hört ein Auto hupen.*
Taxi! – Taxi!
*Man hört, wie ein Auto stoppt.*
Sie entschuldigen.
*Biedermann geht in Eile weg.*

Chor  Bürger – wohin!?
*Man hört, wie ein Auto losfährt.*
Chorführer  Was hat er vor, der Unselige, jetzt?
Ängstlich-verwegen, so schien mir, und bleich
Lief er davon,
Ängstlich-entschlossen: wozu?
*Man hört, wie ein Auto hupt.*
Chor  So schon gewohnt ist er bösen Geruch!
*Man hört das Hupen in der Ferne.*
Weh uns!
Chorführer  Weh euch!
*Der Chor tritt zurück, ausgenommen der Chorführer, der seine Pfeife nimmt.*
Chorführer  Der die Verwandlungen scheut
Mehr als das Unheil,
Was kann er tun
Wider das Unheil?
*Er folgt dem Chor.*


Szene 4

*Dachboden*
*Eisenring ist allein und arbeitet, indem er Schnur von einem Haspel wickelt, und pfeift dazu: Lili Marlen. Er unterbricht sein Pfeifen, um den Zeigfinger zu nässen, und hält den Zeigfinger durch die Lukarne hinaus, um den Wind zu prüfen.*


*Stube*
*Eintritt Biedermann, gefolgt von Babette, er zieht seinen Mantel aus und wirft die Mappe hin, die Zigarre im Mund.*
Biedermann  Tu, was ich dir sage.

|  |  |
|---|---|
| Babette | Eine Gans? |
| Biedermann | Eine Gans. |

*Er zieht die Krawatte aus, die Zigarre im Mund.*

Babette Warum ziehst du die Krawatte aus, Gottlieb?

*Er übergibt ihr die Krawatte.*

Biedermann Wenn ich sie anzeige, die beiden Gesellen, dann weiß ich, daß ich sie zu meinen Feinden mache. Was hast du davon! Ein Streichholz genügt, und unser Haus steht in Flammen. Was hast du davon? Wenn ich hinaufgehe und sie einlade – sofern sie meine Einladung annehmen ...

Babette Dann?

Biedermann Sind wir eben Freunde. –

*Er zieht seine Jacke aus, übergibt sie seiner Frau und geht.*

Babette Damit Sie's wissen, Anna: Sie haben dann heute abend keinen Ausgang. Wir haben Gesellschaft. Sie decken den Tisch für vier Personen.

*Dachboden*
*Eisenring singt Lili Marlen, dann klopft es an die Tür.*

Eisenring Herein!

*Er pfeift weiter, aber niemand tritt ein.*

Herein!

*Eintritt Biedermann, hemdärmelig, die Zigarre in der Hand.*

Eisenring Morgen, Herr Biedermann!

Biedermann Sie gestatten?

Eisenring Wie haben Sie geschlafen?

Biedermann Danke, miserabel.

Eisenring Ich auch. Wir haben Föhn ...

*Er arbeitet weiter mit Schnur und Haspel.*

Biedermann Ich möchte nicht stören.

Eisenring Aber bitte, Herr Biedermann, Sie sind hier zu Haus.

Biedermann  Ich möchte mich nicht aufdrängen ...
*Man hört Gurren der Tauben.*
Wo ist denn unser Freund?

Eisenring  Der Sepp? An der Arbeit, der faule Hund. Wollte nicht gehen ohne Frühstück! Ich hab ihn geschickt, um Holzwolle aufzutreiben.

Biedermann  Holzwolle –?

Eisenring  Holzwolle trägt die Funken am weitesten.
*Biedermann lacht höflich wie über einen schwachen Witz.*

Biedermann  Was ich habe sagen wollen, Herr Eisenring –

Eisenring  Sie wollen uns wieder hinausschmeißen?

Biedermann  Mitten in der Nacht (meine Schlafpillen sind alle) ist es mir eingefallen: Sie haben ja hier oben, meine Herren, gar keine Toilette –

Eisenring  Wir haben die Dachrinne.

Biedermann  Wie Sie wollen, meine Herren, wie Sie wollen. Es ging mir nur so durch den Kopf. Die ganze Nacht. Vielleicht möchten Sie sich waschen oder duschen. Benutzen Sie getrost mein Badezimmer! Ich habe Anna gesagt, sie soll Handtücher hinlegen.
*Eisenring schüttelt den Kopf.*
Warum schütteln Sie den Kopf?

Eisenring  Wo hat er sie jetzt wieder hingelegt?

Biedermann  Was?

Eisenring  Haben Sie irgendwo eine Zündkapsel gesehen?
*Er sucht da und dort.*
Machen Sie sich keine Sorge, Herr Biedermann, wegen Badzimmer. Im Ernst. Im Gefängnis, wissen Sie, gab's auch kein Badzimmer.

Biedermann  Gefängnis?

Eisenring  Hat Ihnen denn der Sepp nicht erzählt, daß ich aus dem Gefängnis komme?

Biedermann  Nein.

Eisenring  Kein Wort?

Biedermann  Nein.

Eisenring  Der erzählt alleweil nur von sich selbst. Gibt solche
Leute! Schließlich was können wir dafür, daß er so
eine tragische Jugend gehabt hat. Haben Sie, Herr Biedermann, eine tragische Jugend gehabt? Ich nicht! –
ich hätte studieren können, Papa wollte, daß ich Ju-
rist werde.

*Er steht an der Lukarne und unterhält sich mit den*
*Tauben.*

Grrr! Grrr! Grrr!

*Biedermann zündet wieder seine Zigarre an.*

Biedermann  Herr Eisenring, ich habe die ganze Nacht nicht geschlafen, offen gesprochen: – ist wirklich Benzin in
diesen Fässern?

Eisenring  Sie trauen uns nicht?

Biedermann  Ich frag ja nur.

Eisenring  Wofür halten Sie uns, Herr Biedermann, offen gesprochen: wofür eigentlich?

Biedermann  Sie müssen nicht denken, mein Freund, daß ich keinen Humor habe, aber ihr habt eine Art zu scherzen,
ich muß schon sagen. –

Eisenring  Wir lernen das.

Biedermann  Was?

Eisenring  Scherz ist die drittbeste Tarnung. Die zweitbeste:
Sentimentalität. Was unser Sepp so erzählt: Kind-
heit bei Köhlern im Wald, Waisenhaus, Zirkus und
so. Aber die beste und sicherste Tarnung (finde ich)
ist immer noch die blanke und nackte Wahrheit. Ko-
mischerweise. Die glaubt niemand.


*Stube*
*Anna führt die schwarze Witwe Knechtling herein.*

Anna  Nehmen Sie Platz!

*Die Witwe setzt sich.*

Aber wenn Sie die Frau Knechtling sind, dann hat's keinen Zweck, Herr Biedermann möchte nichts mit Ihnen zu tun haben, hat er gesagt –
*Die Witwe erhebt sich.*
Nehmen Sie Platz!
*Die Witwe setzt sich.*
Aber machen Sie sich keine Hoffnung...
*Anna geht hinaus.*


*Dachboden*
*Eisenring steht und hantiert, Biedermann steht und raucht.*

Eisenring  Wo unser Sepp nur so lange bleibt! Holzwolle ist doch keine Sache. Hoffentlich haben sie ihn nicht geschnappt.

Biedermann  Geschnappt?

Eisenring  Warum belustigt Sie das?

Biedermann  Wenn Sie so reden, wissen Sie, Herr Eisenring, Sie kommen für mich wie aus einer anderen Welt. Geschnappt! Ich finde es ja faszinierend. Wie aus einer andern Welt! In unseren Kreisen, wissen Sie, wird selten jemand geschnappt –

Eisenring  Weil man in Ihren Kreisen keine Holzwolle stiehlt, das ist klar, Herr Biedermann, das ist der Klassenunterschied.

Biedermann  Unsinn!

Eisenring  Sie wollen doch nicht sagen, Herr Biedermann –

Biedermann  Ich glaube nicht an Klassenunterschiede! – das müssen Sie doch gespürt haben, Eisenring, ich bin nicht altmodisch. Im Gegenteil. Ich bedaure es aufrichtig, daß man gerade in den unteren Klassen immer noch von Klassenunterschied schwatzt. Sind wir denn heutzutage nicht alle, ob arm oder reich, Geschöpfe eines gleichen Schöpfers? Auch der Mittelstand. Sind wir,

Sie und ich, nicht Menschen aus Fleisch und Blut?...
Ich weiß nicht, mein Herr, ob Sie auch Zigarren
rauchen?

*Er bietet an, aber Eisenring schüttelt den Kopf.*

Ich rede nicht für Gleichmacherei, versteht sich, es
wird immer Tüchtige und Untüchtige geben, Gott sei
Dank, aber warum reichen wir uns nicht einfach die
Hände? Ein bißchen guten Willen, Herrgottnochmal,
ein bißchen Idealismus, ein bißchen — und wir alle
hätten unsere Ruhe und unseren Frieden, die Armen
und die Reichen, meinen Sie nicht?

Eisenring   Wenn ich offen sein darf, Herr Biedermann: —

Biedermann   Ich bitte drum.

Eisenring   Nehmen Sie's nicht krumm?

Biedermann   Je offener, um so besser.

Eisenring   Ich meine: — offen gesprochen: — Sie sollten hier nicht
rauchen.

*Biedermann erschrickt und löscht die Zigarre.*

Ich habe Ihnen hier keine Vorschriften zu machen,
Herr Biedermann, schließlich und endlich ist es Ihr
eigenes Haus, aber Sie verstehen —

Biedermann   Selbstverständlich!

*Eisenring bückt sich.*

Eisenring   Da liegt sie ja!

*Er nimmt etwas vom Boden und bläst es sauber, be-
vor er es an der Schnur befestigt, neuerdings pfei-
fend: Lili Marlen.*

Biedermann   Sagen Sie, Herr Eisenring: Was machen Sie eigentlich die ganze Zeit? Wenn ich fragen darf. Was ist
das eigentlich?

Eisenring   Die Zündkapsel.

Biedermann   — ?

Eisenring   Und das ist die Zündschnur.

Biedermann   — ?

Eisenring   Es soll jetzt noch bessere geben, sagt der Sepp, neuerdings. Aber die haben sie noch nicht in den Zeughäusern, und kaufen kommt für uns ja nicht in Frage. Alles was mit Krieg zu tun hat, ist furchtbar teuer, immer nur erste Qualität.

Biedermann    Zündschnur? sagen Sie.

Eisenring    Knallzündschnur.

*Er gibt Biedermann das Ende der Schnur.*

Wenn Sie so freundlich sein möchten, Herr Biedermann, dieses Ende zu halten, damit ich messen kann.

*Biedermann hält die Schnur.*

Biedermann    Spaß beiseite, mein Freund –

Eisenring    Nur einen Augenblick!

*Er pfeift Lili Marlen und mißt die Zündschnur.*

Danke, Herr Biedermann, danke sehr!

*Biedermann muß plötzlich lachen.*

Biedermann    Nein, Willi, mich können Sie nicht ins Bockshorn jagen. Mich nicht! Aber ich muß schon sagen, Sie verlassen sich sehr auf den Humor der Leute. Sehr! Wenn Sie so reden, kann ich mir schon vorstellen, daß man Sie ab und zu verhaftet. Nicht alle, mein Freund, nicht alle haben soviel Humor wie ich!

Eisenring    Man muß die Richtigen finden.

Biedermann    An meinem Stammtisch zum Beispiel, die sehen schon Sodom und Gomorra, wenn man nur sagt, man glaube an das Gute in den Menschen.

Eisenring    Ha.

Biedermann    Und dabei habe ich unsrer Feuerwehr eine Summe gestiftet, die ich gar nicht nennen will.

Eisenring    Ha.

*Er legt die Zündschnur aus.*

Die Leute, die keinen Humor haben, sind genau so verloren, wenn's losgeht; seien Sie getrost!

*Biedermann muß sich auf ein Faß setzen, Schweiß.*

Was ist denn? Herr Biedermann? Sie sind ja ganz bleich!

> *Er klopft ihm auf die Schulter.*
> Das ist dieser Geruch, ich weiß, wenn's einer nicht gewohnt ist, dieser Benzingeruch, ich werde noch ein Fensterchen öffnen –
> *Eisenring öffnet die Tür.*

Biedermann  Danke...
*Anna ruft im Treppenhaus.*

Anna  Herr Biedermann! Herr Biedermann!

Eisenring  Schon wieder die Polizei?

Anna  Herr Biedermann!

Eisenring  Wenn das kein Polizeistaat ist.

Anna  Herr Biedermann!

Biedermann  Ich komme!
*Es wird nur noch geflüstert.*
Herr Eisenring, mögen Sie Gans?

Eisenring  Gans?

Biedermann  Gans, ja, Gans.

Eisenring  Mögen? Ich? Wieso?

Biedermann  Gefüllt mit Kastanien.

Eisenring  Und Rotkraut dazu?

Biedermann  Ja... Was ich nämlich habe sagen wollen: Meine Frau und ich, vor allem ich – ich dachte nur: Wenn es Ihnen Freude macht... Ich will mich nicht aufdrängen! – wenn es Ihnen Freude macht, Herr Eisenring, zu einem netten Abendessen zu kommen, Sie und der Sepp –

Eisenring  Heute?

Biedermann  Oder lieber morgen?

Eisenring  Morgen, glaub ich, sind wir nicht mehr da. Aber heute mit Vergnügen, Herr Biedermann, mit Vergnügen!

Biedermann  Sagen wir: Sieben Uhr.
*Anna ruft im Treppenhaus*

Anna  Herr Biedermann –
*Er gibt die Hand.*

Biedermann  Abgemacht?

Eisenring  Abgemacht.

*Biedermann geht und bleibt in der Türe nochmals
stehen, freundlich nickend, während er einen stieren
Blick auf Fässer und Zündschnur wirft.*

Eisenring  Abgemacht.

*Biedermann geht, und Eisenring arbeitet weiter, in-
dem er pfeift. Vortritt der Chor, als wäre die Szene
zu Ende; aber im Augenblick, wo der Chor sich an
der Rampe versammelt hat, gibt es Lärm auf dem
Dachboden; irgend etwas ist umgefallen.*


*Dachboden*

Eisenring  Du kannst rauskommen, Doktor.

*Ein Dritter kriecht zwischen den Fässern hervor,
Brillenträger.*

Du hast's gehört: Wir müssen zu einem Nachtessen,
der Sepp und ich, du machst die Wache hier. Daß
keiner hereinkommt und raucht. Verstanden? Bevor's Zeit ist.

*Der Dritte putzt seine Brille.*

Ich frag mich manchmal, Doktor, was du eigentlich
machst bei uns, wenn du keine Freude hast an Feuers-
brünsten, an Funken und prasselnden Flammen, an
Sirenen, die immer zu spät sind, an Hundegebell
und Rauch und Menschengeschrei – und Asche.

*Der Dritte setzt seine Brille auf; stumm und ernst.
Eisenring lacht.*

Weltverbesserer!

*Er pfeift eine kurze Weile vor sich hin, ohne den
Doktor anzusehen.*

Ich mag euch Akademiker nicht, aber das weißt du,
Doktor, das sagte ich dir sofort: 's ist keine rechte
Freude dabei, euresgleichen ist immer so ideologisch,

immer so ernst, bis es reicht zum Verrat – 's ist keine rechte Freude dabei.
*Er hantiert weiter und pfeift weiter.*


Chor
Wir sind bereit.
Sorgsam gerollt sind die Schläuche, die roten,
Alles laut Vorschrift,
Blank ist und sorgsam geschmiert und aus Messing
Jeglicher Haspel.
Jedermann weiß, was zu tun ist.

Chorführer  Leider herrscht Föhn –

Chor  Jedermann weiß, was zu tun ist,
Blank auch und sorgsam geprüft,
Daß es an Druck uns nicht fehle,
Ist unsere Pumpe,
Gleichfalls aus Messing.

Chorführer  Und die Hydranten?

Chor  Jedermann weiß, was zu tun ist,

Chorführer  Wir sind bereit. –
*Es kommen Babette, eine Gans in der Hand, und der Dr. phil.*

Babette  Ja, Herr Doktor, ja, ich weiß, aber mein Mann, ja, es ist dringend, Herr Doktor, es ist dringend, ja, ich werde es ihm sagen –
*Sie läßt den Doktor stehen und tritt an die Rampe.*
Mein Mann hat eine Gans bestellt, bitte, da ist sie. Und ich soll sie braten!
Damit wir Freunde werden mit denen da oben.
*Man hört Kirchenglockengeläute.*
Es ist Samstagabend, wie Sie hören, und ich werde so eine dumme Ahnung nicht los: daß sie vielleicht zum letzten Mal so läuten, die Glocken unsrer Stadt...

*Biedermann ruft nach Babette.*
Ich weiß nicht, meine Damen, ob Gottlieb immer
recht hat. Das hat er nämlich schon einmal gesagt:
Natürlich sind's Halunken, aber wenn ich sie zu meinen Feinden mache, Babette, dann ist unser Haarwasser hin! Und kaum war er in der Partei –
*Biedermann ruft nach Babette.*
Immer das gleiche! Ich kenne meinen Gottlieb. Immer wieder ist er zu gutmütig, ach, einfach zu gutmütig!
*Babette geht mit der Gans.*

Chor   Einer mit Brille.
Sohn wohl aus besserem Haus,
Neidlos,
Aber belesen, so scheint mir, und bleich,
Nimmermehr hoffend, es komme das Gute
Aus Gutmütigkeit,
Sondern entschlossen zu jedweder Tat,
Nämlich es heiligt die Mittel (so hofft er) der Zweck,
Ach,
Hoffend auch er ... bieder-unbieder!
Putzend die Brille, um Weitsicht zu haben,
Sieht er in Fässern voll Brennstoff
Nicht Brennstoff –
Er nämlich sieht die Idee!
Bis es brennt.

Dr. phil.   Guten Abend ...
Chorführer   An die Schläuche!
An die Pumpe!
An die Leiter!
*Die Feuerwehrmänner rennen an ihre Plätze.*
Chorführer   Guten Abend.
*Zum Publikum; nachdem man Bereit-Rufe von über-
all gehört hat.*
Wir sind bereit. –

Szene 5

*Stube*
*Die Witwe Knechtling ist noch immer da, sie steht.*
*Man hört das Glockengeläute sehr laut. Anna deckt*
*den Tisch, und Biedermann bringt zwei Sessel.*

Biedermann — weil ich, wie Sie sehen, keine Zeit habe, Frau
Knechtling, keine Zeit, um mich mit Toten zu be-
fassen — wie gesagt: Wenden Sie sich an meinen Rechts-
anwalt.
*Die Witwe Knechtling geht.*
Man hört ja seine eigne Stimme nicht, Anna, machen
Sie das Fenster zu!
*Anna macht das Fenster zu, und das Geläute tönt*
*leiser.*
Ich habe gesagt: Ein schlichtes und gemütliches Abend-
essen. Was sollen diese idiotischen Kandelaber!

Anna Haben wir aber immer, Herr Biedermann.

Biedermann Schlicht und gemütlich, sag ich. Nur keine Protze-
rei! — und diese Wasserschalen, verdammtnochmal!
diese Messerbänklein, Silber, nichts als Silber und
Kristall. Was macht das für einen Eindruck!
*Er sammelt die Messerbänklein und steckt sie in die*
*Hosentasche.*
Sie sehen doch, Anna, ich trage meine älteste Haus-
jacke, und Sie — Das große Geflügelmesser können
Sie lassen, Anna, das brauchen wir. Aber sonst: Weg
mit diesem Silber! Die beiden Herren sollen sich wie
zu Haus fühlen... Wo ist der Korkenzieher?

Anna Hier.

Biedermann Haben wir nichts Einfacheres?

Anna In der Küche, aber der ist rostig.

Biedermann Her damit!
*Er nimmt einen Silberkübel vom Tisch.*
Was soll denn das?

Anna   Für den Wein –

Biedermann   Silber!

*Er starrt auf den Kübel und dann auf Anna.*

Haben wir das immer?

Anna   Das braucht man doch, Herr Biedermann.

Biedermann   Brauchen! Was heißt brauchen? Was wir brauchen, das ist Menschlichkeit, Brüderlichkeit. Weg damit! – und was, zum Teufel, bringen Sie denn da?

Anna   Servietten.

Biedermann   Damast!

Anna   Wir haben keine andern.

*Er sammelt die Servietten und steckt sie in den Silberkübel.*

Biedermann   Es gibt ganze Völkerstämme, die ohne Servietten leben, Menschen wie wir –

*Eintritt Babette mit einem großen Kranz, Biedermann bemerkt sie noch nicht, er steht vor dem Tisch.*

Ich frage mich, wozu wir überhaupt ein Tischtuch brauchen –

Babette   Gottlieb?

Biedermann   Nur keine Klassenunterschiede!

*Er sieht Babette.*

Was soll dieser Kranz?

Babette   Den wir bestellt haben. Was sagst du dazu, Gottlieb, jetzt schicken sie den Kranz hierher. Dabei habe ich ihnen selber die Adresse geschrieben, die Adresse von Knechtlings, schwarz auf weiß. Und die Schleife und alles ist verkehrt!

Biedermann   Die Schleife, wieso?

Babette   Und die Rechnung, sagt der Bursche, die haben sie an die Frau Knechtling geschickt.

*Sie zeigt die Schleife.*

Unserem unvergesslichen Gottlieb Biedermann

*Er betrachtet die Schleife.*

Biedermann   Das nehmen wir nicht an. Kommt nicht in Frage!

Das müssen sie ändern –
*Er geht zum Tisch zurück.*
Mach mich jetzt nicht nervös, Babette, ich habe anderes zu tun, Herrgottnochmal, ich kann nicht überall sein.
*Babette geht mit dem Kranz.*
Also weg mit dem Tischtuch! Helfen Sie mir doch, Anna. Und wie gesagt: Es wird nicht serviert. Unter keinen Umständen? Sie kommen herein, ohne zu klopfen, einfach herein und stellen die Pfanne einfach auf den Tisch –

Anna    Die Pfanne?
*Er nimmt das Tischtuch weg.*

Biedermann    Sofort eine ganz andere Stimmung. Sehn Sie! Ein hölzerner Tisch, nichts weiter, wie beim Abendmahl.
*Er gibt ihr das Tischtuch.*

Anna    Herr Biedermann meinen, ich soll die Gans einfach in der Pfanne bringen?
*Sie faltet das Tischtuch zusammen.*
Was für einen Wein, Herr Biedermann, soll ich denn holen?

Biedermann    Ich hole ihn selbst.

Anna    Herr Biedermann!

Biedermann    Was denn noch?

Anna    Ich hab aber keinen solchen Pullover, wie Sie sagen, Herr Biedermann, so einen schlichten, daß man meint, ich gehöre zur Familie.

Biedermann    Nehmen Sie's bei meiner Frau!

Anna    Den gelben oder den roten?

Biedermann    Nur keine Umstände! Ich will kein Häubchen sehen und kein Schürzchen. Verstanden? Und wie gesagt: Weg mit diesen Kandelabern! Und überhaupt: Sehen Sie zu, Anna, daß hier nicht alles so ordentlich ist!...
Ich bin im Keller.
*Biedermann geht hinaus.*

Anna  »Sehen Sie zu, daß hier nicht alles so ordentlich ist!«
*Sie schleudert das Tischtuch, nachdem es zusammen-*
*gefaltet ist, in irgendeine Ecke und tritt mit beiden*
*Füßen drauf.*
Bitte sehr.
*Eintreten Schmitz und Eisenring, jeder mit einer*
*Rose in der Hand.*

Beide  Guten Abend, Fräulein!
*Anna geht hinaus, ohne die beiden anzublicken.*

Eisenring  Wieso keine Holzwolle?

Schmitz  Beschlagnahmt. Polizeilich. Vorsichtsmaßnahme. Wer
Holzwolle verkauft oder besitzt, ohne eine polizei-
liche Genehmigung zu haben, wird verhaftet. Vorsichtsmaßnahme im ganzen Land ...
*Er kämmt sich die Haare.*

Eisenring  Hast du noch Streichhölzchen?

Schmitz  Ich nicht.

Eisenring  Ich auch nicht.
*Schmitz bläst seinen Kamm aus.*

Schmitz  Müssen ihn darum bitten.

Eisenring  Biedermann?

Schmitz  Aber nicht vergessen.
*Er steckt den Kamm ein und schnuppert.*
Mh, wie das schon duftet! ...


*Biedermann tritt an die Rampe*

Biedermann  *Flaschen im Arm*
Sie können über mich denken, meine Herren, wie Sie
wollen. Aber antworten Sie mir auf eine Frage: –
*Man hört Grölen und Lachen.*
Ich sag mir: Solange sie grölen und saufen, tun sie
nichts anderes ... Die besten Flaschen aus meinem
Keller, hätte es mir einer vor einer Woche gesagt –
Hand aufs Herz: Seit wann (genau) wissen Sie, meine

Herren, daß es Brandstifter sind? Es kommt eben
nicht so, meine Herren, wie Sie meinen – sondern langsam und plötzlich ... Verdacht! Das hatte ich sofort,
meine Herren, Verdacht hat man immer – aber Hand
aufs Herz, meine Herren: Was hätten Sie denn getan,
Herrgottnochmal, an meiner Stelle? Und wann?
*Er horcht, und es ist still.*
Ich muß hinauf!
*Er entfernt sich geschwind.*

## Szene 6

*Stube*
*Das Gansessen ist im vollen Gang, Gelächter, vor*
*allem Biedermann (noch mit den Flaschen im Arm)*
*kann sich von dem Witz, der gefallen ist, nicht mehr*
*erholen; nur Babette lacht durchaus nicht.*

Biedermann  Putzfäden! Hast du das wieder gehört? Putzfäden,
sagt er, Putzfäden brennen noch besser!

Babette  Wieso ist das ein Witz?

Biedermann  Putzfäden! – weißt du, was Putzfäden sind?

Babette  Ja.

Biedermann  Du hast keinen Humor, Babettchen.
*Er stellt die Flasche auf den Tisch.*
Was soll man machen, meine Freunde, wenn jemand
einfach keinen Humor hat?

Babette  So erkläre es mir doch.

Biedermann  Also! – heute morgen sagt der Willi, er hätte den
Sepp geschickt, um Holzwolle zu stehlen. Holzwolle,
das verstehst du? Und jetzt frage ich den Sepp: Was
macht denn die Holzwolle? worauf er sagt: Holzwolle habe er nicht auftreiben können, aber Putzfäden. Verstehst du? Und Willi sagt: Putzfäden brennen noch viel besser!

Babette Das habe ich verstanden.

Biedermann Ja? Hast du verstanden?

Babette Und was ist der Witz dran?

*Biedermann gibt es auf.*

Biedermann Trinken wir, meine Herren!

*Biedermann entkorkt die Flasche.*

Babette Ist das denn wahr, Herr Schmitz, Sie haben Putz-fäden auf unseren Dachboden gebracht?

Biedermann Du wirst lachen, Babette, heute vormittag haben wir zusammen sogar die Zündschnur gemessen, der Willi und ich.

Babette Zündschnur?

Biedermann Knallzündschnur!

*Er füllt die Gläser.*

Babette Jetzt aber im Ernst, meine Herren, was soll das alles?

*Biedermann lacht.*

Biedermann Im Ernst! sagt sie. Im Ernst! Hören Sie das? Im Ernst!... Laß dich nicht foppen, Babette, ich hab's dir gesagt, unsere Freunde haben eine Art zu scherzen – andere Kreise, andere Witze! sag ich immer... Es fehlt jetzt nur noch, daß sie mich um Streichhölzchen bitten!

*Schmitz und Eisenring geben einander einen Blick.*

Nämlich die beiden Herren halten mich immer noch für einen ängstlichen Spießer, der keinen Humor hat, weißt du, den man ins Bockshorn jagen kann –

*Er hebt sein Glas.*

Prost!

Eisenring Prost!

Schmitz Prost!

*Sie stoßen an.*

Biedermann Auf unsere Freundschaft.

*Sie trinken und setzen sich wieder.*

In unserem Haus wird nicht serviert, meine Herren, Sie greifen einfach zu.

Schmitz Aber ich kann nicht mehr.

Eisenring  Zier dich nicht. Du bist nicht im Waisenhaus, Sepp,
          zier dich nicht.
          *Er bedient sich mit Gans.*
          Ihre Gans, Madame, ist Klasse.

Babette  Das freut mich.

Eisenring  Gans und Pommard! – dazu gehörte eigentlich bloß
          noch ein Tischtuch.

Babette  Hörst du's, Gottlieb?

Eisenring  Es muß aber nicht sein! – so ein weißes Tischtuch,
          wissen Sie, Damast mit Silber drauf.

Biedermann  Anna!

Eisenring  Damast mit Blumen drin, aber weiß, wissen Sie, wie
          Eisblumen! – es muß aber nicht sein, Herr Bieder-
          mann, es muß aber nicht sein. Im Gefängnis haben
          wir auch kein Tischtuch gehabt.

Biedermann  Anna!

Babette  Im Gefängnis –?

Biedermann  Wo ist sie denn?

Babette  Sie sind im Gefängnis gewesen?
          *Anna kommt; sie trägt einen knallroten Pullover.*

Biedermann  Anna, bringen Sie sofort ein Tischtuch!

Anna  Sehr wohl. –

Eisenring  Und wenn Sie so etwas wie Fingerschalen haben –

Anna  Sehr wohl. –

Eisenring  Sie finden es vielleicht kindisch, Madame, aber so
          sind halt die Leute aus dem Volk. Sepp zum Beispiel,
          der bei den Köhlern aufgewachsen ist und noch nie
          ein Messerbänklein gesehen hat, sehen Sie, es ist nun
          einmal der Traum seines verpfuschten Lebens: – so
          eine Tafel mit Silber und Kristall!

Babette  Gottlieb, das haben wir doch alles.

Eisenring  Aber es muß nicht sein.

Anna  Bitte sehr.

Eisenring  Und wenn Sie schon Servietten haben, Fräulein: Her
          damit!

Anna    Herr Biedermann hat gesagt –

Biedermann    Her damit!

Anna    Bitte sehr.

*Anna bringt alles wieder herbei.*

Eisenring    Sie nehmen es hoffentlich nicht krumm, Madame. Wenn man aus dem Gefängnis kommt, wissen Sie, monatelang ohne Kultur –

*Er nimmt das Tischtuch und zeigt es Schmitz.*

Weißt du, was das ist?

*Hinüber zu Babette.*

Hat er noch nie gesehen!

*Wieder zurück zu Schmitz.*

Das ist Damast.

Schmitz    Und jetzt? Was soll ich damit?

*Eisenring bindet ihm das Tischtuch um den Hals.*

Eisenring    So. –

*Biedermann versucht, es lustig zu finden und lacht.*

Babette    Und wo sind denn unsere Messerbänklein, Anna, unsere Messerbänklein?

Anna    Herr Biedermann –

Biedermann    Her damit!

Anna    Sie haben gesagt: Weg damit.

Biedermann    Her damit! sag ich. Wo sind sie denn, Herrgott-nochmal?

Anna    In Ihrer linken Hosentasche.

*Biedermann greift in die Hosentasche und findet sie.*

Eisenring    Nur keine Aufregung.

Anna    Ich kann doch nichts dafür!

Eisenring    Nur keine Aufregung, Fräulein –

*Anna bricht in Heulen aus, dreht sich und läuft weg.*

Eisenring    Das ist der Föhn.

*Pause*

Biedermann    Trinken Sie, meine Freunde, trinken Sie!

*Sie trinken und schweigen.*

Eisenring   Gans habe ich jeden Tag gegessen, wissen Sie, als Kellner. Wenn man so durch die langen Korridore flitzt, die Platte auf der flachen Hand. Aber dann, Madame, wo putzt unsereiner die Finger ab? Das ist es. Wo anders als an den eignen Haaren? – während andere Menschen eine kristallene Wasserschale dafür haben! Das ist's, was ich nie vergessen werde.
*Er taucht seine Finger in die Fingerschale.*
Wissen Sie, was ein Trauma ist?

Biedermann   Nein.

Eisenring   Haben sie mir im Gefängnis alles erklärt ...
*Er trocknet seine Finger ab.*

Babette   Und wieso, Herr Eisenring, sind Sie denn ins Gefängnis gekommen?

Biedermann   Babette!

Eisenring   Wieso ich ins Gefängnis gekommen bin?

Biedermann   Das fragt man doch nicht!

Eisenring   Ich frage mich selbst ... Ich war ein Kellner, wie gesagt, ein kleiner Oberkellner, und plötzlich verwechselten sie mich mit einem großen Brandstifter

Biedermann   Hm.

Eisenring   Verhafteten mich in meiner Wohnung.

Biedermann   Hm.

Eisenring   Ich war so erstaunt, daß ich drauf einging.

Biedermann   Hm.

Eisenring   Ich hatte Glück, Madame, ich hatte sieben ausgesprochen reizende Polizisten. Als ich sagte, ich müsse an meine Arbeit und hätte keine Zeit, sagten sie: Ihr Etablissement ist niedergebrannt.

Biedermann   Niedergebrannt?

Eisenring   So über Nacht, scheint es, ja.

Babette   Niedergebrannt?

Eisenring   Schön! sagte ich: Dann hab ich Zeit. Es war nur noch ein rauchendes Gebälk, unser Etablissement, ich sah

es im Vorbeifahren, wissen Sie, durch dieses kleine
Gitterfenster aus dem Gefängniswagen.
*Er trinkt kennerhaft.*

Biedermann  Und dann?
*Eisenring betrachtet die Etikette.*

Eisenring  Den hatten wir auch: Neunundvierziger! Cave de
l'Echannon... Und dann? Das muß Ihnen der Sepp
erzählen. Als ich so im Vorzimmer sitze und mit den
Handschellen spiele, sage und schreibe, wer wird da
hereingeführt? – der da!
*Schmitz strahlt.*
Prost, Sepp!

Schmitz  Prost, Willi!
*Sie trinken.*

Biedermann  Und dann?

Schmitz  Sind Sie der Brandstifter? fragt man ihn und bietet
Zigaretten an. Entschuldigen Sie! sagt er: Streichhölzchen habe ich leider nicht, Herr Kommissar, obschon Sie mich für einen Brandstifter halten –
*Sie lachen dröhnend und hauen sich auf die Schenkel.*

Biedermann  Hm. –
*Anna ist eingetreten, sie trägt wieder Häubchen und
Schürzchen, sie überreicht eine Visitenkarte, die Bie-
dermann sich ansieht.*

Anna  Es ist dringend, sagt er.

Biedermann  Wenn ich aber Gäste habe –
*Schmitz und Eisenring stoßen wieder an.*

Schmitz  Prost, Willi!

Eisenring  Prost, Sepp!
*Sie trinken, Biedermann betrachtet die Visitenkarte.*

Babette  Wer ist es denn, Gottlieb?

Biedermann  Dieser Dr. phil...
*Anna betätigt sich beim Schrank.*

Eisenring  Und was ist denn das andere dort, Fräulein, das Sil-
berne dort?

Anna  Die Kandelaber?

Eisenring  Warum verstecken Sie das?

Biedermann  Her damit!

Anna  Herr Biedermann haben selbst gesagt –

Biedermann  Her damit! sag ich.

*Anna stellt die Kandelaber auf den Tisch.*

Eisenring  Sepp, was sagst du dazu? Haben sie Kandelaber und verstecken sie! Was willst du noch? Silber mit Kerzen drauf . . . Hast du Streichhölzer?

*Er greift in seine Hosentasche.*

Schmitz  Ich? Nein.

*Er greift in seine Hosentasche.*

Eisenring  Leider haben wir gar keine Streichhölzer, Herr Biedermann, tatsächlich.

Biedermann  Ich habe.

Eisenring  Geben Sie her!

Biedermann  Ich mach es schon. Lassen Sie nur. Ich mach es schon.

*Er zündet die Kerzen an.*

Babette  Was will denn der Herr?

Anna  Ich versteh ihn nicht, Madame, er kann nicht länger schweigen, sagt er und wartet im Treppenhaus.

Babette  Unter vier Augen? sagt er.

Anna  Ja, und dann will er immer etwas enthüllen.

Babette  Was?

Anna  Das versteh ich nicht, Madame, und wenn er's mir hundertmal sagt; er sagt: er möchte sich distanzieren . . .

*Es leuchten viele Kerzen.*

Eisenring  Macht doch sofort einen ganz anderen Eindruck, finden Sie nicht, Madame? Candlelight.

Babette  Ach ja.

Eisenring  Ich bin für Stimmung.

Biedermann  Sehen Sie, Herr Eisenring, das freut mich . . .

*Es sind alle Kerzen angezündet.*

Eisenring  Schmitz, schmatze nicht!

*Babette nimmt Eisenring zur Seite.*

Babette        Lassen Sie ihn doch!

Eisenring      Er hat kein Benehmen, Madame, ich bitte um Ent-
               schuldigung; es ist mir furchtbar. Woher soll er's
               haben! Von der Köhlerhütte zum Waisenhaus –

Babette        Ich weiß!

Eisenring      Vom Waisenhaus zum Zirkus –

Babette        Ich weiß!

Eisenring      Vom Zirkus zum Theater.

Babette        Das habe ich nicht gewußt, nein –

Eisenring      Schicksale, Madame, Schicksale!
               *Babette wendet sich an Schmitz.*

Babette        Beim Theater sind Sie auch gewesen?
               *Schmitz nagt ein Gansbein und nickt.*
               Wo denn?

Schmitz        Hinten.

Eisenring      Dabei ist er begabt – Sepp als Geist, haben Sie das
               schon erlebt?

Schmitz        Aber nicht jetzt!

Eisenring      Wieso nicht?

Schmitz        Ich war nur eine Woche beim Theater, Madame, dann
               ist es niedergebrannt –

Babette        Niedergebrannt?

Eisenring      Zier dich nicht!

Biedermann     Niedergebrannt?

Eisenring      Zier dich nicht!
               *Er löst das Tischtuch, das Schmitz als Serviette getra-
               gen hat, und wirft es dem Schmitz über den Kopf.*
               Los!
               *Schmitz, verhüllt mit dem weißen Tischtuch, erhebt
               sich.*
               Bitte. Sieht er nicht aus wie ein Geist?

Anna           Ich hab aber Angst.

Eisenring      Mädelchen!
               *Er nimmt Anna in seinen Arm, sie hält die Hände
               vors Gesicht.*

Schmitz »Können wir?«

Eisenring Das ist Theatersprache, Madame, das hat er auf den Proben gelernt in einer einzigen Woche, bevor es niedergebrannt ist, erstaunlicherweise.

Babette Reden Sie doch nicht immer von Bränden!

Schmitz »Können wir?«

Eisenring Bereit. –

*Alle sitzen, Eisenring hält Anna an seiner Brust.*

Schmitz JEDERMANN! JEDERMANN!

Babette Gottlieb –?

Biedermann Still!

Babette Das haben wir in Salzburg gesehen.

Schmitz BIEDERMANN! BIEDERMANN!

Eisenring Ich find's großartig, wie er das macht.

Schmitz BIEDERMANN! BIEDERMANN!

Eisenring Sie müssen fragen, wer bist du?

Biedermann Ich?

Eisenring Sonst wird er seinen Text nicht los.

Schmitz JEDERMANN! BIEDERMANN!

Biedermann Also: – wer bin ich?

Babette Nein! Du mußt doch fragen, wer er ist.

Biedermann Ah so.

Schmitz HÖRT IHR MICH NICHT?

Eisenring Nein, Sepp, nochmals von Anfang an!

*Sie nehmen eine andere Stellung ein.*

Schmitz JEDERMANN! BIEDERMANN!

Babette Bist du – zum Beispiel – der Tod?

Biedermann Quatsch!

Babette Was kann er denn sonst sein?

Biedermann Du mußt fragen: Wer bist du? Er kann auch der Geist von Hamlet sein. Oder der Steinerne Gast, weißt du. Oder dieser Dingsda, wie heißt er schon: der Mitarbeiter vom Macbeth . . .

Schmitz WER RUFT MICH?

Eisenring Weiter.

Schmitz BIEDERMANN GOTTLIEB!

Babette Frag du ihn doch, er spricht zu dir.

Schmitz HÖRT IHR MICH NICHT?

Biedermann Wer bist du denn?

Schmitz ICH BIN DER GEIST – VON KNECHTLING.
*Babette springt auf und schreit.*

Eisenring Stop.
*Er reißt dem Schmitz das weiße Tischtuch herunter.*
Ein Idiot bist du! Das kannst du doch nicht machen.
Knechtling! Das geht doch nicht. Knechtling ist heute
begraben worden.

Schmitz Eben.
*Babette hält ihre Hände vors Gesicht.*

Eisenring Madame, er ist es nicht!
*Er schüttelt den Kopf über Schmitz.*
Wie kannst du so geschmacklos sein?

Schmitz Es fiel mir nichts anderes ein ...

Eisenring Knechtling! Ausgerechnet. Ein alter und treuer Mit-
arbeiter von Herrn Biedermann, stell dir das vor:
Heute begraben – der ist ja noch ganz beisammen,
bleich wie ein Tischtuch, weißlich und glänzend wie
Damast, steif und kalt, aber zum Hinstellen ...
*Er faßt Babette an der Schulter.*
Ehrenwort, Madame, er ist es nicht.
*Schmitz wischt sich den Schweiß.*

Schmitz Entschuldigung.

Biedermann Setzen wir uns.

Anna Ist das jetzt alles?
*Man setzt sich, Pause der Verlegenheit.*

Biedermann Wie wär's mit einer kleinen Zigarre, meine Herren?
*Er bietet eine Schachtel mit Zigarren an.*

Eisenring Idiot! da siehst du's, wie Herr Biedermann zittert ...
Danke, Herr Biedermann, danke! ... Wenn du meinst,
das sei lustig. Wo du genau weißt: Knechtling hat
sich unter den Gasherd gelegt, nachdem unser Gott-

lieb getan hat, was er konnte, für diesen Knechtling. Vierzehn Jahre lang hat er ihm Arbeit gegeben, diesem Knechtling, das ist der Dank –

Biedermann Reden wir nicht mehr davon.

Eisenring Das ist dein Dank für die Gans!

*Sie rüsten ihre Zigarren.*

Schmitz Soll ich etwas singen?

Eisenring Was?

Schmitz »Fuchs, du hast die Gans gestohlen –«

*Er singt mit voller Stimme.*

»Fuchs, du hast die Gans gestohlen, gib sie wieder her –«

Eisenring Laß das.

Schmitz »Gib sie wieder her,
Sonst wird dich der Jäger holen –«

Eisenring Er ist betrunken.

Schmitz »Mit dem Scheißgewehr.«

Eisenring Hören Sie nicht zu, Madame.

Schmitz »Gib sie wieder her,
Sonst wird dich der Jäger holen
Mit dem Scheißgewehr!«

Biedermann Scheißgewehr ist gut.

Alle Männer »Fuchs, du hast die Gans gestohlen –«

*Sie singen mehrstimmig, einmal sehr laut, einmal sehr leise, Wechselgesang jeder Art, Gelächter und grölende Verbrüderung, einmal eine Pause, aber dann ist es Biedermann, der wieder anhebt und in der Spaßigkeit vorangeht, bis sich das Ganze erschöpft.*

Biedermann Also: – Prost!

*Sie heben die Gläser, und man hört Sirenen in der Ferne.*

Was war das?

Eisenring Sirenen.

Biedermann Spaß beiseite! –

Babette Brandstifter, Brandstifter!

Biedermann  Schrei nicht.
*Babette reißt das Fenster auf, und die Sirenen kommen näher, heulen, daß es durch Mark und Bein geht, und sausen vorbei.*
Biedermann  Wenigstens nicht bei uns.
Babette  Wo kann das nur sein?
Eisenring  Wo der Föhn herkommt.
Biedermann  Wenigstens nicht bei uns...
Eisenring  Das machen wir meistens so. Wir holen die Feuerwehr in ein billiges Außenviertel, und später, wenn's wirklich losgeht, ist ihnen der Rückweg versperrt.
Biedermann  Nein, meine Herren, Spaß beiseite –
Schmitz  So machen wir's aber, Spaß beiseite.
Biedermann  Schluß mit diesem Unsinn! ich bitte Sie. Alles mit Maß, Sie sehen, meine Frau ist kreidebleich.
Babette  Und du?!
Biedermann  Und überhaupt: Sirenen sind Sirenen, darüber kann ich nicht lachen, meine Herren, irgendwo hört's auf, irgendwo brennt's, sonst würde unsere Feuerwehr nicht ausfahren.
*Eisenring blickt auf seine Uhr.*
Eisenring  Wir müssen gehen.
Biedermann  Jetzt?
Eisenring  Leider.
Schmitz  »Sonst wird dich der Jäger holen...«
*Man hört nochmals die Sirenen.*
Biedermann  Mach einen Kaffee, Babette!
*Babette geht hinaus.*
Und Sie, Anna, was stehen Sie da und glotzen?
*Anna geht hinaus.*
Unter uns, meine Herren: Genug ist genug: Meine Frau ist herzkrank. Scherzen wir nicht länger über Brandstifterei.
Schmitz  Wir scherzen ja nicht, Herr Biedermann.
Eisenring  Wir sind Brandstifter.

Biedermann   Meine Herren, jetzt ganz im Ernst –

Schmitz   Ganz im Ernst.

Eisenring   Ganz im Ernst.

Schmitz   Warum glauben Sie uns nicht?

Eisenring   Ihr Haus, Herr Biedermann, liegt sehr günstig, das müssen Sie einsehen: fünf solche Brandherde rings um die Gasometer, die leider bewacht sind, und dazu ein richtiger Föhn –

Biedermann   Das ist nicht wahr.

Schmitz   Herr Biedermann! Wenn Sie uns schon für Brandstifter halten, warum nicht offen darüber reden?
*Biedermann blickt wie ein geschlagener Hund.*

Biedermann   Ich halte Sie ja nicht für Brandstifter, meine Herren, das ist nicht wahr, Sie tun mir Unrecht, ich halte Sie nicht für – Brandstifter . . .

Eisenring   Hand aufs Herz!

Biedermann   Nein! Nein, nein! Nein!

Schmitz   Aber wofür halten Sie uns denn?

Biedermann   Für meine – Freunde . . .
*Sie klopfen ihm auf die Schulter und lassen ihn stehen.*
Wohin gehen Sie jetzt?

Eisenring   's ist Zeit.

Biedermann   Ich schwöre es Ihnen, meine Herren, bei Gott!

Eisenring   Bei Gott?

Biedermann   Ja!
*Er hält die Schwurfinger langsam hoch.*

Schmitz   Er glaubt nicht an Gott, der Willi, so wenig wie Sie, Herr Biedermann – da können Sie lange schwören.
*Sie gehen weiter zur Türe.*

Biedermann   Was soll ich tun, daß Sie mir glauben?
*Er vertritt ihnen den Ausgang.*

Eisenring   Geben Sie uns Streichhölzchen.

Biedermann   Was – soll ich?

Eisenring   Wir haben keine mehr.

Biedermann   Ich soll –

Eisenring  Ja. Wenn Sie uns nicht für Brandstifter halten.

Biedermann  Streichhölzchen?

Schmitz  Als Zeichen des Vertrauens, meint er.
*Biedermann greift in seine Tasche.*

Eisenring  Er zögert. Siehst du? Er zögert.

Biedermann  Still! – aber nicht vor meiner Frau ...
*Babette kommt zurück.*

Babette  Der Kaffee kommt sogleich.
*Pause*
Sie müssen gehen?

Biedermann  Ja, meine Freunde – so schade es ist, aber – Hauptsache, daß Sie gespürt haben – Ich will nicht viel Worte machen, meine Freunde, aber warum sagen wir einander eigentlich nicht du?

Babette  Hm.

Biedermann  Ich bin dafür, daß wir Bruderschaft trinken!
*Er nimmt eine Flasche und den Korkenzieher.*

Eisenring  Sagen Sie doch Ihrem lieben Mann, er soll deswegen keine Flasche mehr aufmachen, es lohnt sich nicht mehr.
*Biedermann entkorkt.*

Biedermann  Es ist mir nichts zu viel, meine Freunde, nichts zu viel, und wenn Sie irgendeinen Wunsch haben – irgendeinen Wunsch ...
*Er füllt hastig die Gläser und gibt die Gläser.*
Meine Freunde, stoßen wir an!
*Sie stoßen an.*
Gottlieb. –
*Er küßt Schmitz auf die Wange.*

Schmitz  Sepp. –

Biedermann  Gottlieb.
*Er küßt Eisenring auf die Wange.*

Eisenring  Willi. –
*Sie stehen und trinken.*
Trotzdem, Gottlieb, müssen wir jetzt gehen.

Schmitz Leider.

Eisenring Madame –

*Man hört Sirenen.*

Babette Es war ein reizender Abend.

*Man hört Sturmglocken.*

Eisenring Nur noch eins, Gottlieb: –

Biedermann Was denn?

Eisenring Du weißt es.

Biedermann Wenn Ihr irgendeinen Wunsch habt –

Eisenring Die Streichhölzchen.

*Anna ist eingetreten mit dem Kaffee.*

Babette Anna, was ist los?

Anna Der Kaffee.

Babette Sie sind ja ganz verstört?

Anna Dahinten – der Himmel, Frau Biedermann, von der Küche aus – der Himmel brennt . . .

*Es ist schon sehr rot, als Schmitz und Eisenring sich verneigen und gehen. Biedermann steht bleich und starr.*

Biedermann Zum Glück ist's nicht bei uns . . . Zum Glück ist's nicht bei uns . . . Zum Glück –

*Eintritt der Akademiker.*

Biedermann Was wollen Sie?

Dr. phil. Ich kann nicht länger schweigen.

*Er nimmt ein Schriftstück aus der Brusttasche und verliest.*

»Der Unterzeichnete, selber zutiefst erschüttert von den Ereignissen, die zur Zeit im Gang sind und die auch von unsrem Standpunkt aus, wie mir scheint, nur als verbrecherisch bezeichnet werden können, gibt die folgende Erklärung zuhanden der Öffentlichkeit: –«

*Viele Sirenen heulen, er verliest einen ausführlichen Text, wovon man aber kein Wort versteht, man hört Hundegebell, Sturmglocken, Schreie, Sirenen in der*

*Ferne, das Prasseln von Feuer in der Nähe; dann tritt*
*er zu Biedermann und überreicht ihm das Schriftstück.*
Ich distanziere mich –

Biedermann  Und?

Dr. phil.  Ich habe gesagt, was ich zu sagen habe.

*Er nimmt seine Brille ab und klappt sie zusammen.*
Sehen Sie, Herr Biedermann, ich war ein Weltverbesserer, ein ernster und ehrlicher, ich habe alles gewußt, was sie auf dem Dachboden machten, alles,
nur das eine nicht: Die machen es aus purer Lust!

Biedermann  Herr Doktor –

*Der Akademiker entfernt sich.*
Sie, Herr Doktor, was soll ich damit?

*Der Akademiker steigt über die Rampe und setzt*
*sich ins Parkett.*

Babette  Gottlieb –

Biedermann  Weg ist er.

Babette  Was hast du denen gegeben? Ich hab's gesehen –
Streichhölzer?

Biedermann  Warum nicht.

Babette  Streichhölzer?

Biedermann  Wenn die wirkliche Brandstifter wären, du meinst,
die hätten keine Streichhölzer? . . . Babettchen, Babettchen!

*Die Standuhr schlägt, Stille, das Licht wird rot, und*
*man hört, während es dunkel wird auf der Bühne:*
*Sturmglocken, Gebell von Hunden, Sirenen, Krach*
*von stürzendem Gebälk, Hupen, Prasseln von Feuer,*
*Schreie, bis der Chor vor die Szene tritt.*


*Chor*
Sinnlos ist viel, und nichts
Sinnloser als diese Geschichte:
Die nämlich, einmal entfacht,

> Tötete viele, ach, aber nicht alle
> Und änderte gar nichts.
> *Erste Detonation*

Chorführer Das war ein Gasometer.

> *Zweite Detonation*

Chor Was nämlich jeder voraussieht
> Lange genug,
> Dennoch geschieht es am End:
> Blödsinn,
> Der nimmerzulöschende jetzt,
> Schicksal genannt.
> *Dritte Detonation*

Chorführer Noch ein Gasometer.

> *Es folgt eine Serie von Detonationen fürchterlicher Art.*

Chor Weh uns! Weh uns! Weh uns!
> *Licht im Zuschauerraum.*

# Die große Wut des Philipp Hotz

*Ein Schwank*

Personen  *Philipp Hotz, Dr. phil.*
          *Dorli, seine Frau*
          *Wilfrid, ein Freund*
          *Clarissa, seine Frau*
          *Der alte Dienstmann*
          *Der junge Dienstmann*
          *Eine Jumpfer*

Szene  *Zimmer einer modernen Mietwohnung*

*Szene*
*Das Zimmer ist leer. Eintritt Hotz in einem offenen*
*Regenmantel, bleich vor Wut, und packt ein win-*
*ziges Köfferchen.*

Hotz Damit du es weißt: Ich bin jetzt beim Packen. Hemd,
Zahnbürste, Pyjama. Alles Weitere, nehme ich an,
liefert die Fremdenlegion.
*Man hört Schluchzen einer Frau.*
Ich mache so rasch wie möglich. Beruhige dich! So-
bald ich fertig bin, laß ich dich aus dem Schrank –
*Er schließt das Köfferchen.*
Mein Köfferchen, siehst du, ist schon gepackt.
*Er stellt das Köfferchen bereit.*
Jetzt muß ich nur noch die Wohnung zertrümmern –
*Er sieht sich um, wo er anfangen soll, und reißt einen*
*Vorhang herunter und wurstelt ihn zusammen; dann*
*tritt er (vom Anblick des verwurstelten Vorhangs*
*wie erwacht) an die Rampe.*

*Conférence*
Hotz Ich weiß, auch Sie, meine Damen und Herren, ste-
hen ganz und gar auf der Seite meiner Frau. Bitte.
Auch Sie (Ich weiß!) sind der Ansicht, daß die Ehe
geht –
*Er nimmt sich eine Zigarette.*
Ich gedenke mich keineswegs zu ereifern.
*Er raucht vor sich hin.*
Ich weiß nicht, meine Damen und Herren, was Dorli
Ihnen gesagt hat –
*Das Telefon klingelt.*
Sie entschuldigen!
*Er nimmt das Telefon und sagt ins Telefon:*
Augenblick bitte.
*Er legt das Telefon hin, kommt wieder zur Rampe.*
Wenn auch Sie, meine Damen und Herren, wie jeder-

mann, der mit Dorli nie verheiratet gewesen ist, zu der Ansicht neigen wie unser Friedensrichter, wir sollten es nochmals versuchen, zwei so wertvolle Menschen wie wir, oder wie unser Friedensrichter sich auszudrücken liebt: nochmals darüber schlafen –
*Er erinnert sich an das abgenommene Telefon.*
Augenblick bitte.
*Er spricht ins Telefon:*
Hotz, ja Doktor Hotz. Ich bin nicht meine Frau, nein, es tut mir leid. Ich werde es ausrichten.
*Er hängt ab und spricht zum Schrank:*
Du sollst deinen Anwalt anrufen, sobald du zuhause bist. –
*Er kommt an die Rampe.*
Ich habe gesagt: Eher zertrümmere ich unsere ganze Wohnung (was Dorli mir nicht zutraut!) und eher gehe ich in die Fremdenlegion –
*Es klingelt an der Tür.*
Da sind meine Dienstmänner!
*Hotz geht in die Szene zurück und zur Türe hinaus. Schluchzen im Schrank. Eintritt eine alte und ver-schüchterte Jumpfer, die allein im Zimmer steht, wartend, während Hotz aus der seitlichen Kulisse nochmals an die Rampe tritt.*
Ich habe gesagt: Eher zertrümmere ich unsere ganze Wohnung! – aber man nimmt mich ja nicht ernst, man lächelt, man geht nachhause Arm in Arm mit mir, man traut es mir nicht zu, bloß weil ich ein gebildeter Mensch bin ...
*Er nimmt eine neue Zigarette und entdeckt, daß er schon eine Zigarette im Mund hat, und zertritt die brennende Zigarette am Boden.*
Man soll mich kennenlernen.
*Er tritt in die Szene.*

*Szene*

Hotz  Bitte.

Jumpfer  Hoffentlich stör ich den Herrn Doktor nicht?

Hotz  Bitte.

*Er weist ihr einen Sessel, und sie setzt sich.*

Was hat meine Frau Ihnen gesagt?

Jumpfer  Ich soll kommen, wenn Herr Doktor zuhaus sind –

Hotz  Sprechen wir offen!

*Er zündet sich die neue Zigarette an.*

Ich bestreite nicht, daß Dorli der wertvollere Mensch ist. Und ich brauche keinen Friedensrichter und keine Tante Bertha, um zu wissen, daß ich eine Persönlichkeit wie meine Frau gar nicht verdiene –

Jumpfer  Herr Doktor –

Hotz  Lassen Sie mich ausreden!

*Er setzt sich wie zu einer Verhandlung.*

Was verstehen Sie, Madame, unter Ehe?

*Die Jumpfer kramt in ihrer Tasche.*

Madame, ich habe mir die Mühe genommen, die durchschnittliche Anzahl der Ehebrüche in meinem Freundeskreis, der sicherlich nicht der schlechteste ist, zu ermitteln, wobei ich, wohlverstanden, nur Ehebrüche einsetze, die mindestens drei Unbeteiligten als zweifellos erscheinen – ich komme, Männer bis zu 50 Jahren gerechnet, auf einen ortsüblichen Durchschnitt von 5,1607. Bitte! Ehebrüche, die mit weltmännischer Sorgfalt geplant und nur umständehalber gescheitert sind, sowie bloße Anwandlungen, die allerdings sehr weit gehen können und sogar das Vergehen, das tatsächliche, oft an Innigkeit übertreffen, nicht gerechnet: 5,1607. Und dabei, Madame, sind all diese Leute (ich werde keine Namen nennen) Leute, die der Ansicht sind, daß die Ehe geht.

Jumpfer  Herr Doktor ...

Hotz  Das heißt: –

Jumpfer Herr Doktor!

Hotz Unterbrechen Sie mich nicht immer.

*Er ist aufgesprungen.*

Seit Weihnachten, Madame, seit Weihnachten sagen wir einander die lautere Wahrheit, und morgen is Pfingsten, und was ist erreicht? – außer Gerichts kosten, dazu die Rechnung von zwei Anwälten . .

Jumpfer Herr Doktor!

Hotz Tante Bertha!

*Er verbietet sich jeden Affekt.*

Ich habe alles getan für eine Scheidung in Frieder und Freundschaft. Alles nach üblicher Vereinbarung Frau Simone Dorothea Hotz, geborene Hauschild klagt auf Ehebruch seitens ihres Gatten, der alles Nötige zugibt. Meine Gegenklage lautet (um Dorli zu schonen!) auf Unvereinbarkeit der Charaktere, was keine Übertreibung ist, ich habe meine Frau, wie sie selbst sagt, nie verstanden – am allerwenigsten heute Vormittag um elf Uhr, als Dorli, dieses Erzweib, plötzlich ihre Scheidungsklage einfach zurückzieht.

*Die Jumpfer ist aufgestanden.*

Setzen Sie sich!

*Die Jumpfer setzt sich.*

Liebe und geschätzte Tante Bertha –

Jumpfer Sie irren sich, Herr Doktor, Sie irren sich!

Hotz Ich irre mich, Tante Bertha, leider durchaus nicht. Woran unsere Ehe in die Brüche geht, das sind nicht die paar Ehebrüche – das schmerzt, ich geb's zu, und als Mode ist's widerlich – sondern die Tatsache, Madame, die schlichte und bodenlose Tatsache, daß ich ein Mann bin (wenn auch ein Intellektueller) und meine Frau, mit Verlaub gesagt, ein Weib.

*Es klingelt an der Tür.*

Und daran, meine sehr geschätzte Tante Bertha, ändert

sich auch nichts, wenn wir nochmals, wie unser Frie-
densrichter es wünscht, darüber schlafen –
*Es klingelt an der Tür.*
Im Gegenteil.
*Es klingelt an der Tür.*
Sie entschuldigen! – *Hotz geht zur Türe hinaus.*

Jumpfer   Frau Doktor? ... Frau Doktor? ...
*Sie schaut, woher das Schluchzen kommt.*


*Conférence*
*Hotz tritt sofort wieder aus der Kulisse, eine Hand-
säge in der Hand.*

Hotz   O nein, meine Damen, ich bin nicht eifersüchtig. Denken Sie bitte nicht, ich sei eifersüchtig, weil Dorli,
lange ist's her, mit diesem Mistbock, der meines Erachtens, offen gesprochen, Direktor einer Maschinen-
fabrik ist, Export – O nein, meine Damen, o nein! ...
*Zwei Dienstmänner mit Gurten treten ins Zimmer.*
Ich komme sogleich.
*Er bleibt an der Rampe.*
Ich bin, meine Damen, kein Eskimo, der die Frau
als sein Eigentum betrachtet. Es gibt (für mich) keinen Besitz in der Liebe. Ich kann nicht eifersüchtig
sein, meine Damen, grundsätzlich nicht –
*Die Handsäge in seiner Hand zittert mehr und mehr.*
... Aber: Wenn eine Frau, kaum sitzt man vor Gericht,
einfach die vereinbarte Scheidungsklage zurückzieht –
meine Damen! was heißt da noch Vereinbarung?
Treue in jeder Lebenslage? Vertrauen? Kameradschaft
zwischen Mann und Weib? Ich frage Sie: Was, zum
Teufel, heißt da noch – Ehe?
*Er verläßt die Rampe, aber dreht sich nochmals.*
Sie rechnet einfach damit, daß meine Wut nicht aus-
reicht.
*Er steigt in die Szene.*

*Szene*

Hotz  Meine Herren, Sie brauchen keine Gurten.

Der Alte  Wieso nicht?

Hotz  Ich – liquidiere.
*Die Jumpfer ist aufgestanden.*
Kurz und gut, Tante Bertha, ich bedaure –
*Die Jumpfer gibt ihm den Prospekt.*
Was soll das?

Jumpfer  Von wegen der Vorführung, Herr Doktor –

Hotz  Sie sind gar nicht Tante Bertha?
*Er wendet sich an die Dienstmänner:*
Ein Brecheisen haben Sie? Und eine Beißzange,
ich habe ausdrücklich bestellt: eine Handsäge, ein
Brecheisen und eine Beißzange und eine gute Hand-
säge.

Der Junge  Haben wir.

Hotz  Und die Handsäge?

Der Junge  Haben Sie.
*Hotz sieht, daß er die Handsäge selber in der Hand
hat.*

Hotz  Gut. –
*Er gibt der Jumpfer den Prospekt zurück.*
Madame, ich brauche keinen Staubsauger.
*Er begleitet sie zur Tür.*
... wir haben wenig Zeit, meine Herren, fangen Sie
nur schon an! Zum Beispiel die Bilder. Sie nehmen
ein Küchenmesser oder was Sie grad finden, schnei-
den von links oben nach unten: – so.
*Er macht es vor, indem er ein Bild zerschneidet.*
Verstanden?
*Die Dienstmänner blicken einander an.*
Was überlegen Sie?

Der Alte  Kaputtmachen?

Hotz  Ausgenommen was zum Haus gehört: Installatio-
nen, Kochherd und Derartiges, Radiatoren, Bad-

wanne und Schalter und so weiter ... Junger Mann, hier ist ein Aschenbecher!

Der Junge Was soll damit geschehen?

Hotz Für die Asche.

Der Junge Ah so.

Hotz Der Teppich ist Frauengut. –

*Er geht zum Schreibtisch.*

Dorli! – wo haben wir die Liste wegen Frauengut?

*Die zwei Dienstmänner nehmen die alte Standuhr.*

Die Standuhr erledige ich persönlich, das ist ein altes Erbstück.

*Die Dienstmänner stellen die Standuhr mitten im Zimmer ab.*

Und was so Damensachen sind, die überall umherliegen, Kleider und Wäsche und so weiter, Lippenstift, Journale, Strümpfe und alles was rosa ist, Büstenhalter, Fläschchen, Kämme und so weiter, Briefe aus Argentinien, Pantoffeln und so weiter, Noten und Gürtel und Nagelscherchen und so weiter und Handschuhe und so weiter, Halsketten aus Holz und aus Muscheln und so weiter und so weiter, alles was auf die Nerven geht – rühren Sie bitte nicht an. Meine Frau ist sehr sensibel. Und wenn Sie sägen, meine Herren, bitte draußen in der Diele.

*Die Dienstmänner legen ihre Gurten an den Schrank.*

Halt! Um Gotteswillen! Der Schrank bleibt hier – Um Gotteswillen! ...

*Die Dienstmänner stellen den Schrank wieder ab.*

Entschuldige!

*Er wischt sich den Schweiß ab.*

Hier die Liste wegen Frauengut ...

*Die Dienstmänner nehmen Sessel und Tisch.*

Der Junge Herr Doktor, was machen wir damit?

Hotz Machen Sie's kurz.

Der Junge  Wie kurz?

Hotz  Kurz – Sägen Sie die Beine ab.

*Der junge Dienstmann zeigt die Stelle.*

Der Junge  Hier ungefähr?

Hotz  Bitte – ja ...

*Die Dienstmänner gehen mit Sessel und Tisch hinaus.*

Ich sagte: Entschuldige!

*Er klopft an den Schrank.*

Dorli?

*Er legt das Ohr an den Schrank.*

Warum hältst du den Atem an?

*Man hört, wie in der Diele gesägt wird.*

Du hörst es, Dorli, ich habe zwei Dienstmänner bestellt, beruhige dich! Damit es schneller geht.

*Man hört, wie ein Stück Holz fällt, die Säge ver-
stummt.*

Das erste Bein. –

*Man hört, wie wieder gesägt wird.*

Nur jetzt nicht die Wut verlieren! ...

*Man hört, wie ein Stück Holz fällt, die Säge ver-
stummt.*

Das zweite Bein. –

*Er hält die Hand vors Gesicht, bis es wieder so-
weit ist.*

Das dritte Bein. –

*Er geht und gibt der Standuhr einen Tritt, so daß sie
stürzt.*

Jetzt nicht die Wut verlieren –

*Er sucht etwas, während wieder gesägt wird.*

Dorli, wo ist denn unser Schraubenzieher?

*Er blickt zum Schrank.*

Bist du wahnsinnig!? Dorli!

*Ein Räuchlein steigt aus dem Schrank.*

Ich lehne jede Verantwortung ab. Hörst du? Ich habe
dich in diesen Schrank gesperrt, Dorli, aber du bist

mündig und weißt genau, wie gefährlich es ist, Dorli,
in einem Kleiderschrank zu rauchen –
*Ein Räuchlein steigt aus dem Schrank.*
Hörst du!?
*Ein Räuchlein steigt aus dem Schrank.*

*Conférence*
*Hotz kommt an die Rampe.*

Hotz  Jetzt, meine Herrschaften, sehen Sie es selbst: Sie
verläßt sich einfach auf mein schlechtes Gewissen –
*Er tritt in die Szene.*

*Szene*
*Hotz nimmt das winzige Köfferchen.*

Hotz  Damit du es weißt, Dorli, was du nicht sehen kannst:
Ich steh jetzt mit dem Köfferchen in der Hand, und
ob du's glaubst oder nicht –
*Eintritt der alte Dienstmann.*

Der Alte  Wie wünschen Sie die Vorhänge, Herr Doktor?

Hotz  Vorhänge?

Der Alte  Zerschnitten oder verbrannt?

Hotz  Lieber zerschnitten.

Der Alte  In Streifen oder –

Hotz  Bitte, ja, in Streifen.

Der Alte  Wie breit, die Streifen?

Hotz  Handbreit.

Der Alte  9 cm?

Hotz  Ungefähr.
*Der alte Dienstmann nimmt seinen Meter aus der
Hosentasche.*
Ungefähr – aber Sie können auch lauter Dreiecke
schneiden. Was Ihnen mehr Spaß macht, mein Freund,
was Ihnen mehr Spaß macht!
*Der alte Dienstmann nimmt den Vorhang und geht.*
Dorli, ich geh jetzt. – Es geht nicht, daß immer ich es

bin, der mit der Versöhnung beginnt. – Du, ich geh
jetzt...
*Ein Räuchlein steigt aus dem Schrank.*

### Conférence
*Hotz stellt das Köfferchen ab, um an die Rampe zu
kommen.*

Hotz   Meine Frau treibt mich in die Fremdenlegion, denn
sie traut es mir einfach nicht zu, daß ich gehe.
*Er zückt einen Fahrplan.*
Genf, Lyon, Marseille.
*Er sieht im Fahrplan nach.*
Ich kenne die Tatsachenberichte, wie es in der Frem-
denlegion zugeht, oh, und auch Dorli kennt sie...
*Er steckt den Fahrplan wieder ein.*
17.23. Anschluß: 22.07.
*Er steigt in die Szene zurück.*

### Szene
*Hotz nimmt wieder sein Köfferchen zur Hand.*

Hotz   Zum letzten Mal, Dorli: Ich bin soweit.
*Er klopft an den Schrank.*
Du?
*Man hört, wie gesägt wird.*
Ich habe ihnen die Liste gegeben. Wegen Frauengut.
Es wird nicht berührt, was du in die Ehe gebracht hast.
Nicht berührt. Ich gehe mit Hemd und Zahnbürste,
wie du siehst, ohne deinen Dünndruck-Goethe... Ich
zweifle nicht, daß du eine Arbeit findest, die dich
ernährt... Grüß deine Familie von mir... Er machte
es sich leicht, werden sie sagen, er ging in die Fremden-
legion... Wir werden einander nie wiedersehen...
Wenn in den nächsten Jahren noch Post für mich
kommt –
*Der junge Dienstmann kommt und bringt den kurz-*

*gesägten Sessel, den er hinstellt; der Sitz ist ungefähr*
*zehn Zentimeter über dem Boden.*

Der Junge  Herr Doktor, da ist einer in der Diele.

Hotz  Ich bin nicht zu sprechen.

Der Junge  Er möchte die Dame sprechen.

*Ein Räuchlein steigt aus dem Schrank.*

Hotz  Ich lehne jede Verantwortung ab!

*Hotz geht hinaus, und der junge Dienstmann, neu-*
*gierig geworden, dreht den Schlüssel, der steckt, und*
*öffnet den Schrank: — heraustritt Dorli, eine zarte*
*und noch in ihrer Verheultheit entzückende Person,*
*die ihre Zigarette hält.*

Dorli  Haben wir noch einen Aschenbecher?

*Der junge Dienstmann reicht einen Aschenbecher,*
*Dorli löscht ihre Zigarette und geht ans Telefon, wo*
*sie eine Nummer wählt.*

Hotz, ja, Frau Hotz. Kann ich mit meinem Anwalt
sprechen?

*Zu dem jungen Dienstmann:*

Vielen Dank!

*Sie spricht ins Telefon:*

Herr Doktor! — wir versuchen es seit drei Stunden,
aber ... Wie bitte? Er tut's, er sagt es nicht bloß, er
tut's. Wie bitte? Ich habe kein Wort gesagt. Was kann
ich machen, Herr Doktor, wenn er mich in den Schrank
sperrt?

*Zu dem jungen Dienstmann:*

Sie sind mein Zeuge.

*Sie hängt das Telefon ab.*

Nicht einmal mein eigener Anwalt glaubt es.

*Man hört Männerstimmen draußen, und Dorli ver-*
*steckt sich hinter einem Vorhang, während Hotz (nach-*
*wievor im offenen Regenmantel und mit Schrauben-*
*zieher in der Hand) einen Gast hereinführt, der sich*
*die Hände reibt.*

Wilfrid  Wer hätte das gedacht, Philipp, wer hätte das gedacht!
Ich bin soeben gelandet, Mensch, und schon steh ich
hier. Wer hätte das gedacht! Ich bin noch wie benom-
men – drei Jahre in Argentinien, Mensch, drei Jahre
in diesem Klima, das kannst du dir ja nicht vorstel-
len, drei Jahre, Mensch, drei Jahre nichts als Geld-
verdienen, nein, das kannst du dir nicht vorstellen...
*Er sieht sich um.*
Unverändert! Unverändert!
*Verlegenheitspause*
Und du, mein Philipp, du bist noch immer Schrift-
steller?
*Wilfrid lacht und haut ihm auf die Schulter.*
Philipp, mein Freund!

Hotz  Wilfrid –

Wilfrid  Nein, mein Freund, das könnt ihr euch nicht vorstellen, drei Jahre dadrüben, und kaum ist man wieder in
Europa, kaum gelandet – fühlt man sich wie zuhaus.

Hotz  Bitte.
*Er stellt den kurzgesägten Sessel hin.*
Bitte. –
*Wilfrid setzt sich und tut, als wäre nichts dabei. Er
will keine Verlegenheit zeigen. Draußen wird wieder
gesägt. Hotz setzt sich wieder rittlings auf die Standuhr und demontiert mit dem Schraubenzieher, während Wilfrid sich eine Zigarre rüstet.*

Wilfrid  Sag mal – wie geht es Dorli?
*Er zündet die Zigarre an und raucht.*
Macht sie noch immer Keramik?

Hotz  Im Augenblick nicht.

Wilfrid  Wo ist sie denn?
*Hotz erhebt sich und geht zur Tür.*

Hotz  Meine Herren, nehmen Sie den Schrank hinaus.
*Zu Wilfrid:*
Du entschuldigst.

*Zu den Dienstmännern:*
Aber bitte nicht stürzen!
*Die Dienstmänner nehmen ihre Gurten.*
Wilfrid, mein Freund, was kann ich dir anbieten?
Nur Gläser, glaube ich, haben wir keine mehr. Gin?
Campari? Whisky?
*Die Dienstmänner kippen den Schrank.*
Halt! – sind Sie verrückt? Halt! Halt! Ich habe ausdrücklich gesagt: Nicht stürzen –

Der Alte  Wenn aber die Tür zu niedrig ist?

Hotz  Dann – bitte – hinaus auf den Balkon.
*Er öffnet die Balkontür, zu Wilfrid:*
Du entschuldigst.
*Er wischt sich den Schweiß, während die Dienstmänner den Schrank auf den Balkon tragen.*

Wilfrid  Wieso ziehst du deinen Mantel nicht aus, wenn du so warm hast?
*Hotz schließt den Schrank ab und steckt den Schlüssel in die Hosentasche.*

Hotz  Sehr herzlichen Dank.
*Die zwei Dienstmänner gehen mit schleifenden Gurten, während Hotz sich rittlings auf die Standuhr setzt, die am Boden liegt, und mit einem Schraubenzieher zu demolieren beginnt, Wilfrid raucht seine Zigarre.*

Wilfrid  Ich fragte, wie es Dorli geht ...
*Hotz löst das Perpentikel und schleudert es weg.*
Du sagst es mir, Philipp, wenn ich ungelegen komme.

Hotz  Im Gegenteil.

Wilfrid  Aber Ehrenwort?

Hotz  Du kannst mir die Schräubchen halten.
*Er gibt ihm Schräubchen in die Hand.*
Ferner kannst du mir eine Frage beantworten: –
*Er löst das Zifferblatt und schleudert es weg.*
Glaubst du, daß die Ehe geht?

Wilfrid  Welche?

Hotz  Überhaupt.
*Jetzt springt die Uhrfeder heraus.*

Wilfrid  Wehgetan?
*Hotz saugt an seinem Finger.*
Sag mal, was machst du eigentlich?

Hotz  Ich demontiere eine alte Uhr.

Wilfrid  Warum?

Hotz  Weil ich keinen Humor habe.

Wilfrid  Philipp – !

Hotz  Findest du, ich habe Humor?

Wilfrid  Nein.

Hotz  Also.

Wilfrid  Wer hat's dir gesagt?

Hotz  Dorli, meine Gattin, die du ja kennst – sie sagt: Erstens bin ich kein Mann, ich rede nur, ich tue nicht, was ich rede. Im Gegensatz beispielsweise zu dir. Ihr Anwalt geht noch einen Schritt weiter, weil er ja dafür bezahlt ist von mir, und sagt: Ihr Mann ist schizoid. Und zweitens: Ich habe keinen Humor. Im Gegensatz beispielsweise zu dir. Ich habe meinen Humor verloren, laut Dorli, im Augenblick meiner Geburt.
*Wilfrid muß lachen.*
Ich finde es nett von dir, Wilfrid, mein Freund, daß du trotzdem lachst –
*Der alte Dienstmann bringt den kurzgesägten Tisch.*
Danke.

Der Alte  Und was ist das nächste?

Hotz  Der Keller. Sämtliche Flaschen werden entkorkt. Aber das mach ich persönlich, bringen Sie einfach die Flaschen hieher.
*Der alte Dienstmann geht.*

Wilfrid  Saugemütlich!
*Er streichelt über den niedrigen Tisch.*
Saugemütlich!

Hotz   Findest du.

Wilfrid   Wenn du auch keinen Humor hast, siehst du, aber Ideen hast du.

*Hotz saugt am Finger.*

Hast du einmal in Japan gelebt?

*Hotz schüttelt den Kopf, saugend.*

Deine eigene Idee?

*Hotz nickt, saugend.*

Drei Jahre in Argentinien, nein, das kannst du dir nicht vorstellen, wie unsereiner sich sehnt – nach so etwas – nach Geschmack, nach Kultur und so, nach Gemütlichkeit ...

*Er streichelt den niedrigen Tisch.*

Hotz   Um auf unsere Frage zurückzukommen: –

*Er gibt ihm ein Schräubchen in die Hand.*

Liebst du sie wirklich?

Wilfrid   Meine Frau?

Hotz   Meine!

*Wilfrid zuckt zusammen.*

Verlier meine Schräubchen nicht –

*Ein Lärm, dann kommt der junge Dienstmann.*

Der Junge   Entschuldigung, Herr Doktor, das ging aber nicht anders.

Hotz   Was war's?

Der Junge   Die Sprungfedermatratze.

Hotz   Danke.

*Der junge Dienstmann verschwindet.*

Um auf unsere Frage zurückzukommen: –

Wilfrid   Jetzt hör aber auf!

Hotz   Du glaubst also, daß die Ehe geht?

Wilfrid   Oder ich werfe dir deine Schräubchen zum Fenster hinaus!

*Wilfrid ist aufgesprungen.*

Jawohl!

*Hotz arbeitet mit dem Schraubenzieher weiter.*

Hotz   Ich habe dich von jeher beneidet, Wilfrid, um deinen Humor. Du brauchst ihn jetzt nicht zu verlieren, bloß weil ich meinerseits nicht lachen kann, daß du mit meiner Frau geschlafen hast.

Wilfrid   Philipp!

Hotz   Hältst du mir die Schräubchen, mein Freund, oder hältst du sie mir nicht?

*Wilfrid steht mit dem Rücken gegen Hotz.*

Ich verstehe deine Entrüstung nicht ...

*Der alte Dienstmann kommt und wirft Kleinholz hin.*

Was war's?

Der Alte   Die Bettstatt.

Hotz   Danke.

*Der alte Dienstmann geht wieder hinaus.*

Um auf meine Frage zurückzukommen: –

*Es klingelt das Telefon.*

Du entschuldigst.

*Er spricht ins Telefon:*

Hotz, ja, persönlich.

*Er legt den Hörer ab.*

Gib mir die Schräubchen!

*Er nimmt die Schräubchen, die Wilfrid hat halten müssen, und wirft sie zum Fenster hinaus und nimmt den Hörer wieder:*

Sind Sie noch da? Ich auch, wie bitte?

*Er deckt die Sprechmuschel.*

Findest du, ich mache Lärm?

*Er hört sich das Telefon eine Weile an.*

Das war die Standuhr, die plötzlich umgefallen ist, mag sein, ich besaß eine einzige Standuhr, Frau Oppikofer, das wird nie wieder vorkommen. Wie bitte?

*Er hält den Hörer unter den Arm und greift in die Hosentasche.*

Hier ist der Schlüssel!

Wilfrid  Schlüssel?

Hotz  Du bist gekommen, um Dorli zu sehen. Nimm ihn! Sie ist im Schrank.

Wilfrid  Dorli?

Hotz  Draußen auf dem Balkon, ja.

*Er hält den Schlüssel hin, aber Wilfrid nimmt ihn nicht.*

Ich werde antworten, Frau Oppikofer, sobald Sie nicht mehr schreien.

*Er deckt die Sprechmuschel.*

Wie geht es deiner Clarissa?

*Er spricht ins Telefon:*

Meinerseits, Frau Oppikofer, ich kündige meinerseits. Ich komme sogleich hinunter.

*Er hängt das Telefon ab.*

Ich habe noch nie an einem Tag soviel Unangenehmes erledigt. Ich staune selbst. Ich bin sonst kein Tatmensch ...

*Er nimmt einen Kamm und kämmt sich die Haare.*

Nur jetzt nicht die Wut verlieren!

*Der alte Dienstmann kommt mit einer großen Vase, die er aus dem Papier hüllt, und wendet sich an Wilfrid.*

Der Alte  Ist das Frauengut?

Wilfrid  Das – wie kommen Sie dazu, Mann, das einfach auszupacken? – ist eine echte Inka-Vase.

Der Alte  Was ist Inka?

Wilfrid  Was geht das Sie an?

Der Alte  Für die Frau Doktor?

Wilfrid  Ich muß schon sagen –

Der Alte  Sagen Sie's lieber, Herr, sonst ist sie hin.

Wilfrid  Frau Doktor und ich kennen einander seit dem Kindergarten –

Der Alte  Also Frauengut.

*Er stellt die Vase hin und geht wieder, Hotz hat*

*überhaupt keine Notiz genommen, sondern sich für den Besuch bei Frau Oppikofer gekämmt, jetzt bläst er den Kamm aus.*

Hotz Nur jetzt nicht die Wut verlieren!

*Er steckt den Kamm ein und geht hinaus, Wilfrid blickt nach dem Schrank, der draußen auf dem Balkon steht, und Dorli tritt (hinter seinem Rücken) aus ihrem Versteck.*

Dorli Ich danke dir –

Wilfrid Dorli!

Dorli – für die schöne Vase.

*Er faßt sie an ihren beiden Schultern, sprachlos.*

Gib mir eine Zigarette.

*Er muß ihr eine Zigarette geben.*

Wilfrid Dorli, er weiß alles.

Dorli Ich weiß.

Wilfrid Wer hat es ihm gesagt?

Dorli Ich –

*Sie nimmt ihm das Feuerzeug aus der erstarrten Hand*

Und wie geht's dir?


*Conférence/Szene*

*Hotz kommt aus der Kulisse.*

Hotz Jetzt, meine Damen und Herren, hören Sie, was ich nicht hören kann – ich bin unten bei Frau Oppikofer – aber ich kann es mir vorstellen.

*Er bleibt an der Rampe, Blick zum Zuschauer.*

Dorli Er ist primitiv!

Hotz Sie meint mich.

Dorli Er ist ein Egozentriker!

Hotz Sie meint immer mich.

Dorli Immer denkt er nur an sich!

Hotz Jetzt kommt dann das Gutachten . . .

Dorli Er ist schizophren!

Hotz Schizoid!

Dorli  oder wie das heißt –
       *Hotz steckt sich eine Zigarette zwischen die Lippen.*
Hotz  Weiter!
       *Hotz zündet die Zigarette nicht an, sondern horcht.*
Dorli  Ehe als geistiges Bündnis!
Hotz  Das ist es, was ich meine.
Dorli  Und alles andere mit anderen Frauen! das könnte
       ihm so passen. Freiheit in der Ehe! Ich könne tun,
       was ich wolle –
Hotz  Meine Frau ist nicht mein Eigentum.
Dorli  Er kenne keine Eifersucht. So ein Quatsch! Grund-
       sätzlich nicht. So ein Quatsch! Er mache mir keine
       Vorwürfe –
       *Hotz zündet gelassen die Zigarette an.*
       Wo bleibt da noch die Ehe!?
       *Hotz raucht vor sich hin.*
Hotz  Es ist hoffnungslos. Sieben Jahre lang habe ich erklärt,
       was ich unter Ehe verstehe, oder wie meine Frau es
       nennt: Vorträge gehalten – daß die Ehe nur geht
       (für mich) als ein Bündnis in Freiheit und Offenheit.
       *Dorli muß lachen.*
       Als geistiges Wagnis.
       *Dorli muß lachen.*
       Ehen werden nicht im Bett geschlossen.
       *Dorli muß lachen.*
       Ich sage: –
Dorli  Wenn du ihn reden hörtest!
Hotz  Eine Ehe, die nur auf Bett-Treue beruht –
Dorli  Ich kenne es auswendig!
Hotz  Eine Ehe, die nicht fertig wird mit der Tatsache –
Dorli  So ein Quatsch.
       *Dorli schreit:*
       Und ob er eifersüchtig ist!
       *Hotz schreit:*
Hotz  Das ist nicht wahr!

Dorli   Er beherrscht sich bloß. Nichts weiter. Damit ich auch kein Recht habe, weißt du, eifersüchtig zu sein –
*Hotz raucht vor sich hin.*

Hotz   Du hast kein Recht, eifersüchtig zu sein.

Dorli   Es ist geradezu gemein, wie er sich beherrscht!

Hotz   Niemand hat ein Recht, eifersüchtig zu sein.
*Hotz raucht vor sich hin.*

Dorli   Morgen ist es genau ein Jahr, seit ich's ihm gesagt habe. Wegen uns. Und heute endlich zeigt er seine Wut. So introvertiert ist er! Heute endlich –
*Der junge Dienstmann schüttelt einen Korb voll Scherben aus.*
Schau ihn dir an!

Wilfrid   Scherben –

Dorli   Bloß weil ich meine Scheidungsklage zurückziehe. Schau ihn dir an! Bloß weil ich gesagt habe: Das wirst du nicht tun, Philipp, ich kenne dich!
*Der alte Dienstmann schüttelt einen Korb voll Scherben aus.*

Wilfrid   Was soll das?

Dorli   Bloß damit ich ihn ernstnehme, wenn er ein nächstes Mal wütend ist und wieder behauptet, daß unsere Ehe nicht gehe –
*Dorli schüttelt den Kopf.*
Und die Vorhänge! die Möbel! die Bilder! Hat man schon so etwas gesehen! – bloß weil der Friedensrichter ihm sagte, er sei ein gebildeter Mensch.
*Dorli nimmt sich eine Zigarette.*

Hotz   Sie beginnt sich zu wundern.
*Hotz steigt in die Szene, um ihr sein Feuerzeug zu bieten.*

Wilfrid   Du – sogar die schönen Gläser, die ich euch geschenkt habe, sind dabei!
*Dorli raucht den ersten Zug, und Hotz tritt aus der Szene.*

Dorli  Dabei liebe ich ihn!
*Hotz steht an der Rampe, Blick zum Publikum, rauchend.*
Ich kann doch nicht jedesmal, wenn er mit seiner Fremdenlegion droht, an den Hauptbahnhof rennen und ihn vom Trittbrett reißen – bloß damit er glaubt, daß ich ihn ernstnehme.
*Dorli weint von neuem.*

Wilfrid  Warum hat er dich in den Schrank gesperrt?

Hotz  Das weiß sie ganz genau.

Wilfrid  Warum denn?

Hotz  Sag's nur!

Dorli  Weil – bloß weil – weil ich – gesagt habe: Das – wirst du nicht tun, Philipp, ich – kenne – dich!
*Dorli weint von neuem.*

Hotz  Es scheint mir bemerkenswert, daß Wilfrid, mein Freund, nicht daran denkt, meine Frau anzufassen, seit er merkt, daß wir in Scheidung sind.

Dorli  – bloß – weil ich – gesagt habe: – das wirst du – nicht tun, Philipp, das sagst du – seit – sieben Jahren...
*Hotz steigt in die Szene, um ihr den Aschenbecher zu reichen.*
Dabei bin ich so glücklich in unsrer Ehe!
*Dorli gibt ihm die Zigarette in den Aschenbecher, und Hotz geht wieder.*
Warum soll ich mich scheiden lassen?
*Wilfrid legt seinen Arm über ihre Schultern.*

Wilfrid  Ach Dorli...

Dorli  Ach Wilfrid...

Hotz  Jetzt greift er zu.

Wilfrid  Du liebst ihn?

Hotz  Ja, sei beruhigt!
*Wilfrid streicht mit der Hand über ihr Haar.*
Bitte. –

*Hotz nimmt sich, obschon er noch eine Zigarette raucht, eine neue.*

Mag sein, meine Damen und Herren, Sie finden es egozentrisch von mir, wenn ich mir vorstelle, die Beiden reden soviel über mich. Aber es ist so! Ich bin der einzige Gesprächsstoff, der ihnen nicht ausgeht . . .

*Hotz zündet sich die neue Zigarette an.*

Wilfrid  Und er, meinst du, liebt dich auch?

Hotz  Das meint sie.

Dorli  Warum will er mir immer Eindruck machen? Er nehme sämtliche Ehebrüche auf sich. Um mich zu schonen! Und ich soll die Madonna spielen. Warum? Nur daß vor Gericht nicht zur Sprache kommt, was ihm das Blut in den Kopf jagt, nur daß sein eigener Anwalt nicht merkt, wie eifersüchtig er ist, mein Philipp, wie eifersüchtig! Nein! lieber nimmt er alle Schuld auf sich, lieber zahlt er als Ehebrecher und ruiniert sich bis zu meinem sechzigsten Lebensjahr – bloß um mir Eindruck zu machen . . .

*Dorli stampft auf den Boden.*

Ich laß mir keinen Eindruck machen!

*Dorli wird plötzlich laut:*

Ich laß mich nicht scheiden, und wenn es bis ans Ende meiner Tage geht, ich bleib seine Frau, bis er es zugibt, mein Philipp, bis er es zugibt!

Hotz  Was?

*Hotz schreit ebenfalls:*

Was!?

*Dorli ist wieder ruhig.*

Dorli  Kein atavistisches Geschrei, nein, aber innerlich (ich hab's ja geahnt) benimmt er sich wie ein Höhlenbewohner.

*Hotz schreit noch lauter:*

Hotz  Woher – weißt – du – das – !

*Dorli tritt zu Wilfrid.*

Dorli   Ach Wilfrid...

Wilfrid   Ach Dorli...

*Wilfrid und Dorli umarmen einander.*

Hotz   Endlich. –

*Hotz ist sehr verlegen, während sie sich küssen.*

Was ich sagen wollte: eigentlich kann ich gar nicht wissen, was hier vorgeht – eigentlich bin ich in diesem Augenblick drunten bei Frau Oppikofer...

*Er zertritt seine Zigarette.*

Meine Herren, schauen Sie nicht hin! Ich schaue auch nicht hin. Wir können es uns vorstellen. Und wenn Sie je in meine Lage kommen, meine Herren, ich rate Ihnen –

*Er schaut trotzdem hin.*

Gartenlaube!

*Man hört einen gräßlichen Knall.*

Wilfrid   Was war das?

Dorli   Keine Ahnung.

Wilfrid   Meine Herren, wenn Sie nicht sofort aufhören, meine Herren, mit diesem Heidenlärm, aber sofort –

*Noch ein Knall*

Was machen Sie mit diesem Bechstein-Flügel?

*Eine Serie von knallenden Saiten*

Hotz   Gütertrennung.

*Dorli beginnt zu weinen.*

»Tritt während der Ehe die Gütertrennung ein, so zerfällt das eheliche Gut in das Eigengut des Mannes und das Eigengut der Frau.«

*Noch ein Knall*

Familienrecht, Erster Abschnitt, Artikel 189.

*Er knöpft seinen Kragen wieder zu.*

Wie gesagt, meine Damen und Herren, eigentlich bin ich in diesem Augenblick drunten bei Frau Oppikofer. –

*Er geht weg in die Kulissen.*

*Szene*

Wilfrid Warum hast du's ihm gesagt?

Dorli Er hat's ja auch gesagt.

Wilfrid Was?

Dorli Wegen Clarissa.

Wilfrid Clarissa?

Dorli Offenheit! Das kann ich auch, nichts leichter als das, Offenheit als Grundlage der Ehe, dann bitte sehr!

Wilfrid Was hat Philipp mit meiner Frau zu schaffen?

Dorli Was du mit mir – .
*Sie wischt sich mit dem Taschentuch die Tränen ab.*
Das hast du nicht gewußt?

*Conférence*
*Hotz kommt an die Rampe mit einem Schriftstück.*

Hotz Die Wohnung ist gekündigt. –
*Er zerfetzt das Schriftstück.*

*Szene*

Wilfrid Clarissa!?

Dorli Schrei nicht –

Wilfrid Meine Clarissa?!

Dorli – daß das ganze Hochhaus es hört.

Wilfrid Weiber!... Huren!...
*Er geht hinaus.*

Dorli Jetzt ist er noch primitiver.
*Sie geht ihm nach.*

*Conférence*

Hotz Jetzt nur noch der Abschied.
*Er ruft in die leere Szene:*
Meine Herren!
*Die Dienstmänner kommen mit ihrem Imbiß in der Hand.*

Nehmen Sie sofort den Schrank herein, es regnet in Strömen.
*Er bleibt an der Rampe.*
Nein, meine Damen und Herren, ich bin nicht schizoid. Ich gebe zu: In Gedanken war ich hier, während ich diese Kündigung unterzeichnete, und ich stellte mir vor, wie meine Frau und mein Freund über mich reden. Aber ich weiß genau, daß meine Frau in diesem Schrank ist – in Wirklichkeit... Ich bin nicht schizoid!
*Er tritt in die Szene.*

*Szene*
*Die Dienstmänner tragen den Schrank herein.*
Hotz   Geht's? Geht's?
*Sie nicken, ihr Butterbrot im Mund.*
Ist es sehr schwer?
*Sie schütteln den Kopf, ihr Butterbrot im Mund.*
Ich beneide Sie um ihre Kraft.
*Sie stellen den Schrank an den alten Ort.*
Nochmals sehr herzlichen Dank!
*Die Dienstmänner gehen mit ihren schleifenden Gurten hinaus, Hotz wartet nur, bis sie verschwunden sind, dann spricht er zum Schrank:*
Dorli – bist du naß geworden?
*Er klopft an den Schrank.*
Dorli?
*Er nimmt sein kleines Köfferchen zur Hand.*
Ich geh jetzt, Dorli – in die Fremdenlegion.
*Er legt sein Ohr an den Schrank.*
Warum hältst du wieder deinen Atem an?!
*Er steht ratlos.*
Ich finde es unwürdig, Dorli, wie du mich behandelst. Seit sieben Jahren hältst du deinen Atem an, damit ich jedesmal, wenn's draufankommt, zu Tod erschrecke und meine, ich habe dich umgebracht...

Dorli, das ist keine Art, eine Ehe zu führen. Du verläßt dich einfach darauf, daß ich dich liebe, und machst mit mir, was du willst. Was du willst! Bloß weil du die Schwächere bist.

*Er nimmt das Köfferchen wieder.*

Du, jetzt geh ich –

*Er blickt auf seine Armbanduhr.*

Ich habe einen Zug nach Genf: 17.23. Anschluß nach Marseille: 22.07. Wenn es dich heute noch reuen sollte, Dorli, daß du jetzt schweigst: – Poste de la Gare, Marseille, poste restante...

*Jetzt setzt ein gedämpftes Geläute aller Münster ein.*

Lebwohl!

*Eintritt der junge Dienstmann.*

Der Junge    Herr Doktor?

*Hotz zuckt zusammen.*

Wegen Radio. Ich meine ja bloß: Wenn Sie schon nichts verkaufen wollen, Herr Doktor. Eine fabelhafte Anlage, was Sie da haben. Da versteh ich mich nämlich drauf. Mit Vorverstärker. Aber Sie müssen's ganz offen sagen: – könnte man's nicht so zerstören, daß ich es nachher wieder zusammensetzen kann?

Hotz    Bitte.

Der Junge    Nämlich ich heirate auch, Herr Doktor...

Hotz    Bitte.

*Der junge Dienstmann zieht sich wieder zurück.*

Ich sagte: Lebwohl.

*Das Geläute bereichert sich um eine neue Glocke.*

Morgen wäre Pfingsten... Unsere Pfingsten in Rom, Dorli, nun ist das schon wieder ein Jahr, ja – Aber ich geh trotzdem.

*Er küßt den Schrank.*

Glück sei mit Dir.

*Eintritt Dorli, Papiertüten im Arm.*

Dorli?

Dorli   Ja –

Hotz   Nein –

Dorli   Was ist los?

    *Er starrt sie an und greift in die Hosentasche.*

Hotz   Augenblick, Augenblick.

    *Er nimmt den Schlüssel heraus und öffnet den*
    *Schrank.*

    Dorli? ... Dorli! ... Dorli –

    *Er wirft sämtliche Kleider aus dem Schrank, bis er*
    *leer ist, dann kommt er aus dem Schrank.*

    Ich will dich nicht mehr sehen!

    *Der alte Dienstmann kommt mit einer Geige.*

Der Alte   Entschuldigung, Herr Doktor, aber wir müssen fertig machen – Wollte nur wissen, ob das auch Frauengut ist.

Hotz   Meine Geige?

Der Alte   Auf dieser Liste da steht: Eine alte Geige, italie-
nisch, mit Zubehör, Ende 18. Jahrhundert, von Tante
Bertha – aber dann ist's gestrichen.

Hotz   Gestrichen?

Der Alte   Was bedeutet das?

Dorli   Dann hast du sie bezahlt, Philipp.

Der Alte   Das eben wollte ich wissen.

    *Hotz starrt ihn an.*

    Gehört also nicht der Frau Doktor?

Hotz   Nein.

Der Alte   Das eben wollte ich wissen.

    *Der alte Dienstmann geht und bricht die Geige übers*
    *Knie.*

Hotz   Ich will dich nicht mehr sehn!

    *Hotz geht hinaus.*

Dorli   Wohin?

    *Sie setzt sich auf den niedrigen Tisch und packt Eß-*
    *waren aus.*

    Hast du auch solchen Hunger?

*Conférence*
*Hotz kommt aus der Kulisse und tritt an die Rampe.*
Hotz  Jetzt hab ich mein Köfferchen vergessen.
*Er reibt sich das Kinn.*

*Szene*
*Dorli sitzt und spricht, als stünde Hotz in der Diele.*
Dorli  Philipp, nimmst du Wurst oder Käse?
*Sie streicht Brote.*

*Conférence*
Hotz  Ich versteh nicht, wieso sie nicht im Schrank ist. Ich hatte den Schlüssel in meiner Hosentasche, und der Schrank war geschlossen. Ich versteh sie immer weniger ...
*Er nimmt sich eine Zigarette.*
Nur noch diese Zigarette!
*Er zündet die Zigarette an.*
– dann werde ich das Köfferchen holen.

*Szene*
Dorli  Dein Brot ist bereit.
*Sie ruft freundlich:*
Philipp?
*Sie dreht sich um und sieht die zwei Dienstmänner.*
Der Junge  Madame, wir wären fertig.
Dorli  Wenn Sie ein Trinkgeld wünschen, mein Mann ist draußen in der Diele.
Der Alte  Nein.
Dorli  Dann steht er im Treppenhaus.
Der Alte  Und wenn er da auch nicht ist?
Dorli  Dann sitzt er im Café Marokko.
*Die Dienstmänner setzen ihre Mützen auf den Kopf.*
Schöne Pfingsten!
*Die Dienstmänner gehen grußlos.*

Philipp – ?
*Hotz tritt in die Szene.*

Hotz   Ich geh jetzt.
*Er nimmt das Köfferchen zur Hand.*
Lebwohl.
*Sie blickt ihn an.*

Dorli   Ich bin dir nicht bös.

Hotz   Dorli –

Dorli   Warum ziehst du eigentlich deinen Mantel nicht aus, Philipp, seit heute Vormittag?
*Dorli ißt.*

Hotz   Du – ich geh jetzt!
*Er blickt auf seine Armbanduhr.*
Hast du genaue Zeit?

Dorli   16.48.
*Hotz zieht seine Armbanduhr auf.*

Hotz   Das ist keine Art, Dorli, eine Ehe zu führen, du machst mit mir, was du willst, bloß weil du die Schwächere bist.

Dorli   Was mach ich denn?

Hotz   Ich habe einen Zug nach Genf: 17.23. Anschluß nach Marseille: 22.07. Wenn es dich heute noch reuen sollte, Dorli, daß du jetzt schweigst: – Poste de la Gare, Marseille, poste restante.

Dorli   Ich schweige ja gar nicht.

Hotz   Aber ich muß jetzt gehen...

Dorli   Wohin?

Hotz   Lebwohl.
*Pause, Glockengeläute*

Dorli   Wann kommst du zurück?
*Pause, Glockengeläute*

Hotz   Morgen wäre Pfingsten... unsere Pfingsten in Rom, ja, nun ist das schon wieder ein Jahr her – aber ich geh trotzdem.
*Dorli streicht ein Brot, während Hotz endlich geht.*

Dorli  Du, Räucherlachs habe ich heute keinen gekauft, ich denke, wir müssen sparen, Philipp, es war ein teurer Tag für dich ...

*Conférence*
*Hotz tritt aus der Kulisse, sein Köfferchen in der Hand.*

Hotz  Wenn sie jetzt kommt, um mich zurück zu rufen, und wenn sie nur (wie in früheren Jahren) bis zur Haustür kommt – dann glaubt sie wieder, daß ich eines Tages gehe; dann ist es nicht nötig, daß ich gehe.
*Er blickt auf seine Armbanduhr.*
Hoffentlich stimmt ihre Uhr!
*Er hält sie ans Ohr und zieht sie auf.*

*Szene*
*Dorli wendet sich und sieht, daß niemand da ist.*

Dorli  Philipp, – ob du auch einen Rollmops möchtest?

*Conférence*

Hotz  Ob die in Marseille mich überhaupt nehmen?

*Szene*

Dorli  Herein!
*Eintritt eine Dame, die ihre Handschuhe von den Fingern strupft.*

Clarissa  Ich bin außer mir!

Dorli  Du –

Clarissa  Geohrfeigt hat er mich!

Dorli  Wer?

Clarissa  Wilfrid, mein Mann.
*Dorli räumt die Papiertüten etwas zur Seite.*

Dorli  Nimm Platz.
*Clarissa schleudert ihre Handschuhe hin.*

Clarissa  Wie, möchte ich wissen, wie kommst du dazu, meinem

Mann zu sagen, daß ich ein Verhältnis habe mit deinem Mann?

Dorli Weil Philipp es mir gesagt hat.

Clarissa Philipp – ?

Dorli Ja.

Clarissa Ich bin außer mir.

*Dorli futtert weiter.*

Dorli Das ist nun einmal so eine Idee von ihm, weißt du,
Offenheit als Grundlage der Ehe.

*Clarissa nimmt ihre Handschuhe wieder.*

Clarissa Nie haben wir etwas miteinander gehabt –

*Sie schleudert ihren ersten Handschuh hin.*

Nie!

*Sie schleudert ihren zweiten Handschuh hin.*

Nie!

*Sie bricht in Tränen aus.*


*Conférence*

Hotz Wenn Dorli jetzt erfährt, daß ich überhaupt keinen
Ehebruch begangen habe, und wenn sie es glaubt,
dann glaubt sie mir überhaupt nichts mehr! – dann
muß ich wirklich gehen.


*Szene*

Dorli Ich weiß nicht, wieso wir Frauen nicht zusammen-
halten. Schade. Wir sind zusammen in die Schule
gegangen, und kaum ist es so weit, daß man von
Reife sprechen kann, hat jede nur noch ein einziges
Ziel: dem Mann zu gefallen – und die Schwester zu
belügen.

*Sie hält eine Papiertüte hin.*

Clarissa Danke!

*Dorli nimmt sich selbst einen Apfel.*

Dorli Du bist von Argentinien gekommen, um mir zu sagen,
daß alles nicht wahr ist. Wie war der Flug?

Clarissa Simone –
Dorli Werde nicht feierlich.
Clarissa Es ist nicht wahr!
*Dorli reibt sich ihren Apfel.*
Dorli Wie war dein Flug, frage ich.
*Dorli beißt in ihren Apfel.*
Clarissa Was soll ich tun, Simone, daß du mir glaubst?
Dorli Nichts. –
*Dorli bietet nochmals die Tüte an.*
Äpfel machen nicht dick!
Clarissa Du findest mich dick?
Dorli Bleiben wir bei der Sache.
*Dorli sitzt und frißt ihren Apfel.*
Unsere Sache ist der Mann.
Clarissa Meiner oder deiner?
Dorli Meiner.
*Clarissa lacht.*
Ich laß mich nicht scheiden, verstehst du, und deinetwegen schon gar nicht.
*Dorli schreit.*
Deinetwegen schon gar nicht!

*Conférence*
Hotz Jetzt schreien sie schon.
*Er blickt auf seine Armbanduhr.*
Das kann nicht lange dauern ...

*Szene*
*Clarissa schreit.*
Clarissa ... Einfach nicht wahr! Ich werde es hinausschreien in die ganze Welt: Einfach nicht wahr! – wir haben nichts gehabt miteinander ...

*Conférence*
Hotz Ich werde meinen Zug verpassen.

*Er blickt auf die Armbanduhr.*
Was geht's die Welt an, daß wir nichts miteinander
gehabt haben, was zum Teufel geht das die Welt an!

*Szene*
*Die beiden Frauen sind ruhig und gediegen.*

Dorli  Du willst schon gehen?

Clarissa  Du bist mager geworden.

Dorli  Du antwortest mir nicht.

Clarissa  Sehr mager.

Dorli  Wieso ist Philipp nicht dein Typ?
*Clarissa zuckt die Achsel.*
Du kennst meinen Mann nicht –

Clarissa  Das sag ich ja.

Dorli  Du kannst sagen gegen meinen Mann, was du willst,
und gegen die Männer überhaupt, aber so ist keiner,
weißt du, daß er auch noch Ehebrüche gesteht, die
nie stattgefunden haben, weißt du, und das vor aller
Öffentlichkeit.

Clarissa  Dein Mann ist Schriftsteller.

Dorli  Was willst du damit sagen?
*Clarissa erhebt sich.*
Mein Mann lügt nicht!
*Clarissa prüft ihr make-up.*
Clarissa, ich will dir etwas sagen –
*Dorli faßt Clarissa.*
Unter Schwestern sozusagen.

Clarissa  Das mag ich nicht, meine Liebe.

Dorli  Dann halt nicht!
*Dorli läßt Clarissa wieder los.*
Aber ich sag's dir trotzdem: –
*Clarissa malt sich die Lippen.*

Clarissa  Dein Philipp interessiert mich nicht.
*Clarissa leckt sich die gemalten Lippen.*

Dorli  Philipp ist der schamhafteste Mann, den es gibt. Das

geht bis zur Verlogenheit, weißt du, unter vier Augen. So schamhaft ist er. Aber kaum weiß er, daß die Öffentlichkeit zuhört, lügt er nicht.

Clarissa  Ach.

Dorli  Ja, das ist merkwürdig.

Clarissa  Lügt er nicht . . .

Dorli  Um keinen Preis, nein. Und drum kann ich auch nicht ausstehen, was Philipp schreibt: kaum wittert er Öffentlichkeit, sagt er Wahrheiten beispielsweise über die Ehe, wie er sie in unseren vier Wänden nie über die Lippen bringt.

*Clarissa nimmt ihre Handschuhe wieder.*

Clarissa  Kurz und gut, du glaubst mir nicht.

*Dorli nimmt sich einen neuen Apfel.*

Simone!

*Clarissa zieht ihre Handschuhe an.*

Nichts ist geschehen! Ich schwöre es dir! Rein gar nichts!

*Dorli beißt in ihren Apfel.*

Dorli  Ich will keine Details – .

*Conférence*

Hotz  Jetzt geh ich!

*Er nimmt das Köfferchen zur Hand.*

Worauf warte ich noch . . .

*Er sieht das Köfferchen in seiner Hand.*

Das Köfferchen hab ich ja.

*Szene*

Clarissa  Schöne Pfingsten!

*Dorli steht und frißt ihren Apfel.*

Dorli  Schöne Pfingsten.

*Clarissa geht weg.*

Hast du schon einmal zwei Frauen gesehen, die ein ander glauben, wenn's um den gleichen Mann geht

*Eintritt Hotz, Dorli bemerkt es nicht.*
Schöne Pfingsten!
*Hotz zieht die Konsequenz und geht. Dorli wirft
ihren Apfel weg.*
So eine Ziege! . . .

*Conférence*
*Hotz tritt aus der Kulisse.*

Hotz  Höhnisch war sie nie. Das ist neu! Sie war – ich weiß
nicht wie – aber höhnisch war sie nie . . .
*Er ahmt ihren Tonfall nach:*
»Schöne Pfingsten!«
*Er strahlt vor Hoffnung.*
Immerhin ein neuer Ton.
*Er tritt in die Szene.*

*Szene*
*Dorli hat sich wieder auf den niedrigen Tisch gesetzt
und kramt in der Papiertüte.*

Hotz  Ich geh jetzt.
*Sie erschrickt.*

Dorli  Du – ! . . .
*Hotz tritt vor sie hin.*

Hotz  Ich geh jetzt.
*Sie starrt ihn an.*

Dorli  Du, jetzt hab ich die Tomaten vergessen!
*Sie kramt nochmals in der Papiertüte.*

Hotz  Ich geh jetzt.
*Er wartet noch eine Weile, dann geht er.*

Dorli  Nein, da sind sie ja! . . .
*Sie nimmt eine Tomate heraus.*

*Conférence*
*Hotz tritt aus der Kulisse, Mantel auf dem Arm,
das Glockengeläute bricht ab.*

Hotz    Schlimm war die Reise bis Genf: solange ich mich b
mühte – ich fuhr erster Klasse –, immer noch wüten
zu sein, und bis ich zugab, daß es eine Idiotie is
wenn ich's tue, eine bare Idiotie!

Ausrufer  Cigarettes, Cigars, Journaux, Chocolats!

Hotz    Sie hatte recht, ich konnte von Dorli nicht erwarte
daß sie jedes Frühjahr an den Hauptbahnhof renn
um mich vom Trittbrett zu reißen, bloß damit i
glaube, daß sie mich ernstnehme.

Ausrufer  Cigarettes, Cigars, Journaux, Chocolats!

Hotz    Sie kann mich nicht ernstnehmen . . .
*Man hört das Einfahren eines Zuges in die Bahnhall*

*Szene*
*Dorli steht am Telefon.*

Dorli   Philipp! . . . Ja, ich bin zuhaus. Hallo? Und wo bi
du? In einer Kabine? Hallo, Hallo. Ich versteh nich
Wo? Es knackt so. Hallo? Jetzt ist es besser . . . Wi
so in Genf? –
*Sie läßt den Hörer sinken, sie ist sprachlos, währen
man das Dröhnen des Zuges hört, und wählt ein
Nummer ihrerseits.*

*Conférence*

Hotz    Was habe ich erwartet? Ich hätte wissen können, da
Dorli zuhause sitzt, daß sie nicht daran denkt, dies
Luder –
*Hinzutritt ein Zöllner.*

Zöllner  Schweizer Zollkontrolle. Douane Suisse.
*Hotz gibt seinen Paß.*

Hotz    Wieso hoffte ich noch immer auf sie?

Zöllner  Haben Sie Handelsware?

Hotz    Ich ärgere mich über mich selbst.

Zöllner  Ob Sie Handelsware haben?
*Hotz zeigt auf sein winziges Köfferchen.*

Aufmachen bitte.
*Der Zöllner nimmt Hemd, Zahnbürste, Pyjama heraus.*
Vielen Dank! –
*Hotz packt wieder ein.*

Hotz  Die einzige Chance, die Dorli noch hatte, wäre eine Leibesvisitation gewesen, so daß ich den Zug verpaßt hätte...
*Der Zöllner hat unterdessen die Mütze gewechselt.*

Zöllner  Bon soir, Monsieur.

Hotz  Ich zuckte zusammen.

Zöllner  Votre passeport, s'il vous plait.
*Hotz gibt seinen Paß mit Zittern.*

Hotz  Aber von Verdacht keine Spur...
*Der Zöllner gibt den Paß zurück.*

Zöllner  Est-ce que vous avez des marchandises?
*Hotz zeigt auf sein Köfferchen.*
Ouvrir, s'il vous plait.
*Der Zöllner nimmt Hemd, Zahnbürste, Pyjama heraus.*
Bon voyage, Monsieur.
*Hotz packt wieder ein, der Zöllner geht.*

Hotz  Alle ließen mich fahren...


*Szene*
*Dorli steht am Telefon.*

Dorli  Können Sie herausfinden, Fräulein, ob dieser Anruf wirklich aus Genf gekommen ist. Vor fünf Minuten. Bitte.
*Dorli wartet am Telefon.*


*Conférence*

Hotz  In Marseille war es schon ziemlich warm...
*Er zieht auch die Jacke aus.*
Ich kam gerade zum Zapfenstreich, oder wie man so

etwas nennt, aber ich ging zuerst noch in ein Bistro, um einen Kaffee zu trinken, mein Lieblingsfrühstück: –

*Hinzutritt ein Kellner, der gähnt.*

Garçon Café?

Hotz  Au lait.

*Der Garçon gähnt.*

Est-ce qu'il y a des brioches?

*Der Garçon nickt und gähnt und geht.*

Mein Lieblingsfrühstück.

*Er dreht sich um.*

Von meinem Weib natürlich keine Spur ...

*Man hört Clairons.*

Und dann war's zu spät. –

*Finale*
*Es senkt sich, während man die Marschmusik mit Clairons und Trommeln hört, ein eisernes Gitter herab, wie es die Kasernen umschließt, grau mit einer schmutzigen Trikolore, und hinter diesem Gitter erscheint Dorli.*

Dorli  Philipp! ... Philipp? ...

*Es kommen und marschieren vorbei: zwei staubige Legionäre mit Gewehr und aufgepflanztem Bajonett, dahinter Hotz mit dem kleinen Köfferchen und mit Mantel und Rock auf dem Arm, dann nochmals zwei staubige Legionäre mit Gewehr und aufgepflanztem Bajonett. Hotz will stehenbleiben, um Dorli zu winken, aber der hintere Legionär gibt ihm einen Gewehrkolben in den Rücken, damit er marschiere, und Dorli sinkt hinter dem Gitter auf die Knie, indem sie bitterlich schluchzt:*

Philipp! – das ist doch nichts für dich ...

*Die Marschmusik verschwindet, und das Kasernengitter entschwebt nach oben; Dorli bleibt auf den*

*Knien (im Zimmer) und schluchzt, als Hotz ins Zim-
mer tritt und ablegt.*

Philipp – ?

Hotz   Sie nehmen mich nicht.

Dorli   – da bist du ja!

Hotz   Zu kurzsichtig.

*Dorli fällt ihm um den Hals.*

Dorli   Philipp!

*Hotz streicht über ihr Haar, während Dorli sich selig
an seine Brust legt, dann sagt er mehr aus Verlegenheit, nicht grob, nur um die Situation zu bagatelli-
sieren:*

Hotz   Ist Post für mich gekommen?

*Vorhang*

# Andorra

*Stück in zwölf Bildern*

Das Andorra dieses Stücks hat nichts zu tun mit dem wirklichen Kleinstaat dieses Namens, gemeint ist auch nicht ein andrer wirklicher Kleinstaat; Andorra ist der Name für ein Modell.

M. F.

Personen  *Andri*
*Barblin*
*Der Lehrer*
*Die Mutter*
*Die Senora*
*Der Pater*
*Der Soldat*
*Der Wirt*
*Der Tischler*
*Der Doktor*
*Der Geselle*
*Der Jemand*

Stumm  *Ein Idiot*
*Die Soldaten in schwarzer Uniform*
*Der Judenschauer*
*Das andorranische Volk*

## Erstes Bild

*Vor einem andorranischen Haus. Barblin weißelt die
schmale und hohe Mauer mit einem Pinsel an lan-
gem Stecken. Ein andorranischer Soldat, olivgrau,
lehnt an der Mauer.*

Barblin  Wenn du nicht die ganze Zeit auf meine Waden
gaffst, dann kannst du ja sehn, was ich mache. Ich
weißle. Weil morgen Sanktgeorgstag ist, falls du das
vergessen hast. Ich weißle das Haus meines Vaters.
Und was macht ihr Soldaten? Ihr lungert in allen
Gassen herum, eure Daumen im Gurt, und schielt
uns in die Bluse, wenn eine sich bückt.
*Der Soldat lacht.*
Ich bin verlobt.

Soldat  Verlobt!

Barblin  Lach nicht immer wie ein Michelin-Männchen.

Soldat  Hat er eine Hühnerbrust?

Barblin  Wieso?

Soldat  Daß du ihn nicht zeigen kannst.

Barblin  Laß mich in Ruh!

Soldat  Oder Plattfüße?

Barblin  Wieso soll er Plattfüße haben?

Soldat  Jedenfalls tanzt er nicht mit dir.
*Barblin weißelt.*
Vielleicht ein Engel! *Der Soldat lacht.*
Daß ich ihn noch nie gesehen hab.

Barblin  Ich bin verlobt!

Soldat  Von Ringlein seh ich aber nichts.

Barblin  Ich bin verlobt,
*Barblin taucht den Pinsel in den Eimer.*
und überhaupt – dich mag ich nicht.
*Im Vordergrund, rechts, steht ein Orchestrion. Hier*

*erscheinen – während Barblin weißelt – der Tisch-*
*ler, ein behäbiger Mann, und hinter ihm Andri als*
*Küchenjunge.*

Tischler  Wo ist mein Stock?

Andri  Hier, Herr Tischlermeister.

Tischler  Eine Plage, immer diese Trinkgelder, kaum hat man
den Beutel eingesteckt –

*Andri gibt den Stock und bekommt ein Trinkgeld,*
*das er ins Orchestrion wirft, so daß Musik ertönt,*
*während der Tischler vorn über die Szene spaziert,*
*wo Barblin, da der Tischler nicht auszuweichen ge-*
*denkt, ihren Eimer wegnehmen muß. Andri trock-*
*net einen Teller, indem er sich zur Musik bewegt,*
*und verschwindet dann, die Musik mit ihm.*

Barblin  Jetzt stehst du noch immer da?

Soldat  Ich hab Urlaub.

Barblin  Was willst du noch wissen?

Soldat  Wer dein Bräutigam sein soll.

*Barblin weißelt.*

Alle weißeln das Haus ihrer Väter, weil morgen
Sanktgeorgstag ist, und der Kohlensack rennt in
allen Gassen herum, weil morgen Sanktgeorgstag
ist: Weißelt, ihr Jungfraun, weißelt das Haus eurer
Väter, auf daß wir ein weißes Andorra haben, ihr
Jungfraun, ein schneeweißes Andorra!

Barblin  Der Kohlensack – wer ist denn das wieder?

Soldat  Bist du eine Jungfrau?

*Der Soldat lacht.*

Also du magst mich nicht.

Barblin  Nein.

Soldat  Das hat schon manch eine gesagt, aber bekommen
hab ich sie doch, wenn mir ihre Waden gefallen und
ihr Haar.

*Barblin streckt ihm die Zunge heraus.*

Und ihre rote Zunge dazu!

*Der Soldat nimmt sich eine Zigarette und blickt am Haus hinauf.*

Wo hast du deine Kammer?

*Auftritt ein Pater, der ein Fahrrad schiebt.*

Pater  So gefällt es mir, Barblin, so gefällt es mir aber. Wir werden ein weißes Andorra haben, ihr Jungfrau, ein schneeweißes Andorra, wenn bloß kein Platzregen kommt über Nacht.

*Der Soldat lacht.*

Ist Vater nicht zu Haus?

Soldat  Wenn bloß kein Platzregen kommt über Nacht! Nämlich seine Kirche ist nicht so weiß, wie sie tut, das hat sich herausgestellt, nämlich seine Kirche ist auch nur aus Erde gemacht, und die Erde ist rot, und wenn ein Platzregen kommt, das saut euch jedesmal die Tünche herab, als hätte man eine Sau drauf geschlachtet, eure schneeweiße Tünche von eurer schneeweißen Kirche.

*Der Soldat streckt die Hand nach Regen aus.*

Wenn bloß kein Platzregen kommt über Nacht!

*Der Soldat lacht und verzieht sich.*

Pater  Was hat der hier zu suchen?

Barblin  Ist's wahr, Hochwürden, was die Leut sagen? Sie werden uns überfallen, die Schwarzen da drüben, weil sie neidisch sind auf unsre weißen Häuser. Eines Morgens, früh um vier, werden sie kommen mit tausend schwarzen Panzern, die kreuz und quer durch unsre Äcker rollen, und mit Fallschirmen wie graue Heuschrecken vom Himmel herab.

Pater  Wer sagt das?

Barblin  Peider, der Soldat.

*Barblin taucht den Pinsel in den Eimer.*

Vater ist nicht zu Haus.

Pater  Ich hätt es mir denken können.

*Pause*

Warum trinkt er soviel in letzter Zeit? Und dann beschimpft er alle Welt. Er vergißt, wer er ist. Warum redet er immer solches Zeug?

Barblin  Ich weiß nicht, was Vater in der Pinte redet.

Pater  Er sieht Gespenster. Haben sich hierzuland nicht alle entrüstet über die Schwarzen da drüben, als sie es trieben wie beim Kindermord zu Bethlehem, und Kleider gesammelt für die Flüchtlinge damals? Er sagt, wir sind nicht besser als die Schwarzen da drüben. Warum sagt er das die ganze Zeit? Die Leute nehmen es ihm übel, das wundert mich nicht. Ein Lehrer sollte nicht so reden. Und warum glaubt er jedes Gerücht, das in die Pinte kommt?

*Pause*

Kein Mensch verfolgt euren Andri –

*Barblin hält inne und horcht.*

– noch hat man eurem Andri kein Haar gekrümmt.

*Barblin weißelt weiter.*

Ich sehe, du nimmst es genau, du bist kein Kind mehr, du arbeitest wie ein erwachsenes Mädchen.

Barblin  Ich bin ja neunzehn.

Pater  Und noch nicht verlobt?

*Barblin schweigt.*

Ich hoffe, dieser Peider hat kein Glück bei dir.

Barblin  Nein.

Pater  Der hat schmutzige Augen.

*Pause*

Hat er dir Angst gemacht? Um wichtig zu tun. Warum sollen sie uns überfallen? Unsre Täler sind eng, unsre Äcker sind steinig und steil, unsre Oliven werden auch nicht saftiger als anderswo. Was sollen die wollen von uns? Wer unsern Roggen will, der muß ihn mit der Sichel holen und muß sich bücken Schritt vor Schritt. Andorra ist ein schönes Land, aber ein armes Land. Ein friedliches

Land, ein schwaches Land – ein frommes Land,
so wir Gott fürchten, und das tun wir, mein Kind,
nicht wahr?

*Barblin weißelt.*

Nicht wahr?

Barblin  Und wenn sie trotzdem kommen?

*Eine Vesperglocke, kurz und monoton*

Pater  Wir sehn uns morgen, Barblin, sag deinem Vater,
Sankt Georg möchte ihn nicht betrunken sehn.

*Der Pater steigt auf sein Rad.*

Oder sag lieber nichts, sonst tobt er nur, aber hab
acht auf ihn.

*Der Pater fährt lautlos davon.*

Barblin  Und wenn sie trotzdem kommen, Hochwürden?

*Im Vordergrund rechts, beim Orchestrion, erscheint
der Jemand, hinter ihm Andri als Küchenjunge.*

Jemand  Wo ist mein Hut?

Andri  Hier, mein Herr.

Jemand  Ein schwüler Abend, ich glaub, es hängt ein Gewitter in der Luft...

*Andri gibt den Hut und bekommt ein Trinkgeld,
das er ins Orchestrion wirft, aber er drückt noch
nicht auf den Knopf, sondern pfeift nur und sucht
auf dem Plattenwähler, während der Jemand vorn
über die Szene geht, wo er stehenbleibt vor Barblin,
die weißelt und nicht bemerkt hat, daß der Pater
weggefahren ist.*

Barblin  Ist's wahr, Hochwürden, was die Leut sagen? Sie
sagen: Wenn einmal die Schwarzen kommen, dann
wird jeder, der Jud ist, auf der Stelle geholt. Man
bindet ihn an einen Pfahl, sagen sie, man schießt ihn
ins Genick. Ist das wahr oder ist das ein Gerücht?
Und wenn er eine Braut hat, die wird geschoren,
sagen sie, wie ein räudiger Hund.

Jemand  Was hältst denn du für Reden?

Barblin *wendet sich und erschrickt.*
Jemand Guten Abend.
Barblin Guten Abend.
Jemand Ein schöner Abend heut.
Barblin *nimmt den Eimer.*
Jemand Aber schwül.
Barblin Ja.
Jemand Es hängt etwas in der Luft.
Barblin Was meinen Sie damit?
Jemand Ein Gewitter. Wie alles wartet auf Wind, das Lau
und die Stores und der Staub. Dabei seh ich kei
Wolke am Himmel, aber man spürt's. So eine hei
Stille. Die Mücken spüren's auch. So eine trocke
und faule Stille. Ich glaub, es hängt ein Gewitt
in der Luft, ein schweres Gewitter, dem Land tä
gut ...
*Barblin geht ins Haus, der Jemand spaziert weit*
*Andri läßt das Orchestrion tönen, die gleiche Plat*
*wie zuvor, und verschwindet, einen Teller troc*
*nend. Man sieht den Platz von Andorra. Der Tisc*
*ler und der Lehrer sitzen vor der Pinte. Die Mus*
*ist aus.*
Lehrer Nämlich es handelt sich um meinen Sohn.
Tischler Ich sagte: 50 Pfund.
Lehrer – um meinen Pflegesohn, meine ich.
Tischler Ich sagte: 50 Pfund.
*Der Tischler klopft mit einer Münze auf den Tis*
Ich muß gehn.
*Der Tischler klopft nochmals.*
Wieso will er grad Tischler werden? Tischler we
den, das ist nicht einfach, wenn's einer nicht im Bl
hat. Und woher soll er's im Blut haben? Ich mei
ja bloß. Warum nicht Makler? Zum Beispiel. Waru
nicht geht er zur Börse? Ich meine ja bloß ...
Lehrer Woher kommt dieser Pfahl?

Tischler   Ich weiß nicht, was Sie meinen.

Lehrer   Dort!

Tischler   Sie sind ja bleich.

Lehrer   Ich spreche von einem Pfahl!

Tischler   Ich seh keinen Pfahl.

Lehrer   Hier!

*Der Tischler muß sich umdrehen.*

Ist das ein Pfahl oder ist das kein Pfahl?

Tischler   Warum soll das kein Pfahl sein?

Lehrer   Der war gestern noch nicht.

*Der Tischler lacht.*

's ist nicht zum Lachen, Prader, Sie wissen genau, was ich meine.

Tischler   Sie sehen Gespenster.

Lehrer   Wozu ist dieser Pfahl?

Tischler   *klopft mit der Münze auf den Tisch.*

Lehrer   Ich bin nicht betrunken. Ich sehe, was da ist, und ich sage, was ich sehe, und ihr alle seht es auch –

Tischler   Ich muß gehn.

*Der Tischler wirft eine Münze auf den Tisch und erhebt sich.*

Ich habe gesagt: 50 Pfund.

Lehrer   Das bleibt Ihr letztes Wort?

Tischler   Ich heiße Prader.

Lehrer   50 Pfund?

Tischler   Ich feilsche nicht.

Lehrer   Sie sind ein feiner Mann, ich weiß ... Prader, das ist Wucher, 50 Pfund für eine Tischlerlehre, das ist Wucher. Das ist ein Witz, Prader, das wissen Sie ganz genau. Ich bin Lehrer, ich habe mein schlichtes Gehalt, ich habe kein Vermögen wie ein Tischlermeister – ich habe keine 50 Pfund, ganz rundheraus, ich hab sie nicht!

Tischler   Dann eben nicht.

Lehrer   Prader –

Tischler  Ich sagte: 50 Pfund.
*Der Tischler geht.*

Lehrer  Sie werden sich wundern, wenn ich die Wahrheit sage. Ich werde dieses Volk vor seinen Spiegel zwingen, sein Lachen wird ihm gefrieren.
*Auftritt der Wirt.*

Wirt  Was habt ihr gehabt?

Lehrer  Ich brauch einen Korn.

Wirt  Ärger?

Lehrer  50 Pfund für eine Lehre!

Wirt  Ich hab's gehört.

Lehrer  – ich werde sie beschaffen.
*Der Lehrer lacht.*
Wenn's einer nicht im Blut hat!
*Der Wirt wischt mit einem Lappen über die Tischlein.*
Sie werden ihr eignes Blut noch kennenlernen.

Wirt  Man soll sich nicht ärgern über die eignen Landsleute, das geht auf die Nieren und ändert die Landsleute gar nicht. Natürlich ist's Wucher! Die Andorraner sind gemütliche Leut, aber wenn es ums Geld geht, das hab ich immer gesagt, dann sind sie wie der Jud.
*Der Wirt will gehen.*

Lehrer  Woher wißt ihr alle, wie der Jud ist?

Wirt  Can –

Lehrer  Woher eigentlich?

Wirt  – ich habe nichts gegen deinen Andri. Wofür hältst du mich? Sonst hätt ich ihn wohl nicht als Küchenjunge genommen. Warum siehst du mich so schief an? Ich habe Zeugen. Hab ich nicht bei jeder Gelegenheit gesagt, Andri ist eine Ausnahme?

Lehrer  Reden wir nicht davon!

Wirt  Eine regelrechte Ausnahme –
*Glockenbimmeln*

Lehrer  Wer hat diesen Pfahl hier aufgestellt?

Wirt   Wo?

Lehrer   Ich bin nicht immer betrunken, wie Hochwürden meinen. Ein Pfahl ist ein Pfahl. Jemand hat ihn aufgestellt. Von gestern auf heut. Das wächst nicht aus dem Boden.

Wirt   Ich weiß es nicht.

Lehrer   Zu welchem Zweck?

Wirt   Vielleicht das Bauamt, ich weiß nicht, das Straßenamt, irgendwo müssen die Steuern ja hin, vielleicht wird gebaut, eine Umleitung vielleicht, das weiß man nie, vielleicht die Kanalisation –

Lehrer   Vielleicht.

Wirt   Oder das Telefon –

Lehrer   Vielleicht auch nicht.

Wirt   Ich weiß nicht, was du hast.

Lehrer   Und wozu der Strick dabei?

Wirt   Weiß ich's.

Lehrer   Ich sehe keine Gespenster, ich bin nicht verrückt, ich seh einen Pfahl, der sich eignet für allerlei –

Wirt   Was ist dabei!

*Der Wirt geht in die Pinte. Der Lehrer allein. Wieder Glockenbimmeln. Der Pater im Meßgewand geht mit raschen Schritten über den Platz, gefolgt von Meßknaben, deren Weihrauchgefäße einen starken Duft hinterlassen. Der Wirt kommt mit dem Schnaps.*

Wirt   50 Pfund will er?

Lehrer   – ich werde sie beschaffen.

Wirt   Aber wie?

Lehrer   Irgendwie.

*Der Lehrer kippt den Schnaps.*

Land verkaufen.

*Der Wirt setzt sich zum Lehrer.*

Irgendwie ...

Wirt   Wie groß ist dein Land?

Lehrer   Wieso?

Wirt Ich kaufe Land jederzeit. Wenn's nicht zu teuer ist! Ich meine: Wenn du Geld brauchst unbedingt.
*Lärm in der Pinte*
Ich komme!
*Der Wirt greift den Lehrer am Arm.*
Überleg es dir, Can, in aller Ruh, aber mehr als 50 Pfund kann ich nicht geben –
*Der Wirt geht.*

Lehrer »Die Andorraner sind gemütliche Leut, aber wenn es ums Geld geht, dann sind sie wie der Jud.«
*Der Lehrer kippt nochmals das leere Glas, während Barblin, gekleidet für die Prozession, neben ihn tritt.*

Barblin Vater?

Lehrer Wieso bist du nicht an der Prozession?

Barblin Du hast versprochen, Vater, nichts zu trinken am Sanktgeorgstag –

Lehrer *legt eine Münze auf den Tisch.*

Barblin Sie kommen hier vorbei.

Lehrer 50 Pfund für eine Lehre!
*Jetzt hört man lauten und hellen Gesang, Glockengeläute, im Hintergrund zieht die Prozession vorbei, Barblin kniet nieder, der Lehrer bleibt sitzen. Leute sind auf den Platz gekommen, sie knien alle nieder, und man sieht über die Knienden hinweg: Fahnen, die Muttergottes wird vorbeigetragen, begleitet von aufgepflanzten Bajonetten. Alle bekreuzigen sich, der Lehrer erhebt sich und geht in die Pinte. Die Prozession ist langsam und lang und schön; der helle Gesang verliert sich in die Ferne, das Glockengeläute bleibt. Andri tritt aus der Pinte, während die Leute sich der Prozession anschließen, und hält sich abseits; er flüstert:*

Andri Barblin!

Barblin *bekreuzigt sich.*

Andri Hörst du mich nicht?

Barblin *erhebt sich.*

Andri Barblin?!

Barblin Was ist?

Andri – ich werde Tischler!

*Barblin folgt als letzte der Prozession, Andri allein.*

Andri Die Sonne scheint grün in den Bäumen heut. Heut läuten die Glocken auch für mich.

*Er zieht seine Schürze ab.*

Später werde ich immer denken, daß ich jetzt gejauchzt habe. Dabei zieh ich bloß meine Schürze ab, ich staune, wie still. Man möchte seinen Namen in die Luft werfen wie eine Mütze, und dabei steh ich nur da und rolle meine Schürze. So ist Glück. Nie werde ich vergessen, wie ich jetzt hier stehe ...

*Krawall in der Pinte*

Andri Barblin, wir heiraten!

*Andri geht.*

Wirt Hinaus! Er ist sternhagelvoll, dann schwatzt er immer so. Hinaus! sag ich.

*Heraus stolpert der Soldat mit der Trommel.*

Wirt Ich geb dir keinen Tropfen mehr.

Soldat – ich bin Soldat.

Wirt Das sehen wir.

Soldat – und heiße Peider.

Wirt Das wissen wir.

Soldat Also.

Wirt Hör auf, Kerl, mit diesem Radau!

Soldat Wo ist sie?

Wirt Das hat doch keinen Zweck, Peider. Wenn ein Mädchen nicht will, dann will es nicht. Steck deine Schlegel ein! Du bist blau. Denk an das Ansehen der Armee!

*Der Wirt geht in die Pinte.*

Soldat Hosenscheißer! Sie sind's nicht wert, daß ich kämpfe für sie. Nein. Aber ich kämpfe. Das steht fest. Bis zum letzten Mann, das steht fest, lieber tot als Untertan, und drum sage ich: Also – ich bin Soldat und hab ein Aug auf sie ...

*Auftritt Andri, der seine Jacke anzieht.*

Soldat  Wo ist sie?

Andri  Wer?

Soldat  Deine Schwester.

Andri  Ich habe keine Schwester.

Soldat  Wo ist die Barblin?

Andri  Warum?

Soldat  Ich hab Urlaub und ein Aug auf sie ...

*Andri hat seine Jacke angezogen und will weitergehen, der Soldat stellt ihm das Bein, so daß Andri stürzt, und lacht.*

Ein Soldat ist keine Vogelscheuche. Verstanden? Einfach vorbeilaufen. Ich bin Soldat, das steht fest, und du bist Jud.

*Andri erhebt sich wortlos.*

Oder bist du vielleicht kein Jud?

*Andri schweigt.*

Aber du hast Glück, ein sozusagen verfluchtes Glück, nicht jeder Jud hat Glück so wie du, nämlich du kannst dich beliebt machen.

*Andri wischt seine Hosen ab.*

Ich sage: beliebt machen!

Andri  Bei wem?

Soldat  Bei der Armee.

Andri  Du stinkst ja nach Trester.

Soldat  Was sagst du?

Andri  Nichts.

Soldat  Ich stinke?

Andri  Auf sieben Schritt und gegen den Wind.

Soldat  Paß auf, was du sagst.

*Der Soldat versucht den eignen Atem zu riechen.*

Ich riech nichts.

*Andri lacht.*
's ist nicht zum Lachen, wenn einer Jud ist, 's ist nicht
zum Lachen, du, nämlich ein Jud muß sich beliebt
machen.

Andri   Warum?

Soldat  *grölt:*
»Wenn einer seine Liebe hat
und einer ist Soldat, Soldat,
das heißt Soldatenleben,
und auf den Bock
und ab den Rock –«
Gaff nicht so wie ein Herr!
»Wenn einer seine Liebe hat
und einer ist Soldat, Soldat.«

Andri   Kann ich jetzt gehn?

Soldat  Mein Herr!

Andri   Ich bin kein Herr.

Soldat  Dann halt Küchenjunge.

Andri   Gewesen.

Soldat  So einer wird ja nicht einmal Soldat.

Andri   Weißt du, was das ist?

Soldat  Geld?

Andri   Mein Lohn. Ich werde Tischler jetzt.

Soldat  Pfui Teufel!

Andri   Wieso?

Soldat  Ich sage: Pfui Teufel!
*Der Soldat schlägt ihm das Geld aus der Hand und
lacht.*
Da!
*Andri starrt den Soldaten an.*
So'n Jud denkt alleweil nur ans Geld.
*Andri beherrscht sich mit Mühe, dann bückt er sich
und sammelt die Münzen auf dem Pflaster.*
Also du willst dich nicht beliebt machen?

Andri   Nein.

Soldat Das steht fest?

Andri Ja.

Soldat Und für deinesgleichen sollen wir kämpfen? Bis zum letzten Mann, weißt du, was das heißt, ein Bataillon gegen zwölf Bataillone, das ist ausgerechnet, lieber tot als Untertan, das steht fest, aber nicht für dich!

Andri Was steht fest?

Soldat Ein Andorraner ist nicht feig. Sollen sie kommen mit ihren Fallschirmen wie die Heuschrecken vom Himmel herab, da kommen sie nicht durch, so wahr ich Peider heiße, bei mir nicht. Das steht fest. Bei mir nicht. Man wird ein blaues Wunder erleben!

Andri Wer wird ein blaues Wunder erleben?

Soldat Bei mir nicht.

*Hinzutritt ein Idiot, der nur grinsen und nicken kann. Der Soldat spricht nicht zu ihm, sondern zu einer vermeintlichen Menge.*

Habt ihr das wieder gehört? Er meint, wir haben Angst. Weil er selber Angst hat! Wir kämpfen nicht, sagt er, bis zum letzten Mann, wir sterben nicht vonwegen ihrer Übermacht, wir ziehen den Schwanz ein, wir scheißen in die Hosen, daß es zu den Stiefeln heraufkommt, das wagt er zu sagen: mir ins Gesicht, der Armee ins Gesicht!

Andri Ich habe kein Wort gesagt.

Soldat Ich frage: Habt ihr's gehört?

Idiot *nickt und grinst.*

Soldat Ein Andorraner hat keine Angst!

Andri Das sagtest du schon.

Soldat Aber du hast Angst!

Andri *schweigt.*

Soldat Weil du feig bist.

Andri Wieso bin ich feig?

Soldat Weil du Jud bist.

Idiot *grinst und nickt.*

Soldat  So, und jetzt geh ich . . .

Andri  Aber nicht zu Barblin!

Soldat  Wie er rote Ohren hat!

Andri  Barblin ist meine Braut.

Soldat  *lacht.*

Andri  Das ist wahr.

Soldat  *grölt:*
>>Und mit dem Bock
und in den Rock
und ab den Rock
und mit dem Bock
und mit dem Bock —<<

Andri  Geh nur!

Soldat  Braut! hat er gesagt.

Andri  Barblin wird dir den Rücken drehn.

Soldat  Dann nehm ich sie von hinten!

Andri  — du bist ein Vieh.

Soldat  Was sagst du?

Andri  Ein Vieh.

Soldat  Sag das noch einmal. Wie er zittert! Sag das noch einmal. Aber laut, daß der ganze Platz es hört. Sag das noch einmal.
*Andri geht.*

Soldat  Was hat er da gesagt?

Idiot  *grinst und nickt.*

Soldat  Ein Vieh? Ich bin ein Vieh?

Idiot  *nickt und grinst.*

Soldat  Der macht sich nicht beliebt bei mir.

Vordergrund

*Der Wirt, jetzt ohne die Wirteschürze, tritt an die Zeugenschranke.*

Wirt  Ich gebe zu: Wir haben uns in dieser Geschichte alle getäuscht. Damals. Natürlich hab ich geglaubt, was alle geglaubt haben damals. Er selbst hat's geglaubt. Bis zuletzt. Ein Judenkind, das unser Lehrer gerettet habe vor den Schwarzen da drüben, so hat's immer geheißen, und wir fanden's großartig, daß der Lehrer sich sorgte wie um einen eigenen Sohn. Ich jedenfalls fand das großartig. Hab ich ihn vielleicht an den Pfahl gebracht? Niemand von uns hat wissen können, daß Andri wirklich sein eigner Sohn ist, der Sohn von unsrem Lehrer. Als er mein Küchenjunge war, hab ich ihn schlecht behandelt? Ich bin nicht schuld, daß es dann so gekommen ist. Das ist alles, was ich nach Jahr und Tag dazu sagen kann. Ich bin nicht schuld.

## Zweites Bild

*Andri und Barblin auf der Schwelle vor der Kammer der Barblin.*

Barblin   Andri, schläfst du?

Andri   Nein.

Barblin   Warum gibst du mir keinen Kuß?

Andri   Ich bin wach, Barblin, ich denke.

Barblin   Die ganze Nacht.

Andri   Ob's wahr ist, was die andern sagen.

*Barblin hat auf seinen Knien gelegen, jetzt richtet sie sich auf, sitzt und löst ihre Haare.*

Andri   Findest du, sie haben recht?

Barblin   Fang jetzt nicht wieder an!

Andri   Vielleicht haben sie recht.

*Barblin beschäftigt sich mit ihrem Haar.*

Andri   Vielleicht haben sie recht ...

Barblin   Du hast mich ganz zerzaust.

Andri   Meinesgleichen, sagen sie, hat kein Gefühl.

Barblin   Wer sagt das?

Andri   Manche.

Barblin   Jetzt schau dir meine Bluse an!

Andri   Alle.

Barblin   Soll ich sie ausziehen? – *Barblin zieht ihre Bluse aus.*

Andri   Meinesgleichen, sagen sie, ist geil, aber ohne Gemüt, weißt du –

Barblin   Andri, du denkst zuviel!

*Barblin legt sich wieder auf seine Knie.*

Andri   Ich lieb dein Haar, dein rotes Haar, dein leichtes warmes bitteres Haar, Barblin, ich werde sterben, wenn ich es verliere.

*Andri küßt ihr Haar.*

Und warum schläfst denn du nicht?

Barblin *horcht.*

Andri Was war das?

Barblin Die Katze.

Andri *horcht.*

Barblin Ich hab sie ja gesehen.

Andri War das die Katze?

Barblin Sie schlafen doch alle ...
*Barblin legt sich wieder auf seine Knie.*
Küß mich!

Andri *lacht.*

Barblin Worüber lachst du?

Andri Ich muß ja dankbar sein!

Barblin Ich weiß nicht, wovon du redest.

Andri Von deinem Vater. Er hat mich gerettet, er fände e
sehr undankbar von mir, wenn ich seine Tochter ver
führte. Ich lache, aber es ist nicht zum Lachen, wen
man den Menschen immerfort dankbar sein muß
daß man lebt.
*Pause*
Vielleicht bin ich drum nicht lustig.

Barblin *küßt ihn.*

Andri Bist du ganz sicher, Barblin, daß du mich willst?

Barblin Warum fragst du das immer.

Andri Die andern sind lustiger.

Barblin Die andern!

Andri Vielleicht haben sie recht. Vielleicht bin ich feig, sons
würde ich endlich zu deinem Alten gehn und sage
daß wir verlobt sind. Findest du mich feig?
*Man hört Grölen in der Ferne.*

Andri Jetzt grölen sie immer noch.
*Das Grölen verliert sich.*

Barblin Ich geh nicht mehr aus dem Haus, damit sie mich i
Ruh lassen. Ich denke an dich, Andri, den ganze
Tag, wenn du an der Arbeit bist, und jetzt bist d
da, und wir sind allein – ich will, daß du an mi

denkst, Andri, nicht an die andern. Hörst du? Nur an mich und an uns. Und ich will, daß du stolz bist, Andri, fröhlich und stolz, weil ich dich liebe vor allen andern.

Andri   Ich habe Angst, wenn ich stolz bin.

Barblin   Und jetzt will ich einen Kuß.

*Andri gibt ihr einen Kuß.*

Viele viele Küsse!

*Andri denkt.*

Ich denke nicht an die andern, Andri, wenn du mich hältst mit deinen Armen und mich küssest, glaub mir, ich denke nicht an sie.

Andri   – aber ich.

Barblin   Du mit deinen andern die ganze Zeit!

Andri   Sie haben mir wieder das Bein gestellt.

*Eine Turmuhr schlägt.*

Andri   Ich weiß nicht, wieso ich anders bin als alle. Sag es mir. Wieso? Ich seh's nicht …

*Eine andere Turmuhr schlägt.*

Andri   Jetzt ist es schon wieder drei.

Barblin   Laß uns schlafen!

Andri   Ich langweile dich.

*Barblin schweigt.*

Soll ich die Kerze löschen? … du kannst schlafen, ich wecke dich um sieben.

*Pause*

Das ist kein Aberglaube, o nein, das gibt's, Menschen, die verflucht sind, und man kann machen mit ihnen, was man will, ihr Blick genügt, plötzlich bist du so, wie sie sagen. Das ist das Böse. Alle haben es in sich, keiner will es haben, und wo soll das hin? In die Luft? Es ist in der Luft, aber da bleibt's nicht lang, es muß in einen Menschen hinein, damit sie's eines Tages packen und töten können …

*Andri ergreift die Kerze.*

Kennst du einen Soldat namens Peider?
*Barblin murrt schläfrig.*
Er hat ein Aug auf dich.
Barblin Der!
Andri – ich dachte, du schläfst schon.
*Andri bläst die Kerze aus.*

## Vordergrund

*Der Tischler tritt an die Zeugenschranke.*

Tischler Ich gebe zu: Das mit den 50 Pfund für die Lehre, das war eben, weil ich ihn nicht in meiner Werkstatt wollte, und ich wußte ja, es wird nur Unannehmlichkeiten geben. Wieso wollte er nicht Verkäufer werden? Ich dachte, das würd ihm liegen. Niemand hat wissen können, daß er keiner ist. Ich kann nur sagen, daß ich es im Grund wohlmeinte mit ihm. Ich bin nicht schuld, daß es so gekommen ist später.

## Drittes Bild

*Man hört eine Fräse, Tischlerei, Andri und ein Gesell*
*je mit einem fertigen Stuhl.*

Andri   Ich habe auch schon Linksaußen gespielt, wenn kei
andrer wollte. Natürlich will ich, wenn eure Mann
schaft mich nimmt.

Geselle   Hast du Fußballschuh?

Andri   Nein.

Geselle   Brauchst du aber.

Andri   Was kosten die?

Geselle   Ich hab ein altes Paar, ich verkaufe sie dir. Ferne
brauchst du natürlich schwarze Shorts und ein gelbe
Tschersi, das ist klar, und gelbe Strümpfe natürlich

Andri   Rechts bin ich stärker, aber wenn ihr einen Links
außen braucht, also einen Eckball bring ich scho
herein.
*Andri reibt die Hände.*
Das ist toll, Fedri, wenn das klappt.

Geselle   Warum soll's nicht?

Andri   Das ist toll.

Geselle   Ich bin Käpten, und du bist mein Freund.

Andri   Ich werde trainieren.

Geselle   Aber reib nicht immer die Hände, sonst lacht di
ganze Tribüne.
*Andri steckt die Hände in die Hosentaschen.*
Hast du Zigaretten? So gib schon. Mich bellt er nich
an! Sonst erschrickt er nämlich über sein Echo. Ode
hast du je gehört, daß der mich anbellt?
*Der Geselle steckt sich eine Zigarette an.*

Andri   Das ist toll, Fedri, daß du mein Freund bist.

Geselle   Dein erster Stuhl?

Andri   Wie findest du ihn?

*Der Geselle nimmt den Stuhl von Andri und ver-*
*sucht ein Stuhlbein herauszureißen, Andri lacht.*
Die sind nicht zum Ausreißen!

Geselle So macht er's nämlich.

Andri Versuch's nur!
*Der Geselle versucht es vergeblich.*
Er kommt.

Geselle Du hast Glück.

Andri Jeder rechte Stuhl ist verzapft. Wieso Glück? Nur
was geleimt ist, geht aus dem Leim.
*Auftritt der Tischler.*

Tischler ... schreiben Sie diesen Herrschaften, ich heiße Pra-
der. Ein Stuhl von Prader bricht nicht zusammen,
das weiß jedes Kind, ein Stuhl von Prader ist ein
Stuhl von Prader. Und überhaupt: bezahlt ist be-
zahlt. Mit einem Wort: Ich feilsche nicht.
*Zu den beiden:*
Habt ihr Ferien?
*Der Geselle verzieht sich flink.*
Wer hat hier wieder geraucht?
*Andri schweigt.*
Ich riech es ja.
*Andri schweigt.*
Wenn du wenigstens den Schneid hättest –

Andri Heut ist Sonnabend.

Tischler Was hat das damit zu tun?

Andri Wegen meiner Lehrlingsprobe. Sie haben gesagt: Am
letzten Sonnabend in diesem Monat. Hier ist mein
erster Stuhl.
*Der Tischler nimmt einen Stuhl.*
Nicht dieser, Meister, der andere!

Tischler Tischler werden ist nicht einfach, wenn's einer nicht
im Blut hat. Nicht einfach. Woher sollst du's im Blut
haben. Das hab ich deinem Vater aber gleich gesagt.
Warum gehst du nicht in den Verkauf? Wenn einer

nicht aufgewachsen ist mit dem Holz, siehst du, mit
unserem Holz – lobpreiset eure Zedern vom Liba-
non, aber hierzuland wird in andorranischer Eiche
gearbeitet, mein Junge.

Andri   Das ist Buche.

Tischler   Meinst du, du mußt mich belehren?

Andri   Sie wollen mich prüfen, meinte ich.

Tischler   *versucht ein Stuhlbein auszureißen.*

Andri   Meister, das ist aber nicht meiner!

Tischler   Da –

*Der Tischler reißt ein erstes Stuhlbein aus.*

Was hab ich gesagt?

*Der Tischler reißt die andern drei Stuhlbeine aus.*

– wie die Froschbeine, wie die Froschbeine. Und so
ein Humbug soll in den Verkauf. Ein Stuhl von
Prader, weißt du, was das heißt? – da,

*Der Tischler wirft ihm die Trümmer vor die Füße.*

schau's dir an!

Andri   Sie irren sich.

Tischler   Hier – das ist ein Stuhl!

*Der Tischler setzt sich auf den andern Stuhl.*

Hundert Kilo, Gott sei's geklagt, hundert Kilo hab
ich am Leib, aber was ein rechter Stuhl ist, das ächzt
nicht, wenn ein rechter Mann sich draufsetzt, und
das wackelt nicht. Ächzt das?

Andri   Nein.

Tischler   Wackelt das?

Andri   Nein.

Tischler   Also!

Andri   Das ist meiner.

Tischler   – und wer soll diesen Humbug gemacht haben?

Andri   Ich hab es Ihnen aber gleich gesagt.

Tischler   Fedri! Fedri!

*Die Fräse verstummt.*

Tischler   Nichts als Ärger hat man mit dir, das ist der Dank, wenn man deinesgleichen in die Bude nimmt, ich hab's ja geahnt.

*Auftritt der Geselle.*

Fedri, bist du ein Gesell oder was bist du?

Geselle Ich –

Tischler Wie lang arbeitest du bei Prader & Sohn?

Geselle Fünf Jahre.

Tischler Welchen Stuhl hast du gemacht? Schau sie dir an. Diesen oder diesen? Und antworte.

*Der Geselle mustert die Trümmer.*

Antworte frank und blank.

Geselle – ich . . .

Tischler Hast du verzapft oder nicht?

Geselle – jeder rechte Stuhl ist verzapft . . .

Tischler Hörst du's?

Geselle – nur was geleimt ist, geht aus dem Leim . . .

Tischler Du kannst gehn.

Geselle *erschrickt.*

Tischler In die Werkstatt, meine ich.

*Der Geselle geht rasch.*

Das laß dir eine Lehre sein. Aber ich hab's ja gewußt, du gehörst nicht in eine Werkstatt.

*Der Tischler sitzt und stopft sich eine Pfeife.*

Schad ums Holz.

Andri *schweigt.*

Tischler Nimm das zum Heizen.

Andri Nein.

Tischler *zündet sich die Pfeife an.*

Andri Das ist eine Gemeinheit!

Tischler *zündet sich die Pfeife an.*

Andri . . . ich nehm's nicht zurück, was ich gesagt habe. Sie sitzen auf meinem Stuhl, ich sag es Ihnen, Sie lügen, wie's Ihnen grad paßt, und zünden sich die Pfeife an. Sie, ja, Sie! Ich hab Angst vor euch, ja, ich zittere. Wieso hab ich kein Recht vor euch? Ich bin

jung, ich hab gedacht: Ich muß bescheiden sein. Es
hat keinen Zweck, Sie machen sich nichts aus Beweisen. Sie sitzen auf meinem Stuhl. Das kümmert
Sie aber nicht? Ich kann tun, was ich will, ihr dreht
es immer gegen mich, und der Hohn nimmt kein
Ende. Ich kann nicht länger schweigen, es zerfrißt
mich. Hören Sie denn überhaupt zu? Sie saugen an
Ihrer Pfeife herum, und ich sag Ihnen ins Gesicht:
Sie lügen. Sie wissen ganz genau, wie gemein Sie
sind. Sie sind hundsgemein. Sie sitzen auf dem Stuhl,
den ich gemacht habe, und zünden sich Ihre Pfeife
an. Was hab ich Ihnen zuleid getan? Sie wollen nicht,
daß ich tauge. Warum schmähen Sie mich? Sie sitzen
auf meinem Stuhl. Alle schmähen mich und frohlocken und hören nicht auf. Wieso seid ihr stärker
als die Wahrheit? Sie wissen genau, was wahr ist,
Sie sitzen drauf –
*Der Tischler hat endlich die Pfeife angezündet.*
Sie haben keine Scham –.

Tischler　Schnorr nicht soviel.

Andri　Sie sehen aus wie eine Kröte!

Tischler　Erstens ist hier keine Klagemauer.

*Der Geselle und zwei andere verraten sich durch Kichern.*

Tischler　Soll ich eure ganze Fußballmannschaft entlassen?

*Der Geselle und die andern verschwinden.*

Erstens ist hier keine Klagemauer, zweitens habe ich
kein Wort davon gesagt, daß ich dich deswegen ent-
lasse. Kein Wort. Ich habe eine andere Arbeit für
dich. Zieh deine Schürze aus! Ich zeige dir, wie man
Bestellungen schreibt. Hörst du zu, wenn dein Meister spricht? Für jede Bestellung, die du hereinbringst
mit deiner Schnorrerei, verdienst du ein halbes Pfund.
Sagen wir: ein ganzes Pfund für drei Bestellungen.
Ein ganzes Pfund! Das ist's, was deinesgleichen im

Blut hat, glaub mir, und jedermann soll tun, was er
im Blut hat. Du kannst Geld verdienen, Andri, Geld,
viel Geld ...
*Andri reglos.*
Abgemacht?
*Der Tischler erhebt sich und klopft Andri auf die
Schulter.*
Ich mein's gut mit dir.
*Der Tischler geht, man hört die Fräse wieder.*
Andri  Ich wollte aber Tischler werden ...

Vordergrund

*Der Geselle, jetzt in einer Motorradfahrerjacke, tritt*
*an die Zeugenschranke.*

Geselle Ich geb zu: Es war mein Stuhl und nicht sein Stuhl.
Damals. Ich wollte ja nachher mit ihm reden, aber
da war er schon so, daß man halt nicht mehr reden
konnte mit ihm. Nachher hab ich ihn auch nicht
mehr leiden können, geb ich zu. Er hat einem nicht
einmal mehr guten Tag gesagt. Ich sag ja nicht, es
sei ihm recht geschehen, aber es lag halt auch an ihm,
sonst wär's nie so gekommen. Als wir ihn nochmals
fragten wegen Fußball, da war er sich schon zu gut
für uns. Ich bin nicht schuld, daß sie ihn geholt
haben später.

## Viertes Bild

*Stube beim Lehrer. Andri sitzt und wird vom Doktor untersucht, der ihm einen Löffel in den Hals hält, die Mutter daneben.*

Andri    Aaaandorra.

Doktor    Aber lauter, mein Freund, viel lauter!

Andri    Aaaaaaandorra.

Doktor    Habt Ihr einen längeren Löffel?
*Die Mutter geht hinaus.*
Wie alt bist du?

Andri    Zwanzig.

Doktor    *zündet sich einen Zigarillo an.*

Andri    Ich bin noch nie krank gewesen.

Doktor    Du bist ein strammer Bursch, das seh ich, ein braver Bursch, ein gesunder Bursch, das gefällt mir, mens sana in corpore sano, wenn du weißt, was das heißt.

Andri    Nein.

Doktor    Was ist dein Beruf?

Andri    Ich wollte Tischler werden –

Doktor    Zeig deine Augen!
*Der Doktor nimmt eine Lupe aus der Westentasche und prüft die Augen.*
Das andre!

Andri    Was ist das – ein Virus?

Doktor    Ich habe deinen Vater gekannt vor zwanzig Jahren, habe gar nicht gewußt, daß der einen Sohn hat. Der Eber! So nannten wir ihn. Immer mit dem Kopf durch die Wand! Er hat von sich reden gemacht damals, ein junger Lehrer, der die Schulbücher zerreißt, er wollte andre haben, und als er dann doch keine andern bekam, da hat er die andorranischen Kinder gelehrt, Seite um Seite mit einem schönen Rotstift anzustrei-

chen, was in den andorranischen Schulbüchern nicht
wahr ist. Und sie konnten es ihm nicht widerlegen. Er
war ein Kerl. Niemand wußte, was er eigentlich wollte. Ein Teufelskerl. Die Damen waren scharf auf ihn –
*Eintritt die Mutter mit dem längeren Löffel.*
Euer Sohn gefällt mir.
*Die Untersuchung wird fortgesetzt.*
Tischler ist ein schöner Beruf, ein andorranischer Beruf, nirgends in der Welt gibt es so gute Tischler wie
in Andorra, das ist bekannt.

Andri   Aaaaaaaaaaandorra!

Doktor   Nochmal.

Andri   Aaaaaaaaaaandorra!

Mutter   Ist es schlimm, Doktor?

Doktor   Was Doktor! Ich heiße Ferrer.
*Der Doktor mißt den Puls.*
Professor, genau genommen, aber ich gebe nichts auf
Titel, liebe Frau. Der Andorraner ist nüchtern und
schlicht, sagt man, und da ist etwas dran. Der An-
dorraner macht keine Bücklinge. Ich hätte Titel ha-
ben können noch und noch. Andorra ist eine Repu-
blik, das hab ich ihnen in der ganzen Welt gesagt:
Nehmt euch ein Beispiel dran! Bei uns gilt ein jeder,
was er ist. Warum bin ich zurückgekommen, meinen
Sie, nach zwanzig Jahren?
*Der Doktor verstummt, um den Puls zählen zu
können.*
Hm.

Mutter   Ist es schlimm, Professor?

Doktor   Liebe Frau, wenn einer in der Welt herumgekommen ist wie ich, dann weiß er, was das heißt: Heimat! Hier ist mein Platz, Titel hin oder her, hier
bin ich verwurzelt.
*Andri hustet.*
Seit wann hustet er?

Andri   Ihr Zigarillo, Professor, Ihr Zigarillo!

Doktor   Andorra ist ein kleines Land, aber ein freies Land. Wo gibt's das noch? Kein Vaterland in der Welt hat einen schöneren Namen, und kein Volk auf Erden ist so frei – Mund auf, mein Freund, Mund auf!
*Der Doktor schaut nochmals in den Hals, dann nimmt er den Löffel heraus.*
Ein bißchen entzündet.

Andri   Ich?

Doktor   Kopfweh?

Andri   Nein.

Doktor   Schlaflosigkeit?

Andri   Manchmal.

Doktor   Aha.

Andri   Aber nicht deswegen.
*Der Doktor steckt ihm nochmals den Löffel in den Hals.*
Aaaaaaaa-Aaaaaaaaaaaaaaaaaandorra.

Doktor   So ist's gut, mein Freund, so muß es tönen, daß jeder Jud in den Boden versinkt, wenn er den Namen unseres Vaterlands hört.
*Andri zuckt.*
Verschluck den Löffel nicht!

Mutter   Andri...

Andri   *ist aufgestanden.*

Doktor   Also tragisch ist es nicht, ein bißchen entzündet, ich mache mir keinerlei Sorgen, eine Pille vor jeder Mahlzeit –

Andri   Wieso – soll der Jud – versinken im Boden?

Doktor   Wo habe ich sie bloß.
*Der Doktor kramt in seinem Köfferchen.*
Das fragst du, mein junger Freund, weil du noch nie in der Welt gewesen bist. Ich kenne den Jud. Wo man hinkommt, da hockt er schon, der alles besser weiß, und du, ein schlichter Andorraner, kannst

einpacken. So ist es doch. Das Schlimme am Jud is
sein Ehrgeiz. In allen Ländern der Welt hocken si
auf allen Lehrstühlen, ich hab's erfahren, und unser
einem bleibt nichts andres übrig als die Heimat. Da
bei habe ich nichts gegen den Jud. Ich bin nicht fü
Greuel. Auch ich habe Juden gerettet, obschon ic
sie nicht riechen kann. Und was ist der Dank? Si
sind nicht zu ändern. Sie hocken auf allen Lehrstüh
len der Welt. Sie sind nicht zu ändern.
*Der Doktor reicht die Pillen.*
Hier deine Pillen!
*Andri nimmt sie nicht, sondern geht.*
Was hat er denn plötzlich?

Mutter   Andri! Andri!

Doktor   Einfach rechtsumkehrt und davon...

Mutter   Das hätten Sie vorhin nicht sagen sollen, Professor
das mit dem Jud.

Doktor   Warum denn nicht?

Mutter   Andri ist Jud.
*Eintritt der Lehrer, Schulhefte im Arm.*

Lehrer   Was ist los?

Mutter   Nichts, reg dich nicht auf, gar nichts.

Doktor   Das hab ich ja nicht wissen können –

Lehrer   Was?

Doktor   Wieso denn ist euer Sohn ein Jud?

Lehrer   *schweigt.*

Doktor   Ich muß schon sagen, einfach rechtsumkehrt und da
von, ich habe ihn ärztlich behandelt, sogar geplau
dert mit ihm, ich habe ihm erklärt, was ein Virus ist

Lehrer   Ich hab zu arbeiten.
*Schweigen*

Mutter   Andri ist unser Pflegesohn.

Lehrer   Guten Abend.

Doktor   Guten Abend.
*Der Doktor nimmt Hut und Köfferchen.*

Ich geh ja schon.
*Der Doktor geht.*

Lehrer Was ist wieder geschehn?

Mutter Reg dich nicht auf!

Lehrer Wie kommt diese Existenz in mein Haus?

Mutter Er ist der neue Amtsarzt.
*Eintritt nochmals der Doktor.*

Doktor Er soll die Pillen trotzdem nehmen.
*Der Doktor zieht den Hut ab.*
Bitte um Entschuldigung.
*Der Doktor setzt den Hut wieder auf.*
Was hab ich denn gesagt . . . bloß weil ich gesagt
habe . . . im Spaß natürlich, sie verstehen keinen
Spaß, das sag ich ja, hat man je einen Jud getrof-
fen, der Spaß versteht? Also ich nicht . . . dabei hab
ich bloß gesagt: Ich kenne den Jud. Die Wahrheit
wird man in Andorra wohl noch sagen dürfen . . .

Lehrer *schweigt.*

Doktor Wo hab ich jetzt meinen Hut?

Lehrer *tritt zum Doktor, nimmt ihm den Hut vom Kopf,
öffnet die Türe und wirft den Hut hinaus.*
Dort ist Ihr Hut!
*Der Doktor geht.*

Mutter Ich habe dir gesagt, du sollst dich nicht aufregen.
Das wird er nie verzeihen. Du verkrachst dich mit
aller Welt, das macht es dem Andri nicht leichter.

Lehrer Er soll kommen.

Mutter Andri! Andri!

Lehrer Der hat uns noch gefehlt. Der und Amtsarzt! Ich
weiß nicht, die Welt hat einen Hang, immer grad
die mieseste Wendung zu nehmen . . .
*Eintreten Andri und Barblin.*

Lehrer Also ein für allemal, Andri, kümmre dich nicht um
ihr Geschwätz. Ich werde kein Unrecht dulden, das
weißt du, Andri.

Andri   Ja, Vater.

Lehrer  Wenn dieser Herr, der neuerdings unser Amtsarzt
        ist, noch einmal sein dummes Maul auftut, dieser
        Akademiker, dieser verkrachte, dieser Schmuggler-
        sohn – ich hab auch geschmuggelt, ja, wie jeder An-
        dorraner: aber keine Titel! – dann, sage ich, fliegt
        er selbst die Treppe hinunter, und zwar persönlich,
        nicht bloß sein Hut. *Zur Mutter:* Ich fürchte sie nicht!
        *Zu Andri:* Und du, verstanden, du sollst sie auch
        nicht fürchten. Wenn wir zusammenhalten, du und
        ich, wie zwei Männer, Andri, wie Freunde, wie Vater
        und Sohn – oder habe ich dich nicht behandelt wie
        meinen Sohn? Hab ich dich je zurückgesetzt? Dann
        sag es mir ins Gesicht. Hab ich dich anders gehalten,
        Andri, als meine Tochter? Sag es mir ins Gesicht. Ich
        warte.

Andri   Was, Vater, soll ich sagen?

Lehrer  Ich kann's nicht leiden, wenn du dastehst wie ein
        Meßknabe, der gestohlen hat oder was weiß ich, so
        artig, weil du mich fürchtest. Manchmal platzt mir
        der Kragen, ich weiß, ich bin ungerecht. Ich hab's
        nicht gezählt und gebucht, was mir als Erzieher
        unterlaufen ist.

Mutter  *deckt den Tisch.*

Lehrer  Hat Mutter dich herzlos behandelt?

Mutter  Was hältst du denn für Reden! Man könnte meinen,
        du redest vor einem Publikum.

Lehrer  Ich rede mit Andri.

Mutter  Also.

Lehrer  Von Mann zu Mann.

Mutter  Man kann essen.

        *Die Mutter geht hinaus.*

Lehrer  Das ist eigentlich alles, was ich dir sagen wollte.

Barblin *deckt den Tisch fertig.*

Lehrer  Warum, wenn er draußen so ein großes Tier ist, bleibt

er nicht draußen, dieser Professor, der's auf allen
Universitäten der Welt nicht einmal zum Doktor
gebracht hat? Dieser Patriot, der unser Amtsarzt
geworden ist, weil er keinen Satz bilden kann ohne
Heimat und Andorra. Wer denn soll schuld daran
sein, daß aus seinem Ehrgeiz nichts geworden ist,
wer denn, wenn nicht der Jud? – Also ich will dieses Wort nicht mehr hören.

Mutter   *bringt die Suppe.*

Lehrer   Auch du, Andri, sollst dieses Wort nicht in den Mund
nehmen. Verstanden? Ich duld es nicht. Sie wissen
ja nicht, was sie reden, und ich will nicht, daß du
am Ende noch glaubst, was sie reden. Denk dir, es
ist nichts dran. Ein für allemal. Verstanden? Ein für
allemal.

Mutter   Bist du fertig?

Lehrer   's ist auch nichts dran.

Mutter   Dann schneid uns das Brot.

Lehrer   *schneidet das Brot.*

Andri   Ich wollte etwas andres fragen . . .

Mutter   *schöpft die Suppe.*

Andri   Vielleicht wißt Ihr es aber schon. Nichts ist geschehn,
Ihr braucht nicht immer zu erschrecken. Ich weiß
nicht, wie man so etwas sagt: – Ich werde einund-
zwanzig, und Barblin ist neunzehn . . .

Lehrer   Und?

Andri   Wir möchten heiraten.

Lehrer   *läßt das Brot fallen.*

Andri   Ja. Ich bin gekommen, um zu fragen – ich wollte es
tun, wenn ich die Tischlerprobe bestanden habe, aber
daraus wird ja nichts – Wir wollen uns jetzt ver-
loben, damit die andern es wissen und der Barblin
nicht überall nachlaufen.

Lehrer   – – – heiraten?

Andri   Ich bitte dich, Vater, um die Hand deiner Tochter.

Lehrer *erhebt sich wie ein Verurteilter.*

Mutter Ich hab das kommen sehen, Can.

Lehrer Schweig!

Mutter Deswegen brauchst du das Brot nicht fallen zu lassen.
*Die Mutter nimmt das Brot vom Boden.*
Sie lieben einander.

Lehrer Schweig!
*Schweigen*

Andri Es ist aber so, Vater, wir lieben einander. Davon zu
reden ist schwierig. Seit der grünen Kammer, als wir
Kinder waren, reden wir vom Heiraten. In der
Schule schämten wir uns, weil alle uns auslachten:
Das geht ja nicht, sagten sie, weil wir Bruder und
Schwester sind! Einmal wollten wir uns vergiften,
weil wir Bruder und Schwester sind, mit Tollkirschen, aber es war Winter, es gab keine Tollkirschen.
Und wir haben geweint, bis Mutter es gemerkt hat –
bis du gekommen bist, Mutter, du hast uns getröstet
und gesagt, daß wir gar nicht Bruder und Schwester
sind. Und diese ganze Geschichte, wie Vater mich
über die Grenze gerettet hat, weil ich Jud bin. Da
war ich froh drum und sagte es ihnen in der Schule
und überall. Seither schlafen wir nicht mehr in der
gleichen Kammer, wir sind ja keine Kinder mehr.
*Der Lehrer schweigt wie versteinert.*
Es ist Zeit, Vater, daß wir heiraten.

Lehrer Andri, das geht nicht.

Mutter Wieso nicht?

Lehrer Weil es nicht geht!

Mutter Schrei nicht.

Lehrer Nein – Nein – Nein . . .

Barblin *bricht in Schluchzen aus.*

Mutter Und du heul nicht gleich!

Barblin Dann bring ich mich um.

Mutter Und red keinen Unfug!

Barblin  Oder ich geh zu den Soldaten, jawohl.

Mutter  Dann straf dich Gott!

Barblin  Soll er.

Andri  Barblin?

Barblin  *läuft hinaus.*

Lehrer  Sie ist ein Huhn. Laß sie! Du findest noch Mädchen
genug.
*Andri reißt sich von ihm los.*
Andri –!

Andri  Sie ist wahnsinnig.

Lehrer  Du bleibst.
*Andri bleibt.*
Es ist das erste Nein, Andri, das ich dir sagen muß.
*Der Lehrer hält sich beide Hände vors Gesicht.*
Nein!

Mutter  Ich versteh dich nicht, Can, ich versteh dich nicht.
Bist du eifersüchtig? Barblin ist neunzehn, und einer
wird kommen. Warum nicht Andri, wo wir ihn kennen? Das ist der Lauf der Welt. Was starrst du vor
dich hin und schüttelst den Kopf, wo's ein großes
Glück ist, und willst deine Tochter nicht geben? Du
schweigst. Willst du sie heiraten? Du schweigst in
dich hinein, weil du eifersüchtig bist, Can, auf die
Jungen und auf das Leben überhaupt und daß es
jetzt weitergeht ohne dich.

Lehrer  Was weißt denn du!

Mutter  Ich frag ja nur.

Lehrer  Barblin ist ein Kind –

Mutter  Das sagen alle Väter. Ein Kind! – für dich, Can,
aber nicht für den Andri.

Lehrer  *schweigt.*

Mutter  Warum sagst du nein?

Lehrer  *schweigt.*

Andri  Weil ich Jud bin.

Lehrer  Andri –

Andri  So sagt es doch.

Lehrer  Jud! Jud!

Andri  Das ist es doch.

Lehrer  Jud! Jedes dritte Wort, kein Tag vergeht, jedes zweite Wort, kein Tag ohne Jud, keine Nacht ohne Jud, ich höre Jud, wenn einer schnarcht, Jud, Jud, kein Witz ohne Jud, kein Geschäft ohne Jud, kein Fluch ohne Jud, ich höre Jud, wo keiner ist, Jud und Jud und nochmals Jud, die Kinder spielen Jud, wenn ich den Rücken drehe, jeder plappert's nach, die Pferde wiehern in den Gassen: Juuuud, Juud, Jud…

Mutter  Du übertreibst.

Lehrer  Gibt es denn keine andern Gründe mehr?!

Mutter  Dann sag sie.

Lehrer  *schweigt, dann nimmt er seinen Hut.*

Mutter  Wohin?

Lehrer  Wo ich meine Ruh hab.
*Er geht und knallt die Tür zu.*

Mutter  Jetzt trinkt er wieder bis Mitternacht.
*Andri geht langsam nach der andern Seite.*

Mutter  Andri? – Jetzt sind alle auseinander.

## *Fünftes Bild*

*Platz von Andorra, der Lehrer sitzt allein vor der
Pinte, der Wirt bringt den bestellten Schnaps, den
der Lehrer noch nicht nimmt.*

Wirt  Was gibt's Neues?

Lehrer  Noch ein Schnaps.

*Der Wirt geht.*

Lehrer  »Weil ich Jud bin!«

*Jetzt kippt er den Schnaps.*

Einmal werd ich die Wahrheit sagen – das meint man,
aber die Lüge ist ein Egel, sie hat die Wahrheit aus-
gesaugt. Das wächst. Ich werd's nimmer los. Das
wächst und hat Blut. Das sieht mich an wie ein
Sohn, ein leibhaftiger Jud, mein Sohn ... »Was gibt's
Neues?« – ich habe gelogen, und ihr habt ihn gestreichelt, solang er klein war, und jetzt ist er ein Mann,
jetzt will er heiraten, ja, seine Schwester – Das gibt's
Neues! ... ich weiß, was ihr denkt, im voraus: Auch
einem Judenretter ist das eigne Kind zu schad für
den Jud! Ich sehe euer Grinsen schon.

*Auftritt der Jemand und setzt sich zum Lehrer.*

Jemand  Was gibt's Neues?

Lehrer  *schweigt.*

Jemand  *nimmt sich seine Zeitung vor.*

Lehrer  Warum grinsen Sie?

Jemand  Sie drohen wieder.

Lehrer  Wer?

Jemand  Die da drüben.

*Der Lehrer erhebt sich, der Wirt kommt heraus.*

Wirt  Wohin?

Lehrer  Wo ich meine Ruhe hab.

*Der Lehrer geht in die Pinte hinein.*

Jemand Was hat er denn? Wenn der so weitermacht, der nimmt kein gutes Ende, möchte ich meinen... Mir ein Bier.
*Der Wirt geht.*
Seit der Junge nicht mehr da ist, wenigstens kann man seine Zeitung lesen: ohne das Orchestrion, wo er alleweil sein Trinkgeld verklimpert hat...

## Sechstes Bild

*Vor der Kammer der Barblin. Andri schläft allein
auf der Schwelle. Kerzenlicht. Es erscheint ein großer
Schatten an der Wand, der Soldat. Andri schnarcht.
Der Soldat erschrickt und zögert. Stundenschlag einer
Turmuhr, der Soldat sieht, daß Andri sich nicht rührt,
und wagt sich bis zur Türe, zögert wieder, öffnet die
Türe, Stundenschlag einer andern Turmuhr, jetzt steigt
er über den schlafenden Andri hinweg und dann, da
er schon soweit ist, hinein in die finstere Kammer.
Barblin will schreien, aber der Mund wird ihr zuge-
halten. Stille. Andri erwacht.*

Andri  Barblin!?...

*Stille*

Jetzt ist es wieder still draußen, sie haben mit Saufen und Grölen aufgehört, jetzt sind alle im Bett.

*Stille*

Schläfst du, Barblin? Wie spät kann es sein? Ich hab
geschlafen. Vier Uhr? Die Nacht ist wie Milch, du,
wie blaue Milch. Bald fangen die Vögel an. Wie eine
Sintflut von Milch...

*Geräusch*

Warum riegelst du die Tür?

*Stille*

Soll er doch heraufkommen, dein Alter, soll er mich
auf der Schwelle seiner Tochter finden. Meinetwegen! Ich geb's nicht auf, Barblin, ich werd auf deiner
Schwelle sitzen jede Nacht, und wenn er sich zu Tod
säuft darüber, jede Nacht.

*Er nimmt sich eine Zigarette.*

Jetzt bin ich wieder so wach...

*Er sitzt und raucht.*

Ich schleiche nicht länger herum wie ein bettelnder Hund. Ich hasse. Ich weine nicht mehr. Ich lache. Je gemeiner sie sind wider mich, um so wohler fühle ich mich in meinem Haß. Und um so sichrer. Haß macht Pläne. Ich freue mich jetzt von Tag zu Tag, weil ich einen Plan habe, und niemand weiß davon, und wenn ich verschüchtert gehe, so tu ich nur so. Haß macht listig. Haß macht stolz. Eines Tags werde ich's ihnen zeigen. Seit ich sie hasse, manchmal möcht ich pfeifen und singen, aber ich tu's nicht. Haß macht geduldig. Und hart. Ich hasse ihr Land, das wir verlassen werden, und ihre Gesichter alle. Ich liebe einen einzigen Menschen, und das ist genug.

*Er horcht.*

Die Katze ist auch noch wach!

*Er zählt Münzen.*

Heut habe ich anderthalb Pfund verdient, Barblin, anderthalb Pfund an einem einzigen Tag. Ich spare jetzt. Ich geh auch nicht mehr an die Klimperkiste –

*Er lacht.*

Wenn sie sehen könnten, wie sie recht haben: alleweil zähl ich mein Geld!

*Er horcht.*

Da schlurft noch einer nach Haus.

*Vogelzwitschern*

Gestern hab ich diesen Peider gesehen, weißt du, der ein Aug hat auf dich, der mir das Bein gestellt hat, jetzt grinst er jedesmal, wenn er mich sieht, aber es macht mir nichts aus –

*Er horcht.*

Er kommt herauf!

*Tritte im Haus*

Jetzt haben wir schon einundvierzig Pfund, Barblin, aber sag's niemand. Wir werden heiraten. Glaub mir, es gibt eine andre Welt, wo niemand uns kennt und

wo man mir kein Bein stellt, und wir werden dahin
fahren, Barblin, dann kann er hier schreien, soviel
er will.
*Er raucht.*
Es ist gut, daß du geriegelt hast.
*Auftritt der Lehrer.*

Lehrer  Mein Sohn!

Andri  Ich bin nicht dein Sohn.

Lehrer  Ich bin gekommen, Andri, um dir die Wahrheit zu
sagen, bevor es wieder Morgen ist ...

Andri  Du hast getrunken.

Lehrer  Deinetwegen, Andri, deinetwegen.
*Andri lacht.*
Mein Sohn –

Andri  Laß das!

Lehrer  Hörst du mich an?

Andri  Halt dich an einem Laternenpfahl, aber nicht an
mir, ich rieche dich.
*Andri macht sich los.*
Und sag nicht immer: Mein Sohn! wenn du blau bist.

Lehrer  *wankt.*

Andri  Deine Tochter hat geriegelt, sei beruhigt.

Lehrer  Andri –

Andri  Du kannst nicht mehr stehen.

Lehrer  Ich bin bekümmert ...

Andri  Das ist nicht nötig.

Lehrer  Sehr bekümmert ...

Andri  Mutter weint und wartet auf dich.

Lehrer  Damit habe ich nicht gerechnet ...

Andri  Womit hast du nicht gerechnet?

Lehrer  Daß du nicht mein Sohn sein willst.
*Andri lacht.*
Ich muß mich setzen ...

Andri  Dann gehe ich.

Lehrer  Also du willst mich nicht anhören?

Andri  *nimmt die Kerze.*

Lehrer  Dann halt nicht.

Andri  Ich verdanke dir mein Leben. Ich weiß. Wenn du Wert drauf legst, ich kann es jeden Tag einmal sagen: Ich verdanke dir mein Leben: Sogar zweimal am Tag: Ich verdanke dir mein Leben. Einmal am Morgen, einmal am Abend: Ich verdanke dir mein Leben, ich verdanke dir mein Leben.

Lehrer  Ich hab getrunken, Andri, die ganze Nacht, um dir die Wahrheit zu sagen – ich hab zuviel getrunken ...

Andri  Das scheint mir auch.

Lehrer  Du verdankst mir dein Leben ...

Andri  Ich verdanke es.

Lehrer  Du verstehst mich nicht ...

Andri  *schweigt.*

Lehrer  Steh nicht so da! – wenn ich dir mein Leben erzähle ...

      *Hähne krähen.*

      Also mein Leben interessiert dich nicht?

Andri  Mich interessiert mein eignes Leben.

      *Hähne krähen.*

      Jetzt krähen schon die Hähne.

Lehrer  *wankt.*

Andri  Tu nicht, als ob du noch denken könntest.

Lehrer  Du verachtest mich ...

Andri  Ich schau dich an. Das ist alles. Ich habe dich verehrt. Nicht weil du mein Leben gerettet hast, sondern weil ich glaubte, du bist nicht wie alle, du denkst nicht ihre Gedanken, du hast Mut. Ich hab mich verlassen auf dich. Und dann hat es sich gezeigt, und jetzt schau ich dich an.

Lehrer  Was hat sich gezeigt? ...

Andri  *schweigt.*

Lehrer  Ich denke nicht ihre Gedanken, Andri, ich hab ihnen die Schulbücher zerrissen, ich wollte andre haben –

Andri  Das ist bekannt.

Lehrer  Weißt du, was ich getan habe?

Andri  Ich geh jetzt.

Lehrer  Ob du weißt, was ich getan habe ...

Andri  Du hast ihnen die Schulbücher zerrissen.

Lehrer  – ich hab gelogen.
*Pause*
Du willst mich nicht verstehn ...
*Hähne krähen.*

Andri  Um sieben muß ich im Laden sein, Stühle verkaufen, Tische verkaufen, Schränke verkaufen, meine Hände reiben.

Lehrer  Warum mußt du deine Hände reiben?

Andri  »Kann man finden einen bessern Stuhl? Wackelt das? Ächzt das? Kann man finden einen billigeren Stuhl?«
*Der Lehrer starrt ihn an.*
Ich muß reich werden.

Lehrer  Warum mußt du reich werden?

Andri  Weil ich Jud bin.

Lehrer  Mein Sohn –!

Andri  Faß mich nicht wieder an!

Lehrer  *wankt.*

Andri  Du ekelst mich.

Lehrer  Andri –

Andri  Heul nicht.

Lehrer  Andri –

Andri  Geh pissen.

Lehrer  Was sagst du?

Andri  Heul nicht den Schnaps aus den Augen; wenn du ihn nicht halten kannst, sag ich, geh.

Lehrer  Du hassest mich?
*Andri schweigt.*
*Der Lehrer geht.*

Andri  Barblin, er ist gegangen. Ich hab ihn nicht kränken wollen. Aber es wird immer ärger. Hast du ihn

gehört? Er weiß nicht mehr, was er redet, und dann
sieht er aus wie einer, der weint... Schläfst du?
*Er horcht an der Türe.*
Barblin! Barblin?
*Er rüttelt an der Türe, dann versucht er die Türe zu
sprengen, er nimmt einen neuen Anlauf, aber in die-
sem Augenblick öffnet sich die Türe von innen: im
Rahmen steht der Soldat, beschienen von der Kerze,
barfuß, Hosen mit offenem Gurt, Oberkörper nackt.*
Barblin...

Soldat  Verschwinde.

Andri  Das ist nicht wahr...

Soldat  Verschwinde, du, oder ich mach dich zur Sau.

Vordergrund

*Der Soldat, jetzt in Zivil, tritt an die Zeugenschranke.*

Soldat Ich gebe zu: Ich hab ihn nicht leiden können. Ich habe ja nicht gewußt, daß er keiner ist, immer hat's geheißen, er sei einer. Übrigens glaub ich noch heut, daß er einer gewesen ist. Ich hab ihn nicht leiden können von Anfang an. Aber ich hab ihn nicht getötet. Ich habe nur meinen Dienst getan. Order ist Order. Wo kämen wir hin, wenn Befehle nicht ausgeführt werden! Ich war Soldat.

## Siebentes Bild

*Sakristei, der Pater und Andri.*

Pater  Andri, wir wollen sprechen miteinander. Deine Pflegemutter wünscht es. Sie macht sich große Sorge um dich ... Nimm Platz!

Andri  *schweigt.*

Pater  Nimm Platz, Andri!

Andri  *schweigt.*

Pater  Du willst dich nicht setzen?

Andri  *schweigt.*

Pater  Ich verstehe, du bist zum ersten Mal hier. Sozusagen. Ich erinnere mich: Einmal als euer Fußball hereingeflogen ist, sie haben dich geschickt, um ihn hinter dem Altar zu holen.

*Der Pater lacht.*

Andri  Wovon, Hochwürden, sollen wir sprechen?

Pater  Nimm Platz!

Andri  *schweigt.*

Pater  Also du willst dich nicht setzen.

Andri  *schweigt.*

Pater  Nun gut.

Andri  Stimmt das, Hochwürden, daß ich anders bin als alle?

*Pause*

Pater  Andri, ich will dir etwas sagen.

Andri  – ich bin vorlaut, ich weiß.

Pater  Ich verstehe deine Not. Aber du sollst wissen, daß wir dich gern haben, Andri, so wie du bist. Hat dein Pflegevater nicht alles getan für dich? Ich höre, er hat Land verkauft, damit du Tischler wirst.

Andri  Ich werde aber nicht Tischler.

Pater  Wieso nicht?

Andri   Meinesgleichen denkt alleweil nur ans Geld, heißt
es, und drum gehöre ich nicht in die Werkstatt, sagt
der Tischler, sondern in den Verkauf. Ich werde Verkäufer, Hochwürden.

Pater   Nun gut.

Andri   Ich wollte aber Tischler werden.

Pater   Warum setzest du dich nicht?

Andri   Hochwürden irren sich, glaub ich. Niemand mag
mich. Der Wirt sagt, ich bin vorlaut, und der Tischler findet das auch, glaub ich. Und der Doktor
sagt, ich bin ehrgeizig, und meinesgleichen hat kein
Gemüt.

Pater   Setz dich!

Andri   Stimmt das, Hochwürden, daß ich kein Gemüt habe?

Pater   Mag sein, Andri, du hast etwas Gehetztes.

Andri   Und Peider sagt, ich bin feig.

Pater   Wieso feig?

Andri   Weil ich Jud bin.

Pater   Was kümmerst du dich um Peider!

Andri   *schweigt.*

Pater   Andri, ich will dir etwas sagen.

Andri   Man soll nicht immer an sich selbst denken, ich weiß.
Aber ich kann nicht anders, Hochwürden, es ist so.
Immer muß ich denken, ob's wahr ist, was die andern von mir sagen: daß ich nicht bin wie sie, nicht
fröhlich, nicht gemütlich, nicht einfach so. Und Hochwürden finden ja auch, ich hab etwas Gehetztes. Ich
versteh schon, daß niemand mich mag. Ich mag mich
selbst nicht, wenn ich an mich selbst denke.
*Der Pater erhebt sich.*
Kann ich jetzt gehn?

Pater   Jetzt hör mich einmal an!

Andri   Was, Hochwürden, will man von mir?

Pater   Warum so mißtrauisch?

Andri   Alle legen ihre Hände auf meine Schulter.

Pater    Weißt du, Andri, was du bist?
         *Der Pater lacht.*
         Du weißt es nicht, drum sag ich es dir.
         *Andri starrt ihn an.*
         Ein Prachtskerl! In deiner Art. Ein Prachtskerl! Ich
         habe dich beobachtet, Andri, seit Jahr und Tag –
Andri    Beobachtet?
Pater    Freilich.
Andri    Warum beobachtet ihr mich alle?
Pater    Du gefällst mir, Andri, mehr als alle andern, ja,
         grad weil du anders bist als alle. Was schüttelst du
         den Kopf? Du bist gescheiter als sie. Jawohl! Das
         gefällt mir an dir, Andri, und ich bin froh, daß
         du gekommen bist und daß ich es dir einmal sagen
         kann.
Andri    Das ist nicht wahr.
Pater    Was ist nicht wahr?
Andri    Ich bin nicht anders. Ich will nicht anders sein. Und
         wenn er dreimal so kräftig ist wie ich, dieser Peider,
         ich hau ihn zusammen vor allen Leuten auf dem
         Platz, das hab ich mir geschworen –
Pater    Meinetwegen.
Andri    Das hab ich mir geschworen –
Pater    Ich mag ihn auch nicht.
Andri    Ich will mich nicht beliebt machen. Ich werde mich
         wehren. Ich bin nicht feig – und nicht gescheiter als
         die andern, Hochwürden, ich will nicht, daß Hoch-
         würden das sagen.
Pater    Hörst du mich jetzt an?
Andri    Nein.
         *Andri entzieht sich.*
         Ich mag nicht immer eure Hände auf meinen Schul-
         tern ...
         *Pause*
Pater    Du machst es einem wirklich nicht leicht.

*Pause*

Kurz und gut, deine Pflegemutter war hier. Mehr als vier Stunden. Die gute Frau ist ganz unglücklich. Du kommst nicht mehr zu Tisch, sagt sie, und bist verstockt. Sie sagt, du glaubst nicht, daß man dein Bestes will.

Andri  Alle wollen mein Bestes!

Pater  Warum lachst du?

Andri  Wenn er mein Bestes will, warum, Hochwürden, warum will er mir alles geben, aber nicht seine eigene Tochter?

Pater  Es ist sein väterliches Recht –

Andri  Warum aber? Warum? Weil ich Jud bin.

Pater  Schrei nicht!

Andri  *schweigt.*

Pater  Kannst du nichts andres mehr denken in deinem Kopf? Ich habe dir gesagt, Andri, als Christ, daß ich dich liebe – aber eine Unart, das muß ich leider schon sagen, habt ihr alle: Was immer euch widerfährt in diesem Leben, alles und jedes bezieht ihr nur darauf, daß ihr Jud seid. Ihr macht es einem wirklich nicht leicht mit eurer Überempfindlichkeit.

Andri  *schweigt und wendet sich ab.*

Pater  Du weinst ja.

Andri  *schluchzt, Zusammenbruch.*

Pater  Was ist geschehen? Antworte mir. Was ist denn los? Ich frage dich, was geschehen ist. Andri! So rede doch. Andri? Du schlotterst ja. Was ist mit Barblin? Du hast ja den Verstand verloren. Wie soll ich helfen, wenn du nicht redest? So nimm dich doch zusammen. Andri! Hörst du? Andri! Du bist doch ein Mann. Du! Also ich weiß nicht.

Andri  – meine Barblin.

*Andri läßt die Hände von seinem Gesicht fallen und starrt vor sich hin.*

Sie kann mich nicht lieben, niemand kann's, ich selbst
kann mich nicht lieben ...
*Eintritt ein Kirchendiener mit einem Meßgewand.*
Kann ich jetzt gehn?
*Der Kirchendiener knöpft den Pater auf.*

Pater  Du kannst trotzdem bleiben.
*Der Kirchendiener kleidet den Pater zur Messe.*
Du sagst es selbst. Wie sollen die andern uns lieben
können, wenn wir uns selbst nicht lieben? Unser Herr
sagt: Liebe deinen Nächsten wie dich selbst. Er sagt:
Wie dich selbst. Wir müssen uns selbst annehmen,
und das ist es, Andri, was du nicht tust. Warum willst
du sein wie die andern? Du bist gescheiter als sie,
glaub mir, du bist wacher. Wieso willst du's nicht
wahrhaben? 's ist ein Funke in dir. Warum spielst
du Fußball wie diese Blödiane alle und brüllst auf
der Wiese herum, bloß um ein Andorraner zu sein?
Sie mögen dich alle nicht, ich weiß. Ich weiß auch
warum. 's ist ein Funke in dir. Du denkst. Warum
soll's nicht auch Geschöpfe geben, die mehr Verstand
haben als Gefühl? Ich sage: Gerade dafür bewun-
dere ich euch. Was siehst du mich so an? 's ist ein
Funke in euch. Denk an Einstein! Und wie sie alle
heißen. Spinoza!

Andri  Kann ich jetzt gehn?

Pater  Kein Mensch, Andri, kann aus seiner Haut heraus,
kein Jud und kein Christ. Niemand. Gott will, daß
wir sind, wie er uns geschaffen hat. Verstehst du
mich? Und wenn sie sagen, der Jud ist feig, dann
wisse: Du bist nicht feig, Andri, wenn du es annimmst, ein Jud zu sein. Im Gegenteil. Du bist nun
einmal anders als wir. Hörst du mich? Ich sage: Du
bist nicht feig. Bloß wenn du sein willst wie die Andorraner alle, dann bist du feig ...
*Eine Orgel setzt ein.*

Andri  Kann ich jetzt gehn?
Pater  Denk darüber nach, Andri, was du selbst gesagt hast:
       Wie sollen die andern dich annehmen, wenn du dich
       selbst nicht annimmst?
Andri  Kann ich jetzt gehn ...
Pater  Andri, hast du mich verstanden?

Vordergrund

*Der Pater kniet.*

Pater  Du sollst dir kein Bildnis machen von Gott, deinem
Herrn, und nicht von den Menschen, die seine Geschöpfe sind. Auch ich bin schuldig geworden damals.
Ich wollte ihm mit Liebe begegnen, als ich gesprochen
habe mit ihm. Auch ich habe mir ein Bildnis gemacht
von ihm, auch ich habe ihn gefesselt, auch ich habe
ihn an den Pfahl gebracht.

## *Achtes Bild*

    *Platz von Andorra. Der Doktor sitzt als einziger;*
    *die andern stehen: der Wirt, der Tischler, der Soldat,*
    *der Geselle, der Jemand, der eine Zeitung liest.*

Doktor  Ich sage: Beruhigt euch!

Soldat  Wieso kann Andorra nicht überfallen werden?

Doktor  *zündet sich einen Zigarillo an.*

Soldat  Ich sage: Pfui Teufel!

Wirt  Soll ich vielleicht sagen, es gibt in Andorra kein anständiges Zimmer? Ich bin Gastwirt. Man kann eine Fremdlingin nicht von der Schwelle weisen –

Jemand  *lacht, die Zeitung lesend.*

Wirt  Was bleibt mir andres übrig? Da steht eine Senora und fragt, ob es ein anständiges Zimmer gibt –

Soldat  Eine Senora, ihr hört's!

Tischler  Eine von drüben?

Soldat  Unsereiner kämpft, wenn's losgeht, bis zum letzten Mann, und der bewirtet sie!
    *Er spuckt aufs Pflaster.*
    Ich sage: Pfui Teufel.

Doktor  Nur keine Aufregung.
    *Er raucht.*
    Ich bin weit in der Welt herumgekommen, das könnt ihr mir glauben. Ich bin Andorraner, das ist bekannt, mit Leib und Seele. Sonst wäre ich nicht in die Heimat zurückgekehrt, ihr guten Leute, sonst hätte euer Professor nicht verzichtet auf alle Lehrstühle der Welt –

Jemand  *lacht, die Zeitung lesend.*

Wirt  Was gibt's da zu lachen?

Jemand  Wer kämpft bis zum letzten Mann?

Soldat  Ich.

Jemand In der Bibel heißt's, die Letzten werden die Ersten sein, oder umgekehrt, ich weiß nicht, die Ersten werden die Letzten sein.

Soldat Was will er damit sagen?

Jemand Ich frag ja bloß.

Soldat Bis zum letzten Mann, das ist Order. Lieber tot als untertan, das steht in jeder Kaserne. Das ist Order. Sollen sie kommen, sie werden ihr blaues Wunder erleben...

*Kleines Schweigen*

Tischler Wieso kann Andorra nicht überfallen werden?

Doktor Die Lage ist gespannt, ich weiß.

Tischler Gespannt wie noch nie.

Doktor Das ist sie schon seit Jahren.

Tischler Wozu haben sie Truppen an der Grenze?

Doktor Was ich habe sagen wollen: Ich bin weit in der Welt herumgekommen. Eins könnt ihr mir glauben: In der ganzen Welt gibt es kein Volk, das in der ganzen Welt so beliebt ist wie wir. Das ist eine Tatsache.

Tischler Schon.

Doktor Fassen wir einmal diese Tatsache ins Auge, fragen wir uns: Was kann einem Land wie Andorra widerfahren? Einmal ganz sachlich.

Wirt Das stimmt, das stimmt.

Soldat Was stimmt?

Wirt Kein Volk ist so beliebt wie wir.

Tischler Schon.

Doktor Beliebt ist kein Ausdruck. Ich habe Leute getroffen, die keine Ahnung haben, wo Andorra liegt, aber jedes Kind in der Welt weiß, daß Andorra ein Hort ist, ein Hort des Friedens und der Freiheit und der Menschenrechte.

Wirt Sehr richtig.

Doktor Andorra ist ein Begriff, geradezu ein Inbegriff, wenn ihr begreift, was das heißt.

*Er raucht.*

Ich sage: sie werden's nicht wagen.

Soldat  Wieso nicht, wieso nicht?

Wirt  Weil wir ein Inbegriff sind.

Soldat  Aber die haben die Übermacht!

Wirt  Weil wir so beliebt sind.

*Der Idiot bringt einen Damenkoffer und stellt ihn hin.*

Soldat  Da: – bitte!

*Der Idiot geht wieder.*

Tischler  Was will die hier?

Geselle  Eine Spitzelin!

Soldat  Was sonst?

Geselle  Eine Spitzelin!

Soldat  Und der bewirtet sie!

Jemand  *lacht.*

Soldat  Grinsen Sie nicht immer so blöd.

Jemand  Spitzelin ist gut.

Soldat  Was sonst soll die sein?

Jemand  Es heißt nicht Spitzelin, sondern Spitzel, auch wenn
die Lage gespannt ist und wenn es sich um eine weib-
liche Person handelt.

Tischler  Ich frag mich wirklich, was die hier sucht.

*Der Idiot bringt einen zweiten Damenkoffer.*

Soldat  Bitte! Bitte!

Geselle  Stampft ihr doch das Zeug zusammen!

Wirt  Das fehlte noch.

*Der Idiot geht wieder.*

Wirt  Statt daß er das Gepäck hinaufbringt, dieser Idiot,
läuft er wieder davon, und ich hab das Aufsehen von
allen Leuten –

Jemand  *lacht.*

Wirt  Ich bin kein Verräter. Nicht wahr, Professor, nicht
wahr? Das ist nicht wahr. Ich bin Wirt. Ich wäre der
erste, der einen Stein wirft. Jawohl! Noch gibt's
ein Gastrecht in Andorra, ein altes und heiliges

Gastrecht. Nicht wahr, Professor, nicht wahr? E
Wirt kann nicht Nein sagen, und wenn die La
noch so gespannt ist, und schon gar nicht, wenn
eine Dame ist.

Jemand *lacht.*

Geselle Und wenn sie Klotz hat!

Jemand *lacht.*

Wirt Die Lage ist nicht zum Lachen, Herr.

Jemand Spitzelin.

Wirt Laßt ihr Gepäck in Ruh!

Jemand Spitzelin ist sehr gut.

*Der Idiot bringt einen Damenmantel und legt ihn hi*

Soldat Da: – bitte.

*Der Idiot geht wieder.*

Tischler Wieso meinen Sie, Andorra kann nicht überfalle
werden?

Doktor Man hört mir ja nicht zu.

*Er raucht.*

Ich dachte, man hört mir zu.

*Er raucht.*

Sie werden es nicht wagen, sage ich. Und wenn s
noch soviel Panzer haben und Fallschirme obendrei
das können die sich gar nicht leisten. Oder wie Perir
unser großer Dichter, einmal gesagt hat: Unsere Waff
ist unsere Unschuld. Oder umgekehrt: Unsere Un
schuld ist unsere Waffe. Wo in der Welt gibt es noc
eine Republik, die das sagen kann? Ich frage: Wo
Ein Volk wie wir, das sich aufs Weltgewissen beru
fen kann wie kein anderes, ein Volk ohne Schuld –

*Andri erscheint im Hintergrund.*

Soldat Wie der wieder herumschleicht!

*Andri verzieht sich, da alle ihn anblicken.*

Doktor Andorraner, ich will euch etwas sagen. Noch kei
Volk der Welt ist überfallen worden, ohne daß ma
ihm ein Vergehen hat vorwerfen können. Was solle

sie uns vorwerfen? Das Einzige, was Andorra widerfahren könnte, wäre ein Unrecht, ein krasses und
offenes Unrecht. Und das werden sie nicht wagen.
Morgen sowenig wie gestern. Weil die ganze Welt
uns verteidigen würde. Schlagartig. Weil das ganze
Weltgewissen auf unsrer Seite ist.

Jemand  *nach wie vor die Zeitung lesend.* Schlagartig.

Wirt  Jetzt halten Sie endlich das Maul!

Jemand  *lacht, steckt die Zeitung ein.*

Doktor  Wer sind Sie eigentlich?

Jemand  Ein fröhlicher Charakter.

Doktor  Ihr Humor ist hier nicht am Platz.

Geselle  *tritt gegen die Koffer.*

Wirt  Halt!

Doktor  Was soll das?

Wirt  Um Gotteswillen!

Jemand  *lacht.*

Doktor  Unsinn. Darauf warten sie ja bloß. Belästigung von
Reisenden in Andorra! Damit sie einen Vorwand
haben gegen uns. So ein Unsinn! Wo ich euch sage:
Beruhigt euch! Wir liefern ihnen keinen Vorwand –
Spitzel hin oder her.

Wirt  *stellt die Koffer wieder zurecht.*

Soldat  Ich sage: Pfui Teufel!

Wirt  *wischt die Koffer wieder sauber.*

Doktor  Ein Glück, daß es niemand gesehen hat . . .

*Auftritt die Senora. Stille. Die Senora setzt sich an
ein freies Tischlein. Die Andorraner mustern sie, während sie langsam ihre Handschuhe abstreift.*

Doktor  Ich zahle.

Tischler  Ich auch.

*Der Doktor erhebt sich und entfernt sich, indem er
vor der Senora den Hut lüftet; der Tischler gibt dem
Gesellen einen Wink, daß er ihm ebenfalls folge.*

Senora  Ist hier etwas vorgefallen?

Jemand  *lacht.*
Senora  Kann ich etwas trinken?
Wirt  Mit Vergnügen, Senora –
Senora  Was trinkt man hierzulande?
Wirt  Mit Vergnügen, Senora –
Senora  Am liebsten ein Glas frisches Wasser.
Wirt  Senora, wir haben alles.
Jemand  *lacht.*
Wirt  Der Herr hat einen fröhlichen Charakter.
Jemand  *geht.*
Senora  Das Zimmer, Herr Wirt, ist ordentlich, sehr ordentlich.
Wirt  *verneigt sich und geht.*
Soldat  Und mir einen Korn!

> *Der Soldat bleibt und setzt sich, um die Senora zu begaffen. Im Vordergrund rechts, am Orchestrion, erscheint Andri und wirft eine Münze ein.*

Wirt  Immer diese Klimperkiste!
Andri  Ich zahle.
Wirt  Hast du nichts andres im Kopf?
Andri  Nein.

> *Während die immergleiche Platte spielt: Die Senora schreibt einen Zettel, der Soldat gafft, sie faltet den Zettel und spricht zum Soldaten, ohne ihn anzublicken.*

Senora  Gibt es in Andorra keine Frauen?

> *Der Idiot kommt zurück.*

Du kennst einen Lehrer namens Can?

> *Der Idiot grinst und nickt.*

Bringe ihm diesen Zettel.

> *Auftreten drei andere Soldaten und der Geselle.*

Soldat  Habt ihr das gehört? Ob's in Andorra keine Weiber gibt, fragt sie.
Geselle  Was hast du gesagt?
Soldat  – nein, aber Männer!

Geselle  Hast du gesagt?

Soldat  – ob sie vielleicht nach Andorra kommt, weil's drüben keine Männer gibt.

Geselle  Hast du gesagt?

Soldat  Hab ich gesagt.
*Sie grinsen.*
Da ist er schon wieder. Gelb wie ein Käs! Der will mich verhauen...
*Auftritt Andri, die Musik ist aus.*

Soldat  Wie geht's deiner Braut?

Andri  *packt den Soldaten am Kragen.*

Soldat  Was soll das?
*Der Soldat macht sich los.*
Ein alter Rabbi hat ihm das Märchen erzählt von David und Goliath, jetzt möcht er uns den David spielen.
*Sie grinsen.*
Gehn wir.

Andri  Fedri –

Geselle  Wie er stottert!

Andri  Warum hast du mich verraten?

Soldat  Gehn wir.
*Andri schlägt dem Soldaten die Mütze vom Kopf.*
Paß auf, du!
*Der Soldat nimmt die Mütze vom Pflaster und klopft den Staub ab.*
Wenn du meinst, ich will deinetwegen in Arrest –

Geselle  Was will er denn bloß?

Andri  Jetzt mach mich zur Sau.

Soldat  Gehn wir.
*Der Soldat setzt sich die Mütze auf, Andri schlägt sie ihm nochmals vom Kopf, die andern lachen, der Soldat schlägt ihm plötzlich einen Haken, so daß Andri stürzt.*
Wo hast du die Schleuder, David?

*Andri erhebt sich.*

Unser David, unser David geht los!

*Andri schlägt auch dem Soldaten plötzlich den Haken,*
*der Soldat stürzt.*

Jud, verdammter –!

Senora  Nein! Nein! Alle gegen einen. Nein!

*Die andern Soldaten haben Andri gepackt, so daß*
*der Soldat loskommt. Der Soldat schlägt auf Andri,*
*während die andern ihn festhalten. Andri wehrt sich*
*stumm, plötzlich kommt er los. Der Geselle gibt ihm*
*einen Fußtritt von hinten. Als Andri sich umdreht,*
*packt ihn der Soldat seinerseits von hinten. Andri*
*fällt. Die vier Soldaten und der Geselle versetzen*
*ihm Fußtritte von allen Seiten, bis sie die Senora*
*wahrnehmen, die herbeigekommen ist.*

Soldat  – das hat noch gefehlt, uns lächerlich machen vor
einer Fremden . . .

*Der Soldat und die andern verschwinden.*

Senora  Wer bist du?

Andri  Ich bin nicht feig.

Senora  Wie heißest du?

Andri  Immer sagen sie, ich bin feig.

Senora  Nicht, nicht mit der Hand in die Wunde!

*Auftritt der Wirt mit Karaffe und Glas auf Tablett.*

Wirt  Was ist geschehn?

Senora  Holen Sie einen Arzt.

Wirt  Und das vor meinem Hotel –!

Senora  Geben Sie her.

*Die Senora nimmt die Karaffe und ihr Taschentuch,*
*kniet neben Andri, der sich aufzurichten versucht.*
Sie haben ihn mit Stiefeln getreten.

Wirt  Unmöglich, Senora!

Senora  Stehen Sie nicht da, ich bitte Sie, holen Sie einen
Arzt.

Wirt  Senora, das ist nicht üblich hierzuland . . .

Senora    Ich wasche dich nur.

Wirt    Du bist selbst schuld. Was kommst du immer, wenn die Soldaten da sind ...

Senora    Sieh mich an!

Wirt    Ich habe dich gewarnt.

Senora    Zum Glück ist das Auge nicht verletzt.

Wirt    Er ist selbst schuld, immer geht er an die Klimperkiste, ich hab ihn ja gewarnt, er macht die Leute rein nervös ...

Senora    Wollen Sie keinen Arzt holen?
*Der Wirt geht.*

Andri    Jetzt sind alle gegen mich.

Senora    Schmerzen?

Andri    Ich will keinen Arzt.

Senora    Das geht bis auf den Knochen.

Andri    Ich kenne den Arzt.
*Andri erhebt sich.*
Ich kann schon gehn, das ist nur an der Stirn.

Senora    *erhebt sich.*

Andri    Ihr Kleid, Senora! – Ich habe Sie blutig gemacht.

Senora    Führe mich zu deinem Vater.
*Die Senora nimmt Andri am Arm, sie gehen langsam, während der Wirt und der Doktor kommen.*

Doktor    Arm in Arm?

Wirt    Sie haben ihn mit Stiefeln getreten, ich hab's mit eigenen Augen gesehen, ich war drin.

Doktor    *steckt sich einen Zigarillo an.*

Wirt    Immer geht er an die Klimperkiste, ich hab's ihm noch gesagt, er macht die Leute rein nervös.

Doktor    Blut?

Wirt    Ich hab es kommen sehn.

Doktor    *raucht.*

Wirt    Sie sagen kein Wort.

Doktor    Eine peinliche Sache.

Wirt    Er hat angefangen.

Doktor Ich habe nichts wider dieses Volk, aber ich füh
mich nicht wohl, wenn ich einen von ihnen seh
Wie man sich verhält, ist's falsch. Was habe ich de
gesagt? Sie können's nicht lassen, immer verlange
sie, daß unsereiner sich an ihnen bewährt. Als hä
ten wir nichts andres zu tun! Niemand hat gern e
schlechtes Gewissen, aber darauf legen sie's an. S
wollen, daß man ihnen ein Unrecht tut. Sie warte
nur darauf ...

*Er wendet sich zum Gehen.*

Waschen Sie das bißchen Blut weg. Und schwatze
Sie nicht immer soviel in der Welt herum! Sie brau
chen nicht jedermann zu sagen, was Sie mit eigne
Augen gesehen haben.

Vordergrund

*Der Lehrer und die Senora vor dem weißen Haus
wie zu Anfang.*

Senora  Du hast gesagt, unser Sohn sei Jude.

Lehrer  *schweigt.*

Senora  Warum hast du diese Lüge in die Welt gesetzt?

Lehrer  *schweigt.*

Senora  Eines Tages kam ein andorranischer Krämer vorbei,
der überhaupt viel redete. Um Andorra zu loben,
erzählte er überall die rührende Geschichte von einem
andorranischen Lehrer, der damals, zur Zeit der großen Morde, ein Judenkind gerettet habe, das er hege
und pflege wie einen eignen Sohn. Ich schickte sofort
einen Brief: Bist du dieser Lehrer? Ich forderte Antwort. Ich fragte: Weißt du, was du getan hast? Ich
wartete auf Antwort. Sie kam nicht. Vielleicht hast
du meinen Brief nie bekommen. Ich konnte nicht
glauben, was ich befürchtete. Ich schrieb ein zweites
Mal, ein drittes Mal. Ich wartete auf Antwort. So
verging die Zeit . . . Warum hast du diese Lüge in die
Welt gesetzt?

Lehrer  Warum, warum, warum!

Senora  Du hast mich gehaßt, weil ich feige war, als das Kind
kam. Weil ich Angst hatte vor meinen Leuten. Als
du an die Grenze kamst, sagtest du, es sei ein Judenkind, das du gerettet hast vor uns. Warum? Weil auch
du feige warst, als du wieder nach Hause kamst. Weil
auch du Angst hattest vor deinen Leuten.

*Pause*

War es nicht so?

*Pause*

Vielleicht wolltest du zeigen, daß ihr so ganz anders
seid als wir. Weil du mich gehaßt hast. Aber sie sind
hier nicht anders, du siehst es, nicht viel.

Lehrer *schweigt.*

Senora Er sagte, er wolle nach Haus, und hat mich hierher
gebracht; als er dein Haus sah, drehte er um und
ging weg, ich weiß nicht wohin.

Lehrer Ich werde es sagen, daß er mein Sohn ist, unser Sohn,
ihr eignes Fleisch und Blut –

Senora Warum gehst du nicht?

Lehrer Und wenn sie die Wahrheit nicht wollen?

*Pause*

## *Neuntes Bild*

*Stube beim Lehrer, die Senora sitzt, Andri steht.*

Senora  Da man also nicht wünscht, daß ich es dir sage, Andri, weswegen ich gekommen bin, ziehe ich jetzt meine Handschuhe an und gehe.

Andri  Senora, ich verstehe kein Wort.

Senora  Bald wirst du alles verstehen.
*Sie zieht einen Handschuh an.*
Weißt du, daß du schön bist?
*Lärm in der Gasse*
Sie haben dich beschimpft und mißhandelt, Andri, aber das wird ein Ende nehmen. Die Wahrheit wird sie richten, und du, Andri, bist der einzige hier, der die Wahrheit nicht zu fürchten braucht.

Andri  Welche Wahrheit?

Senora  Ich bin froh, daß ich dich gesehen habe.

Andri  Sie verlassen uns, Senora?

Senora  Man bittet darum.

Andri  Wenn Sie sagen, kein Land sei schlechter und kein Land sei besser als Andorra, warum bleiben Sie nicht hier?

Senora  Möchtest du das?
*Lärm in der Gasse*
Ich muß. Ich bin eine von drüben, du hörst es, wie ich sie verdrieße. Eine Schwarze! So nennen sie uns hier, ich weiß . . .
*Sie zieht den andern Handschuh an.*
Vieles möchte ich dir noch sagen, Andri, und vieles fragen, lang mit dir sprechen. Aber wir werden uns wiedersehen, so hoffe ich . . .
*Sie ist fertig.*
Wir werden uns wiedersehen.

*Sie sieht sich nochmals um.*
Hier also bist du aufgewachsen.

Andri Ja.

Senora Ich sollte jetzt gehen. *Sie bleibt sitzen.*

Als ich in deinem Alter war – das geht sehr schnell
Andri, du bist jetzt zwanzig und kannst es nicht
glauben: man trifft sich, man liebt, man trennt sich,
das Leben ist vorne, und wenn man in den Spiegel
schaut, plötzlich ist es hinten, man kommt sich nicht
viel anders vor, aber plötzlich sind es andere, die
jetzt zwanzig sind ... Als ich in deinem Alter war:
mein Vater, ein Offizier, war gefallen im Krieg, ich
weiß, wie er dachte, und ich wollte nicht denken wie
er. Wir wollten eine andere Welt. Wir waren jung
wie du, und was man uns lehrte, war mörderisch, das
wußten wir. Und wir verachteten die Welt, wie sie
ist, wir durchschauten sie und wollten eine andere
wagen. Und wir wagten sie auch. Wir wollten keine
Angst haben vor den Leuten. Um nichts in der Welt.
Wir wollten nicht lügen. Als wir sahen, daß wir die
Angst nur verschwiegen, haßten wir einander. Unsere andere Welt dauerte nicht lang. Wir kehrten über
die Grenze zurück, wo wir herkamen, als wir jung
waren wie du ...
*Sie erhebt sich.*
Verstehst du, was ich sage?

Andri Nein.

Senora *tritt zu Andri und küßt ihn.*

Andri Warum küssen Sie mich?

Senora Ich muß gehen. Werden wir uns wiedersehen?

Andri Ich möchte es.

Senora Ich wollte immer, ich hätte Vater und Mutter nie gekannt. Kein Mensch, wenn er die Welt sieht, die sie
ihm hinterlassen, versteht seine Eltern.
*Der Lehrer und die Mutter treten ein.*

Senora  Ich gehe, ja, ich bin im Begriff zu gehen.
*Schweigen*
So sage ich denn Lebwohl.
*Schweigen*
Ich gehe, ja, jetzt gehe ich ...
*Die Senora geht hinaus.*

Lehrer  Begleite sie! Aber nicht über den Platz, geh hinten herum.

Andri  Warum hinten herum?

Lehrer  Geh!
*Andri geht hinaus.*

Lehrer  Der Pater wird es ihm sagen. Frag mich jetzt nicht! Du verstehst mich nicht, drum hab ich es dir nie gesagt.
*Er setzt sich.*
Jetzt weißt du's.

Mutter  Was wird Andri dazu sagen?

Lehrer  Mir glaubt er's nicht.
*Lärm in der Gasse*
Hoffentlich läßt der Pöbel sie in Ruh.

Mutter  Ich versteh mehr, als du meinst, Can. Du hast sie geliebt, aber mich hast du geheiratet, weil ich eine Andorranerin bin. Du hast uns alle verraten, aber den Andri vor allem. Fluch nicht auf die Andorraner, du selbst bist einer.
*Eintritt der Pater.*
Hochwürden haben eine schwere Aufgabe in diesem Haus. Hochwürden haben unsrem Andri erklärt, was das ist, ein Jud, und daß er's annehmen soll. Nun hat er's angenommen. Nun müssen Hochwürden ihm sagen, was ein Andorraner ist, und daß er's annehmen soll.

Lehrer  Jetzt laß uns allein!

Mutter  Gott steh Ihnen bei, Pater Benedikt.
*Die Mutter geht hinaus.*

Pater  Ich habe es versucht, aber vergeblich, man kann nicht
reden mit ihnen, jedes vernünftige Wort bringt sie
auf. Sie sollen endlich nach Hause gehen, ich hab's
ihnen gesagt, und sich um ihre eignen Angelegenhei-
ten kümmern. Dabei weiß keiner, was sie eigentlich
wollen.
*Andri kommt zurück.*

Lehrer  Wieso schon zurück.

Andri  Sie will allein gehen, sagt sie.
*Er zeigt seine Hand.*
Sie hat mir das geschenkt.

Lehrer  – ihren Ring?

Andri  Ja.

Lehrer  *schweigt, dann erhebt er sich.*

Andri  Wer ist diese Senora?

Lehrer  Dann begleit ich sie.
*Der Lehrer geht.*

Pater  Was lachst du denn?

Andri  Er ist eifersüchtig!

Pater  Nimm Platz.

Andri  Was ist eigentlich los mit euch allen?

Pater  Es ist nicht zum Lachen, Andri.

Andri  Aber lächerlich.
*Andri betrachtet den Ring.*
Ist das ein Topas oder was kann das sein?

Pater  Andri, wir sollen sprechen miteinander.

Andri  Schon wieder?
*Andri lacht.*
Alle benehmen sich heut wie Marionetten, wenn die
Fäden durcheinander sind, auch Sie, Hochwürden.
*Andri nimmt sich eine Zigarette.*
War sie einmal seine Geliebte? Man hat so das Ge-
fühl. Sie nicht?
*Andri raucht.*
Sie ist eine fantastische Frau.

Pater  Ich habe dir etwas zu sagen.

Andri  Kann man nicht stehen dazu?

*Andri setzt sich.*

Um zwei muß ich im Laden sein. Ist sie nicht eine fantastische Frau?

Pater  Es freut mich, daß sie dir gefällt.

Andri  Alle tun so steif.

*Andri raucht.*

Sie wollen mir sagen, man soll halt nicht zu einem Soldat gehn und ihm die Mütze vom Kopf hauen, wenn man weiß, daß man Jud ist, man soll das überhaupt nicht tun, und doch bin ich froh, daß ich's getan habe, ich hab etwas gelernt dabei, auch wenn's mir nichts nützt, überhaupt vergeht jetzt, seit unserm Gespräch, kein Tag, ohne daß ich etwas lerne, was mir nichts nützt, Hochwürden, so wenig wie Ihre guten Worte, ich glaub's, daß Sie es wohl meinen, Sie sind Christ von Beruf, aber ich bin Jud von Geburt, und drum werd ich jetzt auswandern.

Pater  Andri –

Andri  Sofern's mir gelingt.

*Andri löscht die Zigarette.*

Das wollte ich niemand sagen.

Pater  Bleib sitzen!

Andri  Dieser Ring wird mir helfen.

Daß Sie jetzt schweigen, Hochwürden, daß Sie es niemand sagen, ist das Einzige, was Sie für mich tun können.

*Andri erhebt sich.*

Ich muß gehn.

*Andri lacht.*

Ich hab so etwas Gehetztes, ich weiß, Hochwürden haben ganz recht ...

Pater  Sprichst du oder spreche ich?

Andri  Verzeihung.
     *Andri setzt sich.*
     Ich höre.
Pater  Andri –
Andri  Sie sind so feierlich!
Pater  Ich bin gekommen, um dich zu erlösen.
Andri  Ich höre.
Pater  Auch ich, Andri, habe nichts davon gewußt, als wir das letzte Mal miteinander redeten. Er habe ein Judenkind gerettet, so hieß es seit Jahr und Tag, eine christliche Tat, wieso sollte ich nicht dran glauben! Aber nun, Andri, ist deine Mutter gekommen –
Andri  Wer ist gekommen?
Pater  Die Senora.
Andri  *springt auf.*
Pater  Andri – du bist kein Jud.
     *Schweigen*
     Du glaubst nicht, was ich dir sage?
Andri  Nein.
Pater  Also glaubst du, ich lüge?
Andri  Hochwürden, das fühlt man.
Pater  Was fühlt man?
Andri  Ob man Jud ist oder nicht.
     *Der Pater erhebt sich und nähert sich Andri.*
     Rühren Sie mich nicht an. Eure Hände! Ich will das nicht mehr.
Pater  Hörst du nicht, was ich dir sage?
Andri  *schweigt.*
Pater  Du bist sein Sohn.
Andri  *lacht.*
Pater  Andri, das ist die Wahrheit.
Andri  Wie viele Wahrheiten habt ihr?
     *Andri nimmt sich eine Zigarette, die er dann vergißt.*
     Das könnt ihr nicht machen mit mir ...
Pater  Warum glaubst du uns nicht?

Andri Euch habe ich ausgeglaubt.

Pater Ich sage und schwöre beim Heil meiner Seele, Andri: Du bist sein Sohn, unser Sohn, und von Jud kann nicht die Rede sein.

Andri 's war aber viel die Red davon ...
*Großer Lärm in der Gasse*

Pater Was ist denn los?
*Stille*

Andri Seit ich höre, hat man mir gesagt, ich sei anders, und ich habe geachtet drauf, ob es so ist, wie sie sagen. Und es ist so, Hochwürden: Ich bin anders. Man hat mir gesagt, wie meinesgleichen sich bewege, nämlich so und so, und ich bin vor den Spiegel getreten fast jeden Abend. Sie haben recht: Ich bewege mich so und so. Ich kann nicht anders. Und ich habe geachtet auch darauf, ob's wahr ist, daß ich alleweil denke ans Geld, wenn die Andorraner mich beobachten und denken, jetzt denke ich ans Geld, und sie haben abermals recht: Ich denke alleweil ans Geld. Es ist so. Und ich habe kein Gemüt, ich hab's versucht, aber vergeblich: Ich habe kein Gemüt, sondern Angst. Und man hat mir gesagt, meinesgleichen ist feig. Auch darauf habe ich geachtet. Viele sind feig, aber ich weiß es, wenn ich feig bin. Ich wollte es nicht wahrhaben, was sie mir sagten, aber es ist so. Sie haben mich mit Stiefeln getreten, und es ist so, wie sie sagen: Ich fühle nicht wie sie. Und ich habe keine Heimat. Hochwürden haben gesagt, man muß das annehmen, und ich hab's angenommen. Jetzt ist es an Euch, Hochwürden, euren Jud anzunehmen.

Pater Andri –

Andri Jetzt, Hochwürden, spreche ich.

Pater – du möchtest ein Jud sein?

Andri Ich bin's. Lang habe ich nicht gewußt, was das ist. Jetzt weiß ich's.

Pater *setzt sich hilflos.*

Andri Ich möchte nicht Vater noch Mutter haben, damit ihr
Tod nicht über mich komme mit Schmerz und Ver-
zweiflung und mein Tod nicht über sie. Und keine
Schwester und keine Braut: Bald wird alles zerrissen, da hilft kein Schwur und nicht unsre Treue. Ich
möchte, daß es bald geschehe. Ich bin alt. Meine
Zuversicht ist ausgefallen, eine um die andere, wie
Zähne. Ich habe gejauchzt, die Sonne schien grün in
den Bäumen, ich habe meinen Namen in die Lüfte
geworfen wie eine Mütze, die niemand gehört wenn
nicht mir, und herunter fällt ein Stein, der mich tötet.
Ich bin im Unrecht gewesen, anders als sie dachten,
allezeit. Ich wollte recht haben und frohlocken. Die
meine Feinde waren, hatten recht, auch wenn sie kein
Recht dazu hatten, denn am Ende seiner Einsicht
kann man sich selbst nicht recht geben. Ich brauche
jetzt schon keine Feinde mehr, die Wahrheit reicht
aus. Ich erschrecke, so oft ich noch hoffe. Das Hoffen
ist mir nie bekommen. Ich erschrecke, wenn ich lache,
und ich kann nicht weinen. Meine Trauer erhebt mich
über euch alle, und so werde ich stürzen. Meine Augen
sind groß von Schwermut, mein Blut weiß alles, und
ich möchte tot sein. Aber mir graut vor dem Sterben.
Es gibt keine Gnade –

Pater Jetzt versündigst du dich.

Andri Sehen Sie den alten Lehrer, wie der herunterkommt
und war doch einmal ein junger Mann, sagt er, und
ein großer Wille. Sehen Sie Barblin. Und alle, alle,
nicht nur mich. Sehen Sie die Soldaten. Lauter Verdammte. Sehen Sie sich selbst. Sie wissen heut schon,
was Sie tun werden, Hochwürden, wenn man mich
holt vor Ihren guten Augen, und drum starren die
mich so an, Ihre guten guten Augen. Sie werden
beten. Für mich und für sich. Ihr Gebet hilft nicht

einmal Ihnen, Sie werden trotzdem ein Verräter.
Gnade ist ein ewiges Gerücht, die Sonne scheint
grün in den Bäumen, auch wenn sie mich holen.
*Eintritt der Lehrer, zerfetzt.*

Pater Was ist geschehen?!

Lehrer *bricht zusammen.*

Pater So reden Sie doch!

Lehrer Sie ist tot.

Andri Die Senora –?

Pater Wie ist das geschehen?

Lehrer – ein Stein.

Pater Wer hat ihn geworfen?

Lehrer – Andri, sagen sie, der Wirt habe es mit eignen Augen
gesehen.

Andri *will davonlaufen, der Lehrer hält ihn fest.*

Lehrer Er war hier, Sie sind sein Zeuge.

Vordergrund

*Der Jemand tritt an die Zeugenschranke.*

Jemand  Ich gebe zu: Es ist keineswegs erwiesen, wer den Stein
geworfen hat gegen die Fremde damals. Ich persönlich war zu jener Stunde nicht auf dem Platz. Ich
möchte niemand beschuldigen, ich bin nicht der Wel-
tenrichter. Was den jungen Bursch betrifft: natürlich
erinnere ich mich an ihn. Er ging oft ans Orchestrion,
um sein Trinkgeld zu verklimpern, und als sie ihn
holten, tat er mir leid. Was die Soldaten, als sie ihn
holten, gemacht haben mit ihm, weiß ich nicht, wir
hörten nur seinen Schrei ... Einmal muß man auch
vergessen können, finde ich.

## *Zehntes Bild*

> *Platz von Andorra, Andri sitzt allein.*

Andri  Man sieht mich von überall, ich weiß. Sie sollen mich sehen ...
> *Er nimmt eine Zigarette.*

Ich habe den Stein nicht geworfen!
> *Er raucht.*

Sollen sie kommen, alle, die's gesehen haben mit eignen Augen, sollen sie aus ihren Häusern kommen, wenn sie's wagen, und mit dem Finger zeigen auf mich.

Stimme  *flüstert.*

Andri  Warum flüsterst du hinter der Mauer?

Stimme  *flüstert.*

Andri  Ich versteh kein Wort, wenn du flüsterst.
> *Er raucht.*

Ich sitze mitten auf dem Platz, ja, seit einer Stunde. Kein Mensch ist hier. Wie ausgestorben. Alle sind im Keller. Es sieht merkwürdig aus. Nur die Spatzen auf den Drähten.

Stimme  *flüstert.*

Andri  Warum soll ich mich verstecken?

Stimme  *flüstert.*

Andri  Ich habe den Stein nicht geworfen.
> *Er raucht.*

Seit dem Morgengrauen bin ich durch eure Gassen geschlendert. Mutterseelenallein. Alle Läden herunter, jede Tür zu. Es gibt nur noch Hunde und Katzen in eurem schneeweißen Andorra ...
> *Man hört das Gedröhn eines fahrenden Lautsprechers, ohne daß man die Worte versteht, laut und hallend.*

Andri  Du sollst kein Gewehr tragen. Hast du's gehört? 's
      ist aus.
      *Der Lehrer tritt hervor, ein Gewehr im Arm.*
Lehrer  Andri –
Andri  *raucht.*
Lehrer  Wir suchen dich die ganze Nacht –
Andri  Wo ist Barblin?
Lehrer  Ich war droben im Wald –
Andri  Was soll ich im Wald?
Lehrer  Andri – die Schwarzen sind da.
      *Er horcht.*
      Still.
Andri  Was hörst du denn?
Lehrer  *entsichert das Gewehr.*
Andri  – Spatzen, nichts als Spatzen!
      *Vogelzwitschern*
Lehrer  Hier kannst du nicht bleiben.
Andri  Wo kann ich bleiben?
Lehrer  Das ist Unsinn, was du tust, das ist Irrsinn –
      *Er nimmt Andri am Arm.*
      Jetzt komm!
Andri  Ich habe den Stein nicht geworfen –
      *Er reißt sich los.*
      Ich habe den Stein nicht geworfen!
      *Geräusch*
Lehrer  Was war das?
Andri  Fensterläden.
      *Er zertritt seine Zigarette.*
      Leute hinter Fensterläden.
      *Er nimmt eine nächste Zigarette.*
      Hast du Feuer?
      *Trommeln in der Ferne*
Lehrer  Hast du Schüsse gehört?
Andri  Es ist stiller als je.
Lehrer  Ich habe keine Ahnung, was jetzt geschieht.

Andri  Das blaue Wunder.

Lehrer  Was sagst du?

Andri  Lieber tot als untertan.

*Wieder das Gedröhn des fahrenden Lautsprechers*

Andri  KEIN ANDORRANER HAT ETWAS ZU FÜRCH-
TEN.

Hörst du's?

RUHE UND ORDNUNG / JEDES BLUTVER-
GIESSEN / IM NAMEN DES FRIEDENS / WER
EINE WAFFE TRÄGT ODER VERSTECKT / DER
OBERBEFEHLSHABER / KEIN ANDORRANER
HAT ETWAS ZU FÜRCHTEN...

*Stille*

Andri  Eigentlich ist es genau so, wie man es sich hätte vorstellen können. Genau so.

Lehrer  Wovon redest du?

Andri  Von eurer Kapitulation.

*Drei Männer, ohne Gewehr, gehen über den Platz.*

Andri  Du bist der letzte mit einem Gewehr.

Lehrer  Lumpenhunde.

Andri  Kein Andorraner hat etwas zu fürchten.

*Vogelzwitschern*

Hast du kein Feuer?

Lehrer  *starrt den Männern nach.*

Andri  Hast du bemerkt, wie sie gehen? Sie blicken einander
nicht an. Und wie sie schweigen! Wenn es dann soweit ist, merkt jeder, was er alles nie geglaubt hat.
Drum gehen sie heute so seltsam. Wie lauter Lügner.

*Zwei Männer, ohne Gewehr, gehen über den Platz.*

Lehrer  Mein Sohn –

Andri  Fang jetzt nicht wieder an!

Lehrer  Du bist verloren, wenn du mir nicht glaubst.

Andri  Ich bin nicht dein Sohn.

Lehrer  Man kann sich seinen Vater nicht wählen. Was soll
ich tun, damit du's glaubst? Was noch? Ich sag es

ihnen, wo ich stehe und gehe, ich hab's den Kindern
in der Schule gesagt, daß du mein Sohn bist. Was
noch? Soll ich mich aufhängen, damit du's glaubst?
Ich geh nicht weg von dir.
*Er setzt sich zu Andri.*
Andri –

Andri *blickt an den Häusern herauf.*
Lehrer Wo schaust du hin?
*Eine schwarze Fahne wird gehißt.*
Andri Sie können's nicht erwarten.
Lehrer Woher haben sie die Fahnen?
Andri Jetzt brauchen sie nur noch einen Sündenbock.
*Eine zweite Fahne wird gehißt.*
Lehrer Komm nach Haus!
Andri Es hat keinen Zweck, Vater, daß du es nochmals er-
zählst. Dein Schicksal ist nicht mein Schicksal, Vater,
und mein Schicksal ist nicht dein Schicksal.
Lehrer Mein einziger Zeuge ist tot.
Andri Sprich nicht von ihr!
Lehrer Du trägst ihren Ring –
Andri Was du getan hast, tut kein Vater.
Lehrer Woher weißt du das?
Andri *horcht.*
Lehrer Ein Andorraner, sagen sie, hat nichts mit einer von
drüben und schon gar nicht ein Kind. Ich hatte Angst
vor ihnen, ja, Angst vor Andorra, weil ich feig war –
Andri Man hört zu.
Lehrer *sieht sich um und schreit gegen die Häuser:* – weil
ich feig war! *wieder zu Andri:* Drum hab ich das
gesagt. Es war leichter, damals, ein Judenkind zu
haben. Es war rühmlich. Sie haben dich gestreichelt,
im Anfang haben sie dich gestreichelt, denn es schmei-
chelte ihnen, daß sie nicht sind wie diese da drüben.
Andri *horcht.*
Lehrer Hörst du, was dein Vater sagt?

*Geräusch eines Fensterladens*
Sollen sie zuhören!
*Geräusch eines Fensterladens*
Andri –
Andri Sie glauben's dir nicht.
Lehrer Weil du mir nicht glaubst!
Andri *raucht.*
Lehrer Du mit deiner Unschuld, ja, du hast den Stein nicht geworfen, sag's noch einmal, du hast den Stein nicht geworfen, ja, du mit dem Unmaß deiner Unschuld, sieh mich an wie ein Jud, aber du bist mein Sohn, ja, mein Sohn, und wenn du's nicht glaubst, bist du verloren.
Andri Ich bin verloren.
Lehrer Du willst meine Schuld!?
Andri *blickt ihn an.*
Lehrer So sag es!
Andri Was?
Lehrer Ich soll mich aufhängen. Sag's!
*Marschmusik in der Ferne*
Andri Sie kommen mit Musik.
*Er nimmt eine nächste Zigarette.*
Ich bin nicht der erste, der verloren ist. Es hat keinen Zweck, was du redest. Ich weiß, wer meine Vorfahren sind. Tausende und Hunderttausende sind gestorben am Pfahl, ihr Schicksal ist mein Schicksal.
Lehrer Schicksal!
Andri Das verstehst du nicht, weil du kein Jud bist –
*Er blickt in die Gasse.*
Laß mich allein!
Lehrer Was siehst du?
Andri Wie sie die Gewehre auf den Haufen werfen.
*Auftritt der Soldat, der entwaffnet ist, er trägt nur noch die Trommel, man hört, wie Gewehre hingeworfen werden; der Soldat spricht zurück:*

Soldat  Aber ordentlich! hab ich gesagt. Wie bei der Armee!
*Er tritt zum Lehrer.*
Her mit dem Gewehr.

Lehrer  Nein.

Soldat  Befehl ist Befehl.

Lehrer  Nein.

Soldat  Kein Andorraner hat etwas zu fürchten.
*Auftreten der Doktor, der Wirt, der Tischler, der Geselle, der Jemand, alle ohne Gewehr.*

Lehrer  Lumpenhunde! Ihr alle! Fötzel! Bis zum letzten Mann. Fötzel!
*Der Lehrer entsichert sein Gewehr und will auf die Andorraner schießen, aber der Soldat greift ein, nach einem kurzen lautlosen Ringen ist der Lehrer entwaffnet und sieht sich um.*

Lehrer  – mein Sohn! Wo ist mein Sohn?
*Der Lehrer stürzt davon.*

Jemand  Was in den gefahren ist.
*Im Vordergrund rechts, am Orchestrion, erscheint Andri und wirft eine Münze ein, so daß seine Melodie spielt, und verschwindet langsam.*

Vordergrund

*Während das Orchestrion spielt: zwei Soldaten in schwarzer Uniform, jeder mit einer Maschinenpistole, patrouillieren kreuzweise hin und her.*

## Elftes Bild

*Vor der Kammer der Barblin. Andri und Barblin.*
*Trommeln in der Ferne.*

Andri  Hast du viele Male geschlafen mit ihm?

Barblin  Andri.

Andri  Ich frage, ob du viele Male mit ihm geschlafen hast, während ich hier auf der Schwelle hockte und redete. Von unsrer Flucht!

Barblin  *schweigt.*

Andri  Hier hat er gestanden: barfuß, weißt du, mit offnem Gurt –

Barblin  Schweig!

Andri  Brusthaar wie ein Affe.

Barblin  *schweigt.*

Andri  Ein Kerl!

Barblin  *schweigt.*

Andri  Hast du viele Male geschlafen mit ihm?

Barblin  *schweigt.*

Andri  Du schweigst... Also wovon sollen wir reden in dieser Nacht? Ich soll jetzt nicht daran denken, sagst du. Ich soll an meine Zukunft denken, aber ich habe keine... Ich möchte ja nur wissen, ob's viele Male war.

Barblin  *schluchzt.*

Andri  Und es geht weiter?

Barblin  *schluchzt.*

Andri  Wozu eigentlich möcht ich das wissen! Was geht's mich an! Bloß um noch einmal ein Gefühl für dich zu haben.

*Andri horcht.*

Sei doch still!

Barblin  So ist ja alles gar nicht.

Andri  Ich weiß nicht, wo die mich suchen –

Barblin  Du bist ungerecht, so ungerecht.

Andri  Ich werde mich entschuldigen, wenn sie kommen...

Barblin  *schluchzt.*

Andri  Ich dachte, wir lieben uns. Wieso ungerecht? Ich frag ja bloß, wie das ist, wenn einer ein Kerl ist. Warum so zimperlich? Ich frag ja bloß, weil du meine Braut warst. Heul nicht! Das kannst du mir doch sagen, jetzt wo du dich als meine Schwester fühlst.
*Andri streicht über ihr Haar.*
Ich habe zu lange gewartet auf dich...
*Andri horcht.*

Barblin  Sie dürfen dir nichts antun!

Andri  Wer bestimmt das?

Barblin  Ich bleib bei dir!
*Stille*

Andri  Jetzt kommt wieder die Angst –

Barblin  Bruder!

Andri  Plötzlich. Wenn die wissen, ich bin im Haus, und sie finden einen nicht, dann zünden sie das Haus an, das ist bekannt, und warten unten in der Gasse, bis der Jud durchs Fenster springt.

Barblin  Andri – du bist keiner!

Andri  Warum willst du mich denn verstecken?
*Trommeln in der Ferne*

Barblin  Komm in meine Kammer!

Andri  *schüttelt den Kopf.*

Barblin  Niemand weiß, daß hier noch eine Kammer ist.

Andri  – außer Peider.
*Die Trommeln verlieren sich.*
So ausgetilgt.

Barblin  Was sagst du?

Andri  Was kommt, das ist ja alles schon geschehen. Ich sage: So ausgetilgt. Mein Kopf in deinem Schoß. Erinnerst du dich? Das hört ja nicht auf. Mein Kopf in deinem Schoß. War ich euch nicht im Weg? Ich kann es mir nicht vorstellen. Wenn schon! Ich kann es mir vorstellen. Was ich wohl geredet habe, als ich nicht mehr war? Warum hast du nicht gelacht? Du hast ja nicht einmal gelacht. So ausgetilgt, so ausgetilgt! Und ich hab's nicht einmal gespürt, wenn Peider in deinem Schoß war, dein Haar in seinen Händen. Wenn schon! Es ist ja alles schon geschehen ...

*Trommeln in der Nähe*

Andri  Sie merken's, wo die Angst ist.

Barblin  – sie gehn vorbei.

Andri  Sie umstellen das Haus.

*Die Trommeln verstummen plötzlich.*

Ich bin's, den sie suchen, das weißt du genau, ich bin nicht dein Bruder. Da hilft keine Lüge. Es ist schon zuviel gelogen worden. *Stille.* So küß mich doch!

Barblin  Andri –

Andri  Zieh dich aus!

Barblin  Du hast den Verstand verloren, Andri.

Andri  Jetzt küß mich und umarme mich!

Barblin  *wehrt sich.*

Andri  's ist einerlei.

Barblin  *wehrt sich.*

Andri  Tu nicht so treu, du –

*Klirren einer Fensterscheibe*

Barblin  Was war das?

Andri  – sie wissen's, wo ich bin.

Barblin  So lösch doch die Kerze!

*Klirren einer zweiten Fensterscheibe*

Andri  Küß mich!

Barblin  Nein. Nein ...

Andri  Kannst du nicht, was du mit jedem kannst, fröhlich und nackt? Ich lasse dich nicht. Was ist anders mit andern? So sag es doch. Was ist anders? Ich küß

dich, Soldatenbraut! Einer mehr oder weniger, zier
dich nicht. Was ist anders mit mir? Sag's! Langweilt
es dein Haar, wenn ich es küsse?

Barblin Bruder –

Andri Warum schämst du dich nur vor mir?

Barblin Jetzt laß mich!

Andri Jetzt, ja, jetzt und nie, ja, ich will dich, ja, fröhlich
und nackt, ja, Schwesterlein, ja, ja, ja –

Barblin *schreit.*

Andri Denk an die Tollkirschen.
*Andri löst ihr die Bluse wie einer Ohnmächtigen.*
Denk an unsere Tollkirschen –

Barblin Du bist irr!
*Hausklingel*

Barblin Hast du gehört? Du bist verloren, Andri, wenn du
uns nicht glaubst. Versteck dich!
*Hausklingel*

Andri Warum haben wir uns nicht vergiftet, Barblin, als
wir noch Kinder waren, jetzt ist's zu spät...
*Schläge gegen die Haustüre*

Barblin Vater macht nicht auf.

Andri Wie langsam.

Barblin Was sagst du?

Andri Ich sage, wie langsam es geht.
*Schläge gegen die Haustüre*

Barblin Herr, unser Gott, der Du bist, der Du bist, Herr,
unser Allmächtiger, der Du bist in dem Himmel,
Herr, Herr, der Du bist – Herr...
*Krachen der Haustür*

Andri Laß mich allein. Aber schnell. Nimm deine Bluse.
Wenn sie dich finden bei mir, das ist nicht gut. Aber
schnell. Denk an dein Haar.
*Stimmen im Haus. Barblin löscht die Kerze, Tritte
von Stiefeln, es erscheinen der Soldat mit der Trommel und zwei Soldaten in schwarzer Uniform, aus-*

*gerüstet mit einem Scheinwerfer: Barblin, allein vor der Kammer.*

Soldat  Wo ist er?

Barblin  Wer?

Soldat  Unser Jud.

Barblin  Es gibt keinen Jud.

Soldat  *stößt sie weg und tritt zur Türe.*

Barblin  Untersteh dich!

Soldat  Aufmachen.

Barblin  Hilfe! Hilfe!

Andri  *tritt aus der Türe.*

Soldat  Das ist er.

Andri  *wird gefesselt.*

Barblin  Rührt meinen Bruder nicht an, er ist mein Bruder –

Soldat  Die Judenschau wird's zeigen.

Barblin  Judenschau?

Soldat  Also vorwärts.

Barblin  Was ist das.

Soldat  Vorwärts. Alle müssen vor die Judenschau. Vorwärts.
*Andri wird abgeführt.*

Soldat  Judenhure!

Vordergrund

*Der Doktor tritt an die Zeugenschranke.*

Doktor  Ich möchte mich kurz fassen, obschon vieles zu berichtigen wäre, was heute geredet wird. Nachher ist es immer leicht zu wissen, wie man sich hätte verhalten sollen, abgesehen davon, daß ich, was meine Person betrifft, wirklich nicht weiß, warum ich mich anders hätte verhalten sollen. Was hat unsereiner denn eigentlich getan? Überhaupt nichts. Ich war Amtsarzt, was ich heute noch bin. Was ich damals gesagt haben soll, ich erinnere mich nicht mehr, es ist nun einmal meine Art, ein Andorraner sagt, was er denkt – aber ich will mich kurz fassen... Ich gebe zu: Wir haben uns damals alle getäuscht, was ich selbstverständlich nur bedauern kann. Wie oft soll ich das noch sagen? Ich bin nicht für Greuel, ich bin es nie gewesen. Ich habe den jungen Mann übrigens nur zwei- oder dreimal gesehen. Die Schlägerei, die später stattgefunden haben soll, habe ich nicht gesehen. Trotzdem verurteile ich sie selbstverständlich. Ich kann nur sagen, daß es nicht meine Schuld ist, einmal abgesehen davon, daß sein Benehmen (was man leider nicht verschweigen kann) mehr und mehr (sagen wir es offen) etwas Jüdisches hatte, obschon der junge Mann, mag sein, ein Andorraner war wie unsereiner. Ich bestreite keineswegs, daß wir sozusagen einer gewissen Aktualität erlegen sind. Es war, vergessen wir nicht, eine aufgeregte Zeit. Was meine Person betrifft, habe ich nie an Mißhandlungen teilgenommen oder irgend jemand dazu

aufgefordert. Das darf ich wohl vor aller Öffentlichkeit betonen. Eine tragische Geschichte, kein Zweifel. Ich bin nicht schuld, daß es dazu gekommen ist.
Ich glaube im Namen aller zu sprechen, wenn ich,
um zum Schluß zu kommen, nochmals wiederhole,
daß wir den Lauf der Dinge – damals – nur bedauern
können.

## Zwölftes Bild

*Platz von Andorra. Der Platz ist umstellt von Soldaten in schwarzer Uniform. Gewehr bei Fuß, reglos. Die Andorraner, wie eine Herde im Pferch, warten stumm, was geschehen soll. Lange geschieht nichts. Es wird nur geflüstert.*

Doktor  Nur keine Aufregung. Wenn die Judenschau vorbei ist, bleibt alles wie bisher. Kein Andorraner hat etwas zu fürchten, das haben wir schwarz auf weiß. Ich bleibe Amtsarzt, und der Wirt bleibt Wirt, Andorra bleibt andorranisch ...

*Trommeln*

Geselle  Jetzt verteilen sie die schwarzen Tücher.

*Es werden schwarze Tücher ausgeteilt.*

Doktor  Nur jetzt kein Widerstand.

*Barblin erscheint, sie geht wie eine Verstörte von Gruppe zu Gruppe, zupft die Leute am Ärmel, die ihr den Rücken kehren, sie flüstert etwas, was man nicht versteht.*

Wirt  Jetzt sagen sie plötzlich, er sei keiner.

Jemand  Was sagen sie?

Wirt  Er sei keiner.

Doktor  Dabei sieht man's auf den ersten Blick.

Jemand  Wer sagt das?

Wirt  Der Lehrer.

Doktor  Jetzt wird es sich ja zeigen.

Wirt  Jedenfalls hat er den Stein geworfen.

Jemand  Ist das erwiesen?

Wirt  Erwiesen!?

Doktor  Wenn er keiner ist, wieso versteckt er sich denn? Wieso hat er Angst? Wieso kommt er nicht auf den Platz wie unsereiner?

Wirt     Sehr richtig.

Doktor   Wieso soll er keiner sein?

Wirt     Sehr richtig.

Jemand   Sie haben ihn gesucht die ganze Nacht, heißt es.

Doktor   Sie haben ihn gefunden.

Jemand   Ich möchte auch nicht in seiner Haut stecken.

Wirt     Jedenfalls hat er den Stein geworfen –

*Sie verstummen, da ein schwarzer Soldat kommt, sie müssen die schwarzen Tücher in Empfang nehmen. Der Soldat geht weiter.*

Doktor   Wie sie einem ganzen Volk diese Tücher verteilen: ohne ein lautes Wort! Das nenne ich Organisation. Seht euch das an! Wie das klappt.

Jemand   Die stinken aber.

*Sie schnuppern an ihren Tüchern.*

Angstschweiß ...

*Barblin kommt zu der Gruppe mit dem Doktor und dem Wirt, zupft sie am Ärmel und flüstert, man kehrt ihr den Rücken, sie irrt weiter.*

Jemand   Was sagt sie?

Doktor   Das ist ja Unsinn.

Wirt     Das wird sie teuer zu stehen kommen.

Doktor   Nur jetzt kein Widerstand.

*Barblin tritt zu einer andern Gruppe, zupft sie am Ärmel und flüstert, man kehrt ihr den Rücken, sie irrt weiter.*

Wirt     Wenn ich es mit eignen Augen gesehen hab! Hier an dieser Stelle. Erwiesen? Er fragt, ob das erwiesen sei. Wer sonst soll diesen Stein geworfen haben?

Jemand   Ich frag ja bloß.

Wirt     Einer von uns vielleicht?

Jemand   Ich war nicht dabei.

Wirt     Aber ich!

Doktor   *legt den Finger auf den Mund.*

Wirt     Hab ich vielleicht den Stein geworfen?

Doktor  Still.

Wirt  – ich?

Doktor  Wir sollen nicht sprechen.

Wirt  Hier, genau an dieser Stelle, bitte sehr, hier lag der Stein, ich hab ihn ja selbst gesehen, ein Pflasterstein, ein loser Pflasterstein, und so hat er ihn genommen –

*Der Wirt nimmt einen Pflasterstein.*

– so . . .

*Hinzu tritt der Tischler.*

Tischler  Was ist los?

Doktor  Nur keine Aufregung.

Tischler  Wozu diese schwarzen Tücher?

Doktor  Judenschau.

Tischler  Was sollen wir damit?

*Die schwarzen Soldaten, die den Platz umstellen, präsentieren plötzlich das Gewehr: ein Schwarzer, in Zivil, geht mit flinken kurzen Schritten über den Platz.*

Doktor  Das war er.

Tischler  Wer?

Doktor  Der Judenschauer.

*Die Soldaten schmettern das Gewehr bei Fuß.*

Wirt  – und wenn der sich irrt?

Doktor  Der irrt sich nicht.

Wirt  – was dann?

Doktor  Wieso soll er sich irren?

Wirt  – aber gesetzt den Fall: was dann?

Doktor  Der hat den Blick. Verlaßt euch drauf! Der riecht's. Der sieht's am bloßen Gang, wenn einer über den Platz geht. Der sieht's an den Füßen.

Jemand  Drum sollen wir die Schuh ausziehen?

Doktor  Der ist als Judenschauer geschult.

*Barblin erscheint wieder und sucht Gruppen, wo sie noch nicht gewesen ist, sie findet den Gesellen, zupft ihn am Ärmel und flüstert, der Geselle macht sich los.*

Geselle  Du laß mich in Ruh!
*Der Doktor steckt sich einen Zigarillo an.*
Die ist ja übergeschnappt. Keiner soll über den Platz gehn, sagt sie, dann sollen sie uns alle holen. Sie will ein Zeichen geben. Die ist ja übergeschnappt.
*Ein schwarzer Soldat sieht, daß der Doktor raucht, und tritt zum Doktor, das Gewehr mit aufgepflanztem Bajonett stoßbereit, der Doktor erschrickt, wirft seinen Zigarillo aufs Pflaster, zertritt ihn und ist bleich.*

Geselle  Sie haben ihn gefunden, heißt es . . .
*Trommeln*
Jetzt geht's los.
*Sie ziehen die Tücher über den Kopf.*

Wirt  Ich zieh kein schwarzes Tuch über den Kopf!
Jemand  Wieso nicht?
Wirt  Das tu ich nicht!
Geselle  Befehl ist Befehl.
Wirt  Wozu das?
Doktor  Das machen sie überall, wo einer sich versteckt. Das habt ihr davon. Wenn wir ihn ausgeliefert hätten sofort –
*Der Idiot erscheint.*

Wirt  Wieso hat der kein schwarzes Tuch?
Jemand  Dem glauben sie's, daß er keiner ist
*Der Idiot grinst und nickt, geht weiter, um überall die Vermummten zu mustern und zu grinsen. Nur der Wirt steht noch unvermummt.*

Wirt  Ich zieh kein schwarzes Tuch über den Kopf!
Vermummter  Dann wird er ausgepeitscht.
Wirt  – ich?
Vermummter  Er hat das gelbe Plakat nicht gelesen.
Wirt  Wieso ausgepeitscht?
*Trommelwirbel*
Vermummter  Jetzt geht's los.

Vermummter  Nur keine Aufregung.

Vermummter  Jetzt geht's los.
            *Trommelwirbel*

Wirt  Ich bin der Wirt. Warum glaubt man mir nicht? Ich
      bin der Wirt, jedes Kind weiß, wer ich bin, ihr alle,
      euer Wirt ...

Vermummter  Er hat Angst!

Wirt  Erkennt ihr mich denn nicht?

Vermummte  Er hat Angst, er hat Angst!
           *Einige Vermummte lachen.*

Wirt  Ich zieh kein schwarzes Tuch über den Kopf ...

Vermummter  Er wird ausgepeitscht.

Wirt  Ich bin kein Jud!

Vermummter  Er kommt in ein Lager.

Wirt  Ich bin kein Jud!

Vermummter  Er hat das gelbe Plakat nicht gelesen.

Wirt  Erkennt ihr mich nicht? Du da? Ich bin der Wirt.
      Wer bist du? Das könnt ihr nicht machen. Ihr da!
      Ich bin der Wirt, ich bin der Wirt. Erkennt ihr mich
      nicht? Ihr könnt mich nicht einfach im Stich lassen.
      Du da. Wer bin ich?
      *Der Wirt hat den Lehrer gefaßt, der eben mit der
      Mutter erschienen ist, unvermummt.*

Lehrer  Du bist's, der den Stein geworfen hat?
        *Der Wirt läßt den Pflasterstein fallen.*

Lehrer  Warum sagst du, mein Sohn hat's getan?
        *Der Wirt vermummt sich und mischt sich unter die
        Vermummten, der Lehrer und die Mutter stehen
        allein.*

Lehrer  Wie sie sich alle vermummen!
        *Pfiff*

Vermummter  Was soll das bedeuten?

Vermummter  Schuh aus.

Vermummter  Wer?

Vermummter  Alle.

| | |
|---|---|
| Vermummter | Jetzt? |
| Vermummter | Schuh aus, Schuh aus. |
| Vermummter | Wieso? |
| Vermummter | Er hat das gelbe Plakat nicht gelesen ... |

*Alle Vermummten knien nieder, um ihre Schuhe aus-zuziehen, Stille, es dauert eine Weile.*

| | |
|---|---|
| Lehrer | Wie sie gehorchen! |

*Ein schwarzer Soldat kommt, auch der Lehrer und die Mutter müssen ein schwarzes Tuch nehmen.*

| | |
|---|---|
| Vermummter | Ein Pfiff, das heißt: Schuh aus. Laut Plakat. Und zwei Pfiff, das heißt: marschieren. |
| Vermummter | Barfuß? |
| Vermummter | Was sagt er? |
| Vermummter | Schuh aus, Schuh aus. |
| Vermummter | Und drei Pfiff, das heißt: Tuch ab. |
| Vermummter | Wieso Tuch ab? |
| Vermummter | Alles laut Plakat. |
| Vermummter | Was sagt er? |
| Vermummter | Alles laut Plakat. |
| Vermummter | Was heißt zwei Pfiff? |
| Vermummter | Marschieren? |
| Vermummter | Wieso barfuß? |
| Vermummter | Und drei Pfiff, das heißt: Tuch ab. |
| Vermummter | Wohin mit den Schuhn? |
| Vermummter | Wieso Tuch ab? |
| Vermummter | Wohin mit den Schuhn? |
| Vermummter | Tuch ab, das heißt: das ist der Jud. |
| Vermummter | Alles laut Plakat. |
| Vermummter | Kein Andorraner hat etwas zu fürchten. |
| Vermummter | Was sagt er? |
| Vermummter | Kein Andorraner hat etwas zu fürchten. |
| Vermummter | Wohin mit den Schuhn? |

*Der Lehrer, unvermummt, tritt mitten unter die Vermummten und ist der einzige, der steht.*

| | |
|---|---|
| Lehrer | Andri ist mein Sohn. |

| | |
|---|---|
| Vermummter | Was können wir dafür. |
| Lehrer | Hört ihr, was ich sage? |
| Vermummter | Was sagt er? |
| Vermummter | Andri sei sein Sohn. |
| Vermummter | Warum versteckt er sich denn? |
| Lehrer | Ich sage: Andri ist mein Sohn. |
| Vermummter | Jedenfalls hat er den Stein geworfen. |
| Lehrer | Wer von euch sagt das? |
| Vermummter | Wohin mit den Schuhn? |
| Lehrer | Warum lügt ihr? Einer von euch hat's getan. Warum sagt ihr, mein Sohn hat's getan – |

> *Trommelwirbel*
>
> Wer unter ihnen der Mörder ist, sie untersuchen es nicht. Tuch drüber! Sie wollen's nicht wissen. Tuch darüber! Daß einer sie fortan bewirtet mit Mörderhänden, es stört sie nicht. Wohlstand ist alles! Der Wirt bleibt Wirt, der Amtsarzt bleibt Amtsarzt. Schau sie dir an! wie sie ihre Schuhe richten in Reih und Glied. Alles laut Plakat! Und einer von ihnen ist doch ein Meuchelmörder. Tuch darüber! Sie hassen nur den, der sie daran erinnert –
>
> *Trommelwirbel*
>
> Ihr seid ein Volk! Herrgott im Himmel, den es nicht gibt zu eurem Glück, ihr seid ein Volk!
>
> *Auftritt der Soldat mit der Trommel.*

Soldat   Bereit?

> *Alle Vermummten erheben sich, ihre Schuhe in der Hand.*

Soldat   Die Schuh bleiben am Platz. Aber ordentlich! Wie bei der Armee. Verstanden? Schuh neben Schuh. Wird's? Die Armee ist verantwortlich für Ruhe und Ordnung. Was macht das für einen Eindruck! Ich habe gesagt: Schuh neben Schuh. Und hier wird nicht gemurrt.

> *Der Soldat prüft die Reihe der Schuhe.*

Die da!

Vermummter  Ich bin der Wirt.

Soldat  Zu weit hinten!

*Der Vermummte richtet seine Schuhe aus.*

Soldat  Ich verlese nochmals die Order.

*Ruhe*

Soldat  »Bürger von Andorra! Die Judenschau ist eine Maß-
nahme zum Schutze der Bevölkerung in befreiten
Gebieten, beziehungsweise zur Wiederherstellung
von Ruhe und Ordnung. Kein Andorraner hat etwas
zu fürchten. Ausführungsbestimmungen siehe gelbes
Plakat.« Ruhe! »Andorra, 15. September. Der Oberbefehlshaber.« – Wieso haben Sie kein Tuch überm
Kopf?

Lehrer  Wo ist mein Sohn?

Soldat  Wer?

Lehrer  Wo ist Andri?

Soldat  Der ist dabei, keine Sorge, der ist uns nicht durch die
Maschen gegangen. Der marschiert. Barfuß wie alle
andern.

Lehrer  Hast du verstanden, was ich sage?

Soldat  Ausrichten! Auf Vordermanngehen!

Lehrer  Andri ist mein Sohn.

Soldat  Das wird sich jetzt zeigen –

*Trommelwirbel*

Soldat  Ausrichten!

*Die Vermummten ordnen sich.*

Soldat  Also, Bürger von Andorra, verstanden: 's wird kein
Wort geredet, wenn der Judenschauer da ist. Ist das
klar? Hier geht's mit rechten Dingen zu, das ist wichtig. Wenn gepfiffen wird: stehenbleiben auf der Stelle.
Verstanden? Achtungstellung wird nicht verlangt.
Ist das klar? Achtungstellung macht nur die Armee,
weil sie's geübt hat. Wer kein Jud ist, ist frei. Das
heißt: Ihr geht sofort an die Arbeit. Ich schlag die
Trommel.

*Der Soldat tut es.*
Und so einer nach dem andern. Wer nicht stehen-
bleibt, wenn der Judenschauer pfeift, wird auf der
Stelle erschossen. Ist das klar?
*Glockenbimmeln*

Lehrer Wo bleibt der Pater in dieser Stunde?

Soldat Der betet wohl für den Jud!

Lehrer Der Pater weiß die Wahrheit –
*Auftritt der Judenschauer*

Soldat Ruhe!
*Die schwarzen Soldaten präsentieren das Gewehr
und verharren in dieser Haltung, bis der Judenschauer, der sich wie ein schlichter Beamter benimmt, sich auf den Sessel gesetzt hat inmitten des
Platzes. Gewehr bei Fuß. Der Judenschauer nimmt
seinen Zwicker ab, putzt ihn, setzt ihn wieder auf.
Auch der Lehrer und die Mutter sind jetzt vermummt. Der Judenschauer wartet, bis das Glockenbimmeln verstummt ist, dann gibt er ein Zeichen;
zwei Pfiffe.*

Soldat Der erste!
*Niemand rührt sich.*
Los, vorwärts, los!
*Der Idiot geht als erster.*
Du doch nicht!
*Angstgelächter unter den Vermummten*
Ruhe!
*Trommelschlag*
Was ist denn los, verdammt nochmal, ihr sollt über
den Platz gehen wie gewöhnlich. Also los – vor-
wärts!
*Niemand rührt sich.*
Kein Andorraner hat etwas zu fürchten ...
*Barblin, vermummt, tritt vor.*
Hierher!

*Barblin tritt vor den Judenschauer und wirft ihm das
schwarze Tuch vor die Stiefel.*

Was soll das?

Barblin  Das ist das Zeichen.

*Bewegung unter den Vermummten*

Barblin  Sag's ihm: Kein Andorraner geht über den Platz!
Keiner von uns! Dann sollen sie uns peitschen. Sag's
ihm! Dann sollen sie uns alle erschießen.

*Zwei schwarze Soldaten fassen Barblin, die sich ver-
geblich wehrt. Niemand rührt sich. Die schwarzen
Soldaten ringsum haben ihre Gewehre in den An-
schlag genommen. Alles lautlos. Barblin wird weg-
geschleift.*

Soldat  ... Also los jetzt. Einer nach dem andern. Muß man
euch peitschen? Einer nach dem andern.

*Jetzt gehen sie.*

Langsam, langsam!

*Wer vorbei ist, zieht das Tuch vom Kopf.*

Die Tücher werden zusammengefaltet. Aber ordentlich! hab ich gesagt. Sind wir ein Saustall hierzuland? Das Hoheitszeichen kommt oben rechts. Was
sollen unsre Ausländer sich denken!

*Andere gehen zu langsam.*

Aber vorwärts, daß es Feierabend gibt.

*Der Judenschauer mustert ihren Gang aufmerksam,
aber mit der Gelassenheit der Gewöhnung und von
seiner Sicherheit gelangweilt. Einer strauchelt über
den Pflasterstein.*

Schaut euch das an!

Vermummter  Ich heiße Prader.

Soldat  Weiter.

Vermummter  Wer hat mir das Bein gestellt?

Soldat  Niemand.

*Der Tischler nimmt sein Tuch ab.*

Soldat  Weiter, sag ich, weiter. Der Nächste. Und wer vorbei ist, nimmt sofort seine Schuh. Muß man euch alles sagen, Herrgott nochmal, wie in einem Kindergarten?

*Trommelschlag*

Tischler  Jemand hat mir das Bein gestellt.

Soldat  Ruhe!

*Einer geht in falscher Richtung.*

Soldat  Wie die Hühner, also wie die Hühner!

*Einige, die vorbei sind, kichern.*

Vermummter  Ich bin der Amtsarzt.

Soldat  Schon gut, schon gut.

Doktor  *nimmt sein Tuch ab.*

Soldat  Nehmen Sie Ihre Schuh.

Doktor  Ich kann nicht sehen, wenn ich ein Tuch über dem Kopf habe. Das bin ich nicht gewohnt. Wie soll ich gehen, wenn ich keinen Boden sehe!

Soldat  Weiter, sag ich, weiter.

Doktor  Das ist eine Zumutung!

Soldat  Der Nächste.

*Trommelschlag*

Soldat  Könnt ihr eure verdammten Schuh nicht zuhaus anziehen? Wer frei ist, hab ich gesagt, nimmt seine Schuh und verschwindet. Was steht ihr da herum und gafft?

*Trommelschlag*

Soldat  Der Nächste.

Doktor  Wo sind meine Schuhe? Jemand hat meine Schuhe genommen. Das sind nicht meine Schuhe.

Soldat  Warum nehmen Sie grad die?

Doktor  Sie stehen an meinem Platz.

Soldat  Also wie ein Kindergarten!

Doktor  Sind das vielleicht meine Schuhe?

*Trommelschlag*

Doktor  Ich gehe nicht ohne meine Schuhe.

Soldat  Jetzt machen Sie keine Krämpfe!

Doktor  Ich gehe nicht barfuß. Das bin ich nicht gewohnt. Und sprechen Sie anständig mit mir. Ich lasse mir diesen Tonfall nicht gefallen.

Soldat  Also was ist denn los?

Doktor  Ich mache keine Krämpfe.

Soldat  Ich weiß nicht, was Sie wollen.

Doktor  Meine Schuhe.

*Der Judenschauer gibt ein Zeichen; ein Pfiff.*

Soldat  Ich bin im Dienst!

*Trommelschlag*

Soldat  Der Nächste.

*Niemand rührt sich.*

Doktor  Das sind nicht meine Schuhe!

Soldat  *nimmt ihm die Schuhe aus der Hand.*

Doktor  Ich beschwere mich, jawohl, ich beschwere mich, jemand hat meine Schuhe vertauscht, ich gehe keinen Schritt und wenn man mich anschnauzt, schon gar nicht.

Soldat  Wem gehören diese Schuh?

Doktor  Ich heiße Ferrer –

Soldat  Wem gehören diese Schuh?

*Er stellt sie vorne an die Rampe.*

's wird sich ja zeigen!

Doktor  Ich weiß genau, wem die gehören.

Soldat  Also weiter!

*Trommelschlag*

Soldat  Der Nächste.

*Niemand rührt sich.*

Doktor  – ich habe sie.

*Niemand rührt sich.*

Soldat  Wer hat denn jetzt wieder Angst?

*Sie gehen wieder einer nach dem andern, das Verfahren ist eingespielt, so daß es langweilig wird. Einer von denen, die vorbeigegangen sind vor dem Judenschauer und das Tuch vom Kopf nehmen, ist der Geselle.*

**Geselle** Wie ist das mit dem Hoheitszeichen?

**Einer** Oben rechts.

**Geselle** Ob er schon durch ist?

*Der Judenschauer gibt wieder ein Zeichen; drei Pfiffe.*

**Soldat** Halt!

*Der Vermummte steht.*

Tuch ab.

*Der Vermummte rührt sich nicht.*

Tuch ab, Jud, hörst du nicht!

*Der Soldat tritt zu dem Vermummten und nimmt ihm das Tuch ab, es ist der Jemand, starr vor Schrecken.*

Der ist's nicht. Der sieht nur so aus, weil er Angst hat. Der ist es nicht. So hab doch keine Angst! Der sieht nämlich ganz anders aus, wenn er lustig ist... *Der Judenschauer hat sich erhoben, umschreitet den Jemand, mustert lang und beamtenhaft — unbeteiligt — gewissenhaft. Der Jemand entstellt sich zusehends. Der Judenschauer hält ihm seinen Kugelschreiber unters Kinn.*

**Soldat** Kopf hoch, Mensch, starr nicht wie einer!

*Der Judenschauer mustert noch die Füße, setzt sich wieder und gibt einen nachlässigen Wink.*

**Soldat** Hau ab, Mensch!

*Entspannung in der Menge*

**Doktor** Der irrt sich nicht. Was hab ich gesagt? Der irrt sich nie, der hat den Blick ...

*Trommelschlag*

**Soldat** Der Nächste.

*Sie gehen wieder im Gänsemarsch.*

Was ist denn das für eine Schweinerei, habt ihr kein eignes Taschentuch, wenn ihr schwitzt, ich muß schon sagen!

*Ein Vermummter nimmt den Pflasterstein.*

Heda, was macht denn der?

Vermummter Ich bin der Wirt –

Soldat Was kümmert Sie dieser Pflasterstein?

Vermummter Ich bin der Wirt – ich – ich –

*Der Wirt bleibt vermummt.*

Soldat Scheißen Sie deswegen nicht in die Hose!

*Es wird da und dort gekichert, wie man über eine beliebte lächerliche Figur kichert, mitten in diese bängliche Heiterkeit hinein fällt der dreifache Pfiff auf das Zeichen des Judenschauers.*

Halt. –

*Der Lehrer nimmt sein Tuch ab.*

Nicht Sie, der dort, der andre!

*Der Vermummte rührt sich nicht.*

Tuch ab!

*Der Judenschauer erhebt sich.*

Doktor Der hat den Blick. Was hab ich gesagt? Der siehts am Gang ...

Soldat Drei Schritt vor!

Doktor Er hat ihn ...

Soldat Drei Schritt zurück!

*Der Vermummte gehorcht.*

Lachen!

Doktor Er hörts am Lachen ...

Soldat Lachen! oder sie schießen.

*Der Vermummte versucht zu lachen.*

Lauter!

*Der Vermummte versucht zu lachen.*

Doktor Wenn das kein Judenlachen ist ...

*Der Soldat stößt den Vermummten.*

Soldat Tuch ab, Jud, es hilft dir nichts. Tuch ab. Zeig dein Gesicht. Oder sie schießen.

Lehrer Andri?!

Soldat Ich zähl auf drei.

*Der Vermummte rührt sich nicht.*

Soldat Eins –

Lehrer  Nein!

Soldat  Zwei –

*Der Lehrer reißt ihm das Tuch ab.*

Soldat  Drei...

Lehrer  Mein Sohn!

*Der Judenschauer umschreitet und mustert Andri.*

Lehrer  Er ist mein Sohn!

*Der Judenschauer mustert die Füße, dann gibt er ein Zeichen, genau so nachlässig wie zuvor, aber ein anderes Zeichen, und zwei schwarze Soldaten übernehmen Andri.*

Tischler  Gehn wir.

Mutter  *tritt vor und nimmt ihr Tuch ab.*

Soldat  Was will jetzt die?

Mutter  Ich sag die Wahrheit.

Soldat  Ist Andri dein Sohn?

Mutter  Nein.

Soldat  Hört ihr's! Hört ihr's?

Mutter  Aber Andri ist der Sohn von meinem Mann –

Wirt  Sie soll's beweisen.

Mutter  Das ist wahr. Und Andri hat den Stein nicht geworfen, das weiß ich auch, denn Andri war zu Haus, als das geschehn ist. Das schwör ich. Ich war selbst zu Haus. Das weiß ich und das schwör ich bei Gott, dem Allmächtigen, der unser Richter ist in Ewigkeit.

Wirt  Sie lügt.

Mutter  Laßt ihn los!

*Der Judenschauer erhebt sich nochmals.*

Soldat  Ruhe!

*Der Judenschauer tritt nochmals zu Andri und wiederholt die Musterung, dann kehrt er die Hosentaschen von Andri, Münzen fallen heraus, die Andorraner weichen vor dem rollenden Geld, als ob es Lava wäre, der Soldat lacht.*

Soldat  Judengeld.

Doktor Der irrt sich nicht...
Lehrer Was Judengeld? Euer Geld, unser Geld. Was habt ihr
denn andres in euren Taschen?
*Der Judenschauer betastet das Haar.*
Lehrer Warum schweigst du?!
Andri *lächelt.*
Lehrer Er ist mein Sohn, er soll nicht sterben, mein Sohn,
mein Sohn!
*Der Judenschauer geht, die Schwarzen präsentieren
das Gewehr; der Soldat übernimmt die Führung.*
Soldat Woher dieser Ring?
Tischler Wertsachen hat er auch...
Soldat Her damit!
Andri Nein.
Soldat Also her damit!
Andri Nein – bitte...
Soldat Oder sie hauen dir den Finger ab.
Andri Nein! Nein!
*Andri setzt sich zur Wehr.*
Tischler Wie er sich wehrt um seine Wertsachen...
Doktor Gehn wir...
*Andri ist von schwarzen Soldaten umringt und nicht
zu sehen, als man seinen Schrei hört, dann Stille.
Andri wird abgeführt.*
Lehrer Duckt euch. Geht heim. Ihr wißt von nichts. Ihr habt
es nicht gesehen. Ekelt euch. Geht heim vor euren
Spiegel und ekelt euch.
*Die Andorraner verlieren sich nach allen Seiten, jeder
nimmt seine Schuhe.*
Soldat Der braucht jetzt keine Schuhe mehr.
*Der Soldat geht.*
Jemand Der arme Jud. –
Wirt Was können wir dafür.
*Der Jemand geht ab, die anderen gehen in Richtung
auf die Pinte.*

Tischler  Mir einen Korn.

Doktor  Mir auch einen Korn.

Tischler  Da sind noch seine Schuh.

Doktor  Gehn wir hinein.

Tischler  Das mit dem Finger ging zu weit ...

*Tischler, Doktor und Wirt verschwinden in der Pinte. Die Szene wird dunkel, das Orchestrion fängt von selbst an zu spielen, die immergleiche Platte. Wenn die Szene wieder hell wird, kniet Barblin und weißelt das Pflaster des Platzes; Barblin ist geschoren. Auftritt der Pater. Die Musik hört auf.*

Barblin  Ich weißle, ich weißle.

Pater  Barblin!

Barblin  Warum soll ich nicht weißeln, Hochwürden, das Haus meiner Väter?

Pater  Du redest irr.

Barblin  Ich weißle.

Pater  Das ist nicht das Haus deines Vaters, Barblin.

Barblin  Ich weißle, ich weißle.

Pater  Es hat keinen Sinn.

Barblin  Es hat keinen Sinn.

*Auftritt der Wirt.*

Wirt  Was macht denn die hier?

Barblin  Hier sind seine Schuh.

Wirt  *will die Schuh holen.*

Barblin  Halt!

Pater  Sie hat den Verstand verloren.

Barblin  Ich weißle, ich weißle. Was macht ihr? Wenn ihr nicht seht, was ich sehe, dann seht ihr: Ich weißle.

Wirt  Laß das!

Barblin  Blut, Blut, Blut überall.

Wirt  Das sind meine Tische!

Barblin  Meine Tische, deine Tische, unsre Tische.

Wirt  Sie soll das lassen!

Barblin  Wer bist du?

Pater    Ich habe schon alles versucht.

Barblin    Ich weißle, ich weißle, auf daß wir ein weißes Andorra haben, ihr Mörder, ein schneeweißes Andorra, ich weißle euch alle – alle.

*Auftritt der ehemalige Soldat.*

Barblin    Er soll mich in Ruh lassen, Hochwürden, er hat ein Aug auf mich, Hochwürden, ich bin verlobt.

Soldat    Ich habe Durst.

Barblin    Er kennt mich nicht.

Soldat    Wer ist die?

Barblin    Die Judenhure Barblin.

Soldat    Verschwinde!

Barblin    Wer bist du?

*Barblin lacht.*

Wo hast du deine Trommel?

Soldat    Lach nicht!

Barblin    Wo hast du meinen Bruder hingebracht?

*Auftritt der Tischler mit dem Gesellen.*

Barblin    Woher kommt ihr, ihr alle, wohin geht ihr, ihr alle, warum geht ihr nicht heim, ihr alle, ihr alle, und hängt euch auf?

Tischler    Was sagt sie?

Barblin    Der auch!

Wirt    Die ist übergeschnappt.

Soldat    Schafft sie doch weg.

Barblin    Ich weißle.

Tischler    Was soll das?

Barblin    Ich weißle, ich weißle.

*Auftritt der Doktor.*

Barblin    Haben Sie einen Finger gesehn?

Doktor    *sprachlos.*

Barblin    Haben Sie keinen Finger gesehn?

Soldat    Jetzt aber genug!

Pater    Laßt sie in Ruh.

Wirt    Sie ist ein öffentliches Ärgernis.

| | |
|---|---|
| Tischler | Sie soll uns in Ruh lassen. |
| Wirt | Was können wir dafür. |
| Geselle | Ich hab sie ja gewarnt. |
| Doktor | Ich finde, sie gehört in eine Anstalt. |
| Barblin | *starrt.* |
| Pater | Ihr Vater hat sich im Schulzimmer erhängt. Sie sucht ihren Vater, sie sucht ihr Haar, sie sucht ihren Bruder. *Alle, außer Pater und Barblin, gehen in die Pinte.* |
| Pater | Barblin, hörst du, wer zu dir spricht? |
| Barblin | *weißelt das Pflaster.* |
| Pater | Ich bin gekommen, um dich heimzuführen. |
| Barblin | Ich weißle. |
| Pater | Ich bin der Pater Benedikt. |
| Barblin | *weißelt das Pflaster.* |
| Pater | Ich bin der Pater Benedikt. |
| Barblin | Wo, Pater Benedikt, bist du gewesen, als sie unsern Bruder geholt haben wie Schlachtvieh, wie Schlachtvieh, wo? Schwarz bist du geworden, Pater Benedikt... |
| Pater | *schweigt.* |
| Barblin | Vater ist tot. |
| Pater | Das weiß ich, Barblin. |
| Barblin | Und mein Haar? |
| Pater | Ich bete für Andri jeden Tag. |
| Barblin | Und mein Haar? |
| Pater | Dein Haar, Barblin, wird wieder wachsen – |
| Barblin | Wie das Gras aus den Gräbern. *Der Pater will Barblin wegführen, aber sie bleibt plötzlich stehen und kehrt zu den Schuhen zurück.* |
| Pater | Barblin – Barblin... |
| Barblin | Hier sind seine Schuh. Rührt sie nicht an! Wenn er wiederkommt, das hier sind seine Schuh. |

# Anhang

Geschrieben 1952, revidiert 1961.

Uraufführung gleichzeitig im Schauspielhaus Zürich (Regie: Oskar Wälterlin) und im Schiller-Theater Berlin (Regie: Hans Schalla) am 5. 5. 1953.

## Nachträgliches

Don Juan, wie jede Gestalt, hat einen Kreis von Geistesverwandten, und wenn sie ihm noch so ferne stehen, Ikarus oder Faust sind ihm verwandter als Casanova – weshalb der Schauspieler sich keinerlei Sorgen zu machen braucht, wie er verführerisch wirke auf die Damen im Parkett. Sein Ruhm als Verführer (der ihn als Ruhm begleitet, ohne daß er sich selbst mit diesem Ruhm identifiziert) ist ein Mißverständnis seitens der Damen. Don Juan ist ein Intellektueller, wenn auch von gutem Wuchs und ohne alles Brillenhafte. Was ihn unwiderstehlich macht für die Damen von Sevilla, ist durchaus seine Geistigkeit, sein Anspruch auf eine männliche Geistigkeit, die ein Affront ist, indem sie ganz andere Ziele kennt als die Frau und die Frau von vornherein als Episode einsetzt – mit dem bekannten Ergebnis freilich, daß die Episode schließlich sein ganzes Leben verschlingt.

Ein Intellektueller – in diesem Sinn:
»Der Andere lebt in einer Welt der Dinge, die ein für allemal sind, was sie zu sein scheinen. Auch nicht zufällig stellt er sie in Frage. Sie bringen ihn nicht aus der Fassung... Die Welt, die der Intellektuelle antrifft, scheint

ihm nur dazusein, damit sie in Frage gestellt werde. Die Dinge an sich genügen ihm nicht. Er macht ein Problem aus ihnen. Und das ist das größte Symptom der Liebe. Daraus resultiert, daß die Dinge nur sind, was sie sind, wenn sie für den Intellektuellen sind. Dies ahnt manchmal das Weib...«

(Ortega y Gasset: Der Intellektuelle und der Andere.)

Don Juan ist schön durch seinen Mut zur Erfahrung. Kein Beau! Und auch kein Herkules; er ist schlank wie ein Torero, fast knabenhaft. Wie ein Torero: er bekämpft den Stier, er ist nicht der Stier. Seine Hände sind nervig, aber grazil; aber nicht weichlich. Man wird sich immer wieder fragen: Ist er ein Mann? Er hätte Tänzer werden können. Seine Männlichkeit bewegt sich auf der Grenze und ist ihm nichts Selbstverständliches, sondern etwas Kostbares, was er besitzt, also nicht ersetzen muß durch soldatische Pose beispielsweise, aber er muß sie verteidigen; seine Männlichkeit ist etwas Gefährdetes. Sein Gesicht, wie immer es sonst sei, hat die wachen Augen eines Gefährdeten.

Der Gefährdete neigt zum Radikalen.

In bezug auf die Untreue, die bekannteste Etikette jedes Don Juan, würde das heißen: Es reißt ihn nicht von Wollust zu Wollust, aber es stößt ihn ab, was nicht stimmt. Und nicht weil er die Frauen liebt, sondern weil er etwas anderes (beispielsweise die Geometrie) mehr liebt als die Frau, muß er sie immer wieder verlassen. Seine Untreue ist nicht übergroße Triebhaftigkeit, sondern Angst, sich selbst zu täuschen, sich selbst zu verlieren – seine wache Angst vor dem Weiblichen in sich selbst.

Don Juan ist ein Narziß, kein Zweifel; im Grunde liebt er nur sich selbst. Die legendäre Zahl seiner Lieben (1003) ist nur darum nicht abstoßend, weil sie komisch ist, und komisch ist sie, weil sie zählt, wo es nichts zu zählen gibt; in Worte übersetzt, heißt diese Zahl: Don Juan bleibt ohne Du.

Kein Liebender also.

Liebe, wie Don Juan sie erlebt, muß das Unheimlich-Widerliche der Tropen haben, etwas wie feuchte Sonne über einem Sumpf voll blühender Verwesung, panisch, wie die klebrige Stille voll mörderischer Überfruchtung, die sich selbst auffrißt, voll Schlinggewächs – ein Dik-kicht, wo man ohne blanke Klinge nicht vorwärtskommt; wo man Angst hat zu verweilen.

Don Juan bleibt ohne Du auch unter Männern. Da ist immer nur ein Catalinon, ein Scanarelle, ein Leporello, nie ein Horatio. Und wenn der Jugendfreund einmal verloren ist, den er noch aus der Geschwisterlichkeit der Kinderjahre hat, kommt es zu keiner Freundschaft mehr; die Männer meiden ihn. Don Juan ist ein unbrüderlicher Mensch; schon weil er sich selbst, unter Männer gestellt, weiblich vorkäme.

Man könnte es sich so denken:

Wie die meisten von uns, erzogen von der Poesie, geht er als Jüngling davon aus, daß die Liebe, die ihn eines schönen Morgens erfaßt, sich durchaus auf eine Person beziehe, eindeutig, auf Donna Anna, die diese Liebe in ihm ausgelöst hat. Die bloße Ahnung schon, wie groß der Anteil des Gattungshaften daran ist, geschweige denn die blanke Erfahrung, wie vertauschbar der Gegenstand seines jugendlichen Verlangens ist, muß den Jüngling, der eben erst zur Person erwacht ist, gründlich erschrecken und verwirren. Er kommt sich als ein Stück der Natur vor, blind, lächerlich, vom Himmel verhöhnt als Geist-Person. Aus dieser Verwundung heraus kommt sein wildes Bedürfnis, den Himmel zu verhöhnen, herauszufordern durch Spott und Frevel – womit er immerhin einen Himmel voraussetzt. Ein Nihilist?

Innerhalb einer Gesellschaft von durchschnittlicher Verlogenheit wird nun einmal (wenigstens in unseren Tagen) jeder so genannt, der erfahren will, was stimmt.

Sein Spott: eine schamhaftere Art von Schwermut, die niemanden, außer den Himmel, etwas angeht.

Wichtig scheint mir die Scham. Don Juan ist unverschämt, nie schamlos, und unter Männern wäre er vermutlich der einzige, der über eine Zote nicht lacht, nicht lachen kann; er hat die Schamhaftigkeit nach innen, nicht nach außen, nicht Prüderie, aber Sensibilität, wozu dann meistens auch das Spielerische gehört, das Bedürfnis, sich zu verstellen, das Schauspielerische bis zur Selbstverleugnung. »Don Juan« ist seine Rolle.

»El Burlador de Sevilla y Convidado de piedra«, die erste dramatische Gestaltung, 1627 veröffentlicht und wahrscheinlich zu Unrecht dem glorreichen Tirso de Molina zugeschrieben, beginnt mit einer Szene, die Don Juan in aller Kürze vorstellt: nicht wie er wird, sondern wie er ist und bleibt, bis die Hölle ihn verschlingt. Und so, ohne Vorbereitung und ohne Entwicklung, sehen wir ihn auch in späteren Fassungen, Don Juan ist einfach da, ein Meteor ... Man muß sich fragen, ob nicht jeder Versuch, Don Juan als einen Werdenden zu entwickeln, nur möglich ist um den Preis, daß es kein wirklicher Don Juan mehr ist, sondern ein Mensch, der (aus diesen oder jenen Gründen) in die Rolle eines Don Juan kommt.
Ein reflektierter Don Juan also!
Dann allerdings ist sein Medium nicht die Musik – nach Kierkegaard das einzig mögliche Medium für den unmittelbaren Don Juan –, sondern das Theater, das darin besteht, daß Larve und Wesen nicht identisch sind, so daß es zu Verwechslungen kommt wie in den alten spanischen Mantelstücken und wie überall, wo ein Mensch nicht ist, sondern sich selber sucht.

Warum erscheint Don Juan stets als Hochstapler? Er führt ein Leben, das kein Mensch sich leisten kann, nämlich das Leben eines Nur-Mannes, womit er der Schöpfung unweigerlich etwas schuldig bleibt. Sein wirtschaftlicher

Bankrott, wie besonders Molière ihn betont, steht ja für einen ganz anderen, einen totalen Bankrott. Ohne das Weib, dessen Forderungen er nicht anzuerkennen gewillt ist, wäre er selber nicht in der Welt. Als Parasit in der Schöpfung (Don Juan ist immer kinderlos) bleibt ihm früher oder später keine andere Wahl: Tod oder Kapitulation, Tragödie oder Komödie. Immer ist die Don-Juan-Existenz eine unmögliche, selbst wenn es weit und breit keine nennenswerte Gesellschaft gibt –
Don Juan ist kein Revolutionär. Sein Widersacher ist die Schöpfung selbst.

Don Juan ist ein Spanier: ein Anarchist.

Don Juan ist kinderlos, meine ich, und wenn es 1003 Kinder gäbe! Er hat sie nicht, sowenig, wie er ein Du hat. Indem er Vater wird – indem er es annimmt, Vater zu sein –, ist er nicht mehr Don Juan. Das ist seine Kapitulation, seine erste Bewegung zur Reife.
Warum gibt es denn keinen alten Don Juan?
Don Juan, geistig bestimmt, ist die Hybris, daß einer allein, Mann ohne Weib, der Mensch sein will; sein Geist bleibt pueril im Verhältnis zur Schöpfung – darum muß der Vorhang fallen, bevor Don Juan fünfunddreißig wird, sonst bleibt uns nur noch ein peinlicher Narr, gerade insofern er eine geistige Figur ist.
(Casanova kann alt werden!)

Das Spanische – man kann es vernachlässigen, aber nie wird man Don Juan in ein anderes, ein bestimmtes, beispielsweise deutsches oder angelsächsisches oder slawisches Kostüm stecken, man versuche es, um daran zu erfahren, wie sehr Don Juan, ungeachtet unsrer weiteren Ausdeutung, im Grunde eine spanische Kreation ist und bleibt. Der Spanier (so erscheint er mir wenigstens nach Eindrücken einer kurzen Reise) kennt kein Vielleicht, kein Sowohl-als-auch, nur Ja oder Nein. Er kennt ja auch nur zweierlei Wein, roten oder weißen; er kennt keine Nuan-

cen. Das hat etwas Großartiges bis in den Alltag hinein.
Was ausfällt, ist das Zögern, das Vermengen, das Ver-
mitteln; aber auch die Fülle der Übergänge. Was ausfällt,
ist die seelische Mitte, das Gemüt, insofern auch das Mitleid, das kleine wie das große, fast möchte man sagen: die
humane Liebe. Wenn der Spanier sagt: Ich liebe dich! so
heißen die gleichen Worte: Ich will dich! Und sein Mut,
wie er ja auch zu Don Juan gehört, erscheint uns oft als
pure Geste, womit ein fatalistischer Mensch, einsam unter
der kahlen Bläue des spanischen Himmels, sich selbst unterhält: Tod oder Leben, was tut es! Auch ihre Tänze
haben ja das Trotzige, Hochmütige, Herausfordernde;
Stimmung wird wie etwas Unwürdiges abgeschüttelt, mit
Füßen zerstampft, unwirsch, geradezu höhnisch, und wie
leidenschaftlich ihr Tanz auch werden mag, nie endet er
in Rausch, nie in der Wonne der Auflösung, im Gegenteil: im Triumph über den Rausch, in einer Pose des Völlig-
Gefaßten, abrupt. Und stolz, versteht sich; dabei hat ja
der Stolz immer etwas Leeres, etwas Ersatzhaftes. Lust
am Leben? Größer ist die Lust am Bezwingen, spanischer.
Der silberweiße Torero, der dem schwarzen Stier gegen-
übertritt, der Mensch, der den tödlichen Kampf des Geistes spielt, ist kein andrer als Don Juan; auch dem Torero
geht es letztlich nicht darum, daß er das Leben behält.
Das wäre kein Sieg. Die Grazie ist es, was ihn zum Sie-
ger machen muß, die geometrische Akuratesse, das Tän-
zerische, was er dem gewaltigen Stier entgegensetzt, ein
Sieg des spielerischen Geistes ist es, was die Arena mit
Jubel erfüllt. Das schwarze Tier, dem Don Juan sich stellt,
ist die naturhafte Gewalt des Geschlechts, das er aber, im
Gegensatz zum Torero, nicht töten kann, ohne sich selbst
zu töten. Das ist der Unterschied zwischen Arena und
Welt, zwischen Spiel und Sein... Die beste Einführung
zu Don Juan, ausgenommen Kierkegaard, bleibt der Besuch eines spanischen Stierkampfes.

Ein Don Juan, der nicht tötet, ist nicht denkbar, nicht
einmal innerhalb einer Komödie; das Tödliche gehört zu

ihm, wie das Kind zu einer Frau. Wir rechnen ihm ja auch seine Morde nicht an, erstaunlicherweise, weniger noch als einem General. Und seine nicht unbeträchtlichen Verbrechen, deren jedes ordentliche Gericht (also auch das verehrte Publikum) ihn verklagen müßte, entziehen sich irgendwie unsrer Empörung. Man denke sich einen Don Juan, der im Gefängnis endet! Sein Gefängnis ist die Welt – oder anders gesagt: Don Juan ist überhaupt nur insofern interessant, als er sich unserem Vorwurf entzieht: als Meteor, als Sturz, den er nicht will, und als Aufprall, dessen tödliche Wirkung zeigt, wie weit wir vom Paradies entfernt sind.

Lebte er in unseren Tagen, würde Don Juan (wie ich ihn sehe) sich wahrscheinlich mit Kernphysik befassen: um zu erfahren, was stimmt. Und der Konflikt mit dem Weiblichen, mit dem unbedingten Willen nämlich, das Leben zu erhalten, bliebe der gleiche; auch als Atomforscher steht er früher oder später vor der Wahl: Tod oder Kapitulation – Kapitulation jenes männlichen Geistes, der offenbar, bleibt er selbstherrlich, die Schöpfung in die Luft sprengt, sobald er die technische Möglichkeit dazu hat.

Hinter jedem Don Juan steht die Langeweile, wenn auch mit Bravour überspielt, die Langeweile, die nicht gähnt, sondern Possen reißt; die Langeweile eines Geistes, der nach dem Unbedingten dürstet und glaubt erfahren zu haben, daß er es nie zu finden vermag; kurzum, die große Langeweile der Schwermut, die Not eines Herzens, dem die Wünsche ersterben, so daß ihm bloß noch der Witz übrigbleibt; ein Don Juan, der keinen Witz hat, würde sich erhängen.
Romano Guardini über die Schwermut:
»Der Schwermütige verlangt, dem Absoluten zu begegnen, aber als Liebe und Schönheit ... Es ist das Verlangen nach dem, was Platon das eigentliche Ziel des Eros nennt, nach dem höchsten Gut, welches zugleich

das eigentlich Wirkliche ist, unvergänglich und ohne Grenze ... Dieses Verlangen nach dem Absoluten ist beim Schwermütigen mit dem Bewußtsein verbunden, daß es vergeblich ist ... Die Schwermut ist die Not der Geburt des Ewigen im Menschen.«
(Schönheit: das Klare, Lautere, Durchsichtige, was Don Juan meint, wenn er von Geometrie redet, und natürlich meint er die noch vorstellbare Geometrie.)

Das Absolute – daß er es als Steinernen Gast auftreten läßt, wird man von einem heutigen Stückschreiber kaum erwarten. Was sollen wir mit dieser vogelscheuchenhaft-schauerlichen Erscheinung? Aber sie gehört nun einmal zu Don Juan, diese Klitterung von allerlei Sagen, von antiken und bretonischen, und mit Parodie allein ist diese Hypothek nicht zu lösen. Parodie setzt ja voraus, daß der Zuschauer gerade noch im Grunde seines Herzens an die Sache glaubt, die zur Parodie steht. Welcher von unseren Zuschauern glaubt, daß die Toten, die man beschimpft, tatsächlich erscheinen und sich an unsere Tafeln setzen? In unseren Parlamenten, in unseren Konferenzen, wo über Krieg und andere Geschäfte verhandelt wird, müßte ja ein Gedränge von Skeletten sein, und in der Versenkung (die zu schaffen wäre, wenn wir solche Hoffnung noch hätten) wimmelte es von Ministern, Direktoren, Generälen, Bankiers, Diplomaten, Journalisten – Nein, daran glauben wir nicht mehr.
Was uns bleibt, ist die Poesie, und in ihrem Sinn mag die klassische Legende von der Höllenfahrt allerdings bestehen bleiben. Verzweifelt über das Unmögliche seiner Existenz, wobei dieses Unmögliche sich nicht als metaphysisches Gewitter, sondern schlechterdings als Langeweile manifestiert, ist es nunmehr Don Juan selbst, der die Legende von seiner Höllenfahrt inszeniert – als Oper, als Schwindel, um zu entkommen, gewiß; als Kunst, die etwas Absolutes nur vorgibt, als Poesie, gewiß; aber dann erweist es sich, daß diese Legende, womit er die Welt zum Narren hält, nur die Ausdrucksfigur seines tatsäch-

lichen, seines inneren und anders nicht sichtbaren, doch ausweglos-wirklichen Endes ist.

Natürlich sind es nicht diese (nachträglichen) Gedanken gewesen, die den Verfasser bewogen haben, das vorliegende Theaterstück zu schreiben – sondern die Lust, ein Theaterstück zu schreiben.

Das Stück, 1957/58 entstanden aus einem Hörspiel »Herr Biedermann und die Brandstifter«, ist uraufgeführt worden zusammen mit dem Schwank »Die große Wut des Philipp Hotz«; das Nachspiel, später verfaßt, war besonders für deutsche Aufführungen bestimmt; die Erfahrung hat den Verfasser belehrt, daß das Stück auch ohne das Nachspiel aufgeführt werden kann.

Uraufführung: Schauspielhaus Zürich am 29. 3. 1958.
Regie: Oskar Wälterlin.
Deutsche Erstaufführung mit Uraufführung »Nachspiel«:
Städtische Bühnen Frankfurt am Main am 28. 9. 1958.
Regie: Harry Buckwitz.

## Nachspiel

| | |
|---|---|
| Personen des Nachspiels | *Herr Biedermann* |
| | *Babette* |
| | *Anna* |
| | *Beelzebub* |
| | *Eine Figur* |
| | *Ein Polizist* |
| | *Meerkatze* |
| | *Witwe Knechtling* |
| | *Der Chor* |

*Die Bühne ist geräumt und vollkommen leer, Babette und Biedermann stehen, wie sie zuletzt im Stück gestanden haben.*

Babette   Gottlieb?

Biedermann   Still.

Babette   Sind wir tot?

*Ein Papagei kreischt.*

Was war das?

*Der Papagei kreischt.*

Biedermann   Warum bist du nicht gekommen, bevor die Treppe brannte! Ich hab's dir gesagt. Warum bist du noch einmal ins Schlafzimmer gegangen?

Babette   Wegen meines ganzen Schmuckes.

Biedermann   – natürlich sind wir tot!

*Der Papagei kreischt.*

Babette   Gottlieb?

Biedermann   Still jetzt.

Babette   Wo sind wir denn jetzt?

Biedermann   Im Himmel. Wo sonst.

*Ein Säugling schreit.*

Babette   Was war das?

*Der Säugling schreit.*

Offen gestanden, Gottlieb, so hab ich mir den Himmel nicht vorgestellt –

| | |
|---|---|
| Biedermann | Nur jetzt nicht den Glauben verlieren! |
| Babette | Hast du dir den Himmel so vorgestellt? |

*Der Papagei kreischt.*

| | |
|---|---|
| Biedermann | Das ist ein Papagei. |

*Der Papagei kreischt.*

| | |
|---|---|
| Babette | Gottlieb? |
| Biedermann | Nur jetzt nicht den Glauben verlieren! |
| Babette | Jetzt warten wir schon eine halbe Ewigkeit. |

*Der Säugling schreit.*

Und jetzt wieder dieser Säugling!

*Der Papagei kreischt.*

Gottlieb?

| | |
|---|---|
| Biedermann | Was denn? |
| Babette | Wieso kommt ein Papagei in den Himmel? |

*Eine Hausklingel klingelt.*

| | |
|---|---|
| Biedermann | Mach mich jetzt nicht nervös, Babette, ich bitte dich. Wieso soll ein Papagei nicht in den Himmel kommen? wenn er schuldlos ist. |

*Die Hausklingel klingelt.*

Was war das?

| | |
|---|---|
| Babette | Unsere Hausklingel. |
| Biedermann | Wer kann das nur sein? |

*Man hört alles zusammen: Säugling, Hausklingel, Papagei.*

| | |
|---|---|
| Babette | Wenn bloß dieser Papagei nicht wär! und dieser Säugling dazu! Das halt ich nicht aus, Gottlieb, ein solches Gekreisch in Ewigkeit – wie in einer Siedlung. |
| Biedermann | Still! |
| Babette | Das können sie uns nicht zumuten! |
| Biedermann | Beruhige dich. |
| Babette | Das ist unsereins nicht gewohnt. |
| Biedermann | Wieso sollten wir nicht im Himmel sein? All unsere Bekannten sind im Himmel, sogar mein Rechtsanwalt. Zum letzten Mal: Das kann nur der Himmel sein. Was sonst! Das muß der Himmel sein. Was hat unsereiner denn getan? |

*Die Hausklingel klingelt.*

| | |
|---|---|
| Babette | Sollten wir nicht aufmachen? |

*Die Hausklingel klingelt.*

Wieso haben die unsere Klingel?
*Die Hausklingel klingelt.*
Vielleicht ein Engel ...
*Die Hausklingel klingelt.*

Biedermann   Ich bin schuldlos! – ich habe Vater und Mutter geehrt, das weißt du, vor allem Mama, das hat dich oft genug verärgert. Ich habe mich an die Zehn Gebote gehalten, Babette, zeit meines Lebens. Ich habe mir nie ein Bild von Gott gemacht, das schon gar nicht. Ich habe nicht gestohlen; wir hatten immer, was wir brauchten. Und ich habe nicht getötet. Ich habe am Sonntag nie gearbeitet. Ich habe nie das Haus meiner Nachbarn begehrt, oder wenn ich es begehrte, dann habe ich's gekauft. Kaufen wird man wohl dürfen! Und ich habe nie bemerkt, daß ich lüge. Ich habe keinen Ehebruch begangen, Babette, also wirklich nicht – verglichen mit andern! ... Du bist mein Zeuge, Babette, wenn ein Engel kommt: Ich hatte einen einzigen Fehler auf Erden, ich war zu gutherzig, mag sein, einfach zu gutherzig.
*Der Papagei kreischt.*

Babette   Verstehst du, was er ruft?
*Der Papagei kreischt.*

Biedermann   Hast du getötet? Ich frag ja bloß. Hast du es mit andern Göttern gehabt? Das bißchen Yoga. Hast du, Babette, einen Ehebruch begangen?

Babette   Mit wem?

Biedermann   Also. –
*Die Hausklingel klingelt.*
Wir müssen im Himmel sein.
*Auftritt Anna in Häubchen und Schürzchen.*

Babette   Wieso ist Anna im Himmel?
*Anna wandelt vorbei, ihr Haar ist lang und giftgrün.*
Hoffentlich hat sie's nicht gesehen, Gottlieb, daß du die Streichhölzchen gegeben hast. Sie ist imstand und meldet es.

Biedermann   Streichhölzchen!

Babette   Ich habe dir gesagt, daß es Brandstifter sind, Gottlieb, schon in der ersten Nacht –

*Auftreten Anna und der Polizist, der weiße Flügelchen
trägt.*

Anna   Ich will ihn rufen.

*Anna geht hinaus, und der Engel-Polizist wartet.*

Biedermann   Siehst du?

Babette   Was?

Biedermann   Ein Engel.

*Der Polizist salutiert.*

Babette   Ich habe mir die Engel anders vorgestellt.

Biedermann   Wir sind nicht im Mittelalter.

Babette   Hast du dir die Engel nicht anders vorgestellt?

*Der Polizist dreht sich um und wartet.*

Sollen wir knien?

Biedermann   Frag ihn, ob hier der Himmel ist.

*Biedermann ermuntert die zögernde Babette durch
Nicken.*

Sag ihm, wir warten schon eine halbe Ewigkeit.

*Babette nähert sich dem Polizisten.*

Babette   Mein Mann und ich –

Biedermann   Sag ihm, wir sind Opfer.

Babette   Mein Mann und ich sind Opfer.

Biedermann   Unsere Villa ist eine Ruine.

Babette   Mein Mann und ich –

Biedermann   Sag's ihm!

Babette   – eine Ruine.

Biedermann   Was unsereiner durchgemacht hat, das kann er sich ja
nicht vorstellen. Sag's ihm! Wir haben alles verloren.
Sag's ihm! Dabei sind wir schuldlos.

Babette   Das können Sie sich ja nicht vorstellen.

Biedermann   Was unsereiner durchgemacht hat.

Babette   Mein ganzer Schmuck ist geschmolzen!

Biedermann   Sag's ihm, daß wir schuldlos sind.

Babette   Dabei sind wir schuldlos.

Biedermann   – verglichen mit andern!

Babette   – verglichen mit andern.

*Der Engel-Polizist nimmt sich eine Zigarre.*

Polizist   Haben Sie Streichhölzchen?

*Biedermann erbleicht.*

Biedermann   Ich? Streichhölzchen? Wieso?
          *Eine mannshohe Stichflamme schlägt aus dem Boden.*
    Polizist   Hier ist ja Feuer, danke, das genügt.
          *Babette und Biedermann starren auf die Stichflamme.*
    Babette   Gottlieb –
Biedermann   Still!
    Babette   Was soll das bedeuten?
          *Auftritt eine Meerkatze.*
  Meerkatze   Was gibt es denn?
    Polizist   Ein paar Verdammte.
          *Meerkatze setzt sich eine Brille auf.*
    Babette   Gottlieb, den kennen wir doch?
Biedermann   Woher?
    Babette   Unser Dr. phil.
          *Meerkatze nimmt die Rapporte und blättert.*
  Meerkatze   Wie geht's euch da oben?
    Polizist   Man kann nicht klagen, niemand weiß, wo Gott wohnt,
          aber allen geht es gut, man kann nicht klagen – danke.
  Meerkatze   Wieso kommen die zu uns?
          *Der Polizist blickt in die Rapporte.*
    Polizist   Freidenker.
          *Meerkatze hat zehn Stempel und stempelt jedesmal.*
  Meerkatze   DU SOLLST KEINE ANDEREN GÖTTER...
    Polizist   Ein Arzt, der eine falsche Spritze gespritzt hat.
  Meerkatze   DU SOLLST NICHT TÖTEN.
    Polizist   Ein Direktor mit sieben Sekretärinnen.
  Meerkatze   DU SOLLST DICH NICHT LASSEN GELÜSTEN.
    Polizist   Eine Abtreiberin.
  Meerkatze   DU SOLLST NICHT TÖTEN.
    Polizist   Ein besoffener Motorfahrer.
  Meerkatze   DU SOLLST NICHT TÖTEN.
    Polizist   Flüchtlinge.
  Meerkatze   Was ist ihre Sünde?
    Polizist   Hier: 52 Kartoffeln, 1 Regenschirm, 2 Wolldecken.
  Meerkatze   DU SOLLST NICHT STEHLEN.
    Polizist   Ein Steuerberater.
  Meerkatze   DU SOLLST KEIN FALSCHES ZEUGNIS...
    Polizist   Noch ein besoffener Motorfahrer.

*Meerkatze stempelt wortlos.*
Noch ein Freidenker.
*Meerkatze stempelt wortlos.*
Sieben Partisanen. Sie kamen fälschlicherweise in den
Himmel, jetzt hat sich herausgestellt, sie haben geplün-
dert, bevor sie gefangen und an die Wand gestellt und
erschossen worden sind.

Meerkatze    Hm.

Polizist    Geplündert ohne Uniform.

Meerkatze    DU SOLLST NICHT STEHLEN.

Polizist    Noch eine Abtreiberin.

Meerkatze    DU SOLLST NICHT TÖTEN.

Polizist    Und das ist der Rest.

Meerkatze    DU SOLLST NICHT EHEBRECHEN.
*Meerkatze stempelt mindestens dreizehn Rapporte.*
Wieder nichts als Mittelstand! Der Teufel wird eine Freude
haben. Wieder nichts als Halbstarke! Ich wage es dem
Teufel kaum noch zu melden. Wieder keine einzige Persönlichkeit, die man kennt! Kein einziger Minister, kein
einziger Marschall –

Polizist    Tha.

Meerkatze    Begleiten Sie die Leutchen hinunter, unser Beelzebub hat
schon geheizt, glaube ich, oder er ist dabei.
*Polizist salutiert und geht.*

Babette    Gottlieb – wir sind in der Hölle!

Biedermann    Schrei nicht!

Babette    Gottlieb –
*Babette bricht in Schluchzen aus.*

Biedermann    Herr Doktor?

Meerkatze    Sie wünschen?

Biedermann    Das muß ein Irrtum sein... Das kommt nicht in Frage...
Das muß geändert werden... Wieso kommen wir in die
Hölle, meine Frau und ich?
*Zu Babette:*
Beruhige dich, Babette, das muß ein Irrtum sein –
*Zur Meerkatze:*
Kann ich mit dem Teufel sprechen?

Babette    Gottlieb –

| | |
|---|---|
| Biedermann | Kann ich mit dem Teufel sprechen? |
| | *Meerkatze weist ins Leere, als wären Sessel da.* |
| Meerkatze | Nehmen Sie Platz. |
| | *Biedermann und Babette sehen keine Sessel.* |
| | Worum handelt es sich? |
| | *Biedermann nimmt Ausweise hervor.* |
| | Was soll das? |
| Biedermann | Mein Führerschein. |
| Meerkatze | Brauchen wir nicht. |
| | *Meerkatze gibt die Ausweise zurück, ohne sie anzusehen.* |
| | Ihr Name ist Biedermann? |
| Biedermann | Ja. |
| Meerkatze | Biedermann Gottlieb. |
| Biedermann | Kaufmann. |
| Meerkatze | Millionär. |
| Biedermann | – woher wissen Sie das? |
| Meerkatze | Wohnhaft Rosenweg 33. |
| Biedermann | – ja . . . |
| Meerkatze | Der Teufel kennt Sie. |
| | *Babette und Biedermann geben sich einen Blick.* |
| | Nehmen Sie Platz! |
| | *Es kommen zwei verkohlte Sessel auf die Bühne herab.* |
| | Bitte. |
| Babette | Gottlieb – unsere Sessel! |
| Meerkatze | Bitte. |
| | *Biedermann und Babette setzen sich.* |
| | Sie rauchen? |
| Biedermann | Nicht mehr. |
| Meerkatze | Ihre eignen Zigarren, Herr Biedermann . . . |
| | *Meerkatze nimmt sich eine Zigarre.* |
| | Sie sind verbrannt? |
| Biedermann | Ja. |
| Meerkatze | Hat es Sie verwundert? |
| | *Sieben mannshohe Stichflammen schießen aus dem Boden.* |
| | Danke, ich habe Streichhölzchen. |
| | *Meerkatze zündet sich die Zigarre an und raucht.* |
| | Kurz und gut, was wünschen Sie? |
| Biedermann | Wir sind obdachlos. |

Meerkatze  Wollen Sie ein Stück Brot?
Babette  – Brot?
Meerkatze  Oder ein Glas Wein?
Biedermann  Wir sind obdachlos!
*Meerkatze ruft.*
Meerkatze  Anna!
*Meerkatze raucht.*
Babette  Wir wollen nicht Brot und Wein –
Meerkatze  Nein?
Babette  Wir sind keine Bettler –
Biedermann  Wir sind Opfer.
Babette  Wir wollen keine Barmherzigkeit!
Biedermann  Wir sind das nicht gewohnt.
Babette  Wir haben das nicht nötig!
*Anna tritt auf.*
Anna  Bitte sehr?
Meerkatze  Sie wollen keine Barmherzigkeit.
Anna  Sehr wohl.
*Anna geht.*
Biedermann  Wir wollen unser Recht.
Babette  Wir hatten ein Eigenheim.
Biedermann  Unser gutes und schlichtes Recht.
Babette  Unser schlichtes und gutes Eigenheim.
Biedermann  Wir fordern Wiedergutmachung!
*Meerkatze entfernt sich nach Art von Sekretären wortlos*
Babette  Wieso meint er, daß der Teufel dich kennt?
Biedermann  Keine Ahnung...
*Eine Standuhr schlägt.*
Babette  Gottlieb – unsere Standuhr!
*Die Standuhr hat neun geschlagen.*
Biedermann  Wir haben Anspruch auf alles, was verbrannt ist. Wir
waren versichert. Ich werde nicht ruhen, bis alles wieder-
hergestellt ist, glaub mir, so wie es war.
*Meerkatze kommt von links zurück.*
Meerkatze  Augenblick, Augenblick.
*Meerkatze geht nach rechts hinaus.*
Biedermann  Die Teufel machen sich wichtig!
Babette  Scht!

Biedermann  Es ist aber wahr! Es fehlt jetzt nur noch, daß sie Finger-abdrücke verlangen. Wie in einem Konsulat! Bloß damit man ein schlechtes Gewissen bekommt.
*Babette legt ihre Hand auf seinen Arm.*

Biedermann  Ich habe kein schlechtes Gewissen, sei getrost, ich reg mich nicht auf, Babette, ich werde ganz sachlich sein, ganz sachlich.
*Der Papagei kreischt.*
Ganz sachlich!

Babette  Und wenn sie nach den Streichhölzchen fragen?

Biedermann  Ich habe sie gegeben. Was weiter! Alle haben Streichhölz-chen gegeben. Fast alle! Sonst wäre nicht die ganze Stadt niedergebrannt, ich hab's ja gesehen, wie das Feuer aus allen Dächern schlug. Auch bei Hofmanns! Auch bei Karl! Auch bei Professor Mohr! – ganz abgesehen davon, daß ich in Treu und Glauben gehandelt habe!

Babette  Reg dich nicht auf.

Biedermann  Ich bitte dich: Wenn wir, du und ich, keine Streichhölz-chen gegeben hätten, du meinst, das hätte irgend etwas geändert an dieser Katastrophe?

Babette  Ich habe keine gegeben.

Biedermann  Und überhaupt – man kann doch nicht alle, wenn alle dasselbe tun, in die Hölle werfen!

Babette  Wieso nicht?

Biedermann  Ein bißchen Gnade wird's wohl noch geben . . .
*Meerkatze kommt zurück.*

Meerkatze  Bedaure! Der Herr der Unterwelt ist noch nicht da. Es sei denn, die Herrschaften wollen mit Beelzebub sprechen?

Babette  Beelzebub?

Meerkatze  Der ist hier.

Biedermann  Beelzebub?

Meerkatze  Der stinkt aber. Wissen Sie, das ist der mit dem Pferde-fuß und mit dem Bocksschwanz und mit den Hörnern. Sie kennen ihn! Aber der kann nicht viel helfen, Madame, ein armer Teufel wie Sepp.

Biedermann  – – – Sepp?
*Babette ist aufgesprungen.*
Setz dich!

| | |
|---|---|
| Babette | Hab ich's dir nicht gleich gesagt, Gottlieb, schon in der ersten Nacht – |
| Biedermann | Schweig! |

*Biedermann gibt ihr einen Blick, so daß Babette sich setzt.*

Meine Frau war herzkrank.

| | |
|---|---|
| Meerkatze | Ach. |
| Biedermann | Meine Frau konnte oft nicht schlafen. Dann hört man Gespenster aller Art. Aber bei Tageslicht, Herr Doktor, hatten wir keinen Grund zu irgendeinem Verdacht, ich schwöre es Ihnen, nicht eine Sekunde lang . . . |

*Babette gibt Biedermann einen Blick.*

| | |
|---|---|
| Biedermann | Also ich nicht! |
| Babette | Warum hast du sie denn auf die Straße werfen wollen, Gottlieb, eigenhändig und mitten in der Nacht? |
| Biedermann | Ich hab sie ja nicht hinausgeworfen! |
| Babette | Eben. |
| Biedermann | Und warum, zum Teufel, hast du ihn denn nicht hinausgeworfen? |
| Babette | Ich? |
| Biedermann | Statt ihm ein Frühstück zu geben mit Marmelade und Käse, du mit deinen weichen Eiern, ja, du! |

*Meerkatze raucht die Zigarre.*

Kurz und gut, Herr Doktor, wir hatten damals keine Ahnung, was in unserem Haus vorging, einfach keine Ahnung –

*Man hört eine Fanfare.*

| | |
|---|---|
| Meerkatze | Vielleicht ist er das? |
| Babette | Wer? |
| Meerkatze | Der Herr der Unterwelt. |

*Man hört eine Fanfare.*

Er ist zum Himmel gefahren, und es kann sein, daß er sehr vermiest ist, wir haben ihn schon gestern erwartet, es scheint wieder eine zähe Verhandlung gewesen zu sein.

| | |
|---|---|
| Biedermann | Meinetwegen? |
| Meerkatze | Wegen dieser letzten Amnestie . . . |

*Meerkatze flüstert Biedermann ins Ohr.*

| | |
|---|---|
| Biedermann | Das hab ich gelesen. |

Meerkatze   Und was sagen denn Sie dazu?
*Meerkatze flüstert Biedermann ins Ohr.*
Biedermann   Das versteh ich nicht.
*Meerkatze flüstert Biedermann ins Ohr.*
Wieso?
*Meerkatze flüstert Biedermann ins Ohr.*
Glauben Sie?
Meerkatze   Wenn der Himmel sich nicht an die Zehn Gebote hält –
Biedermann   Hm.
Meerkatze   Ohne Himmel keine Hölle!
Biedermann   Hm.
Meerkatze   Darum geht die Verhandlung!
Biedermann   Um die Zehn Gebote?
Meerkatze   Ums Prinzip.
Biedermann   Hm.
Meerkatze   Wenn der Himmel meint, daß die Hölle sich alles gefallen läßt –
*Meerkatze flüstert Biedermann ins Ohr.*
Biedermann   Streik –?
*Meerkatze flüstert Biedermann ins Ohr.*
Glauben Sie?
Meerkatze   Ich weiß es nicht, Herr Biedermann, ich sage bloß, es ist möglich. Sehr möglich. Je nach Ergebnis dieser Verhandlung –
*Man hört Fanfaren.*
Er kommt!
*Meerkatze entfernt sich.*
Babette   Was hat er denn gesagt?
Biedermann   Es ist möglich, sagt er, sehr möglich, daß niemand mehr in die Hölle gelassen wird. Von heut an. Verstehst du: Überhaupt niemand mehr.
Babette   Wieso?
Biedermann   Weil die Hölle streikt.
*Die Hausklingel klingelt.*
Die Teufel, sagt er, sind außer sich. Sie fühlen sich betrogen, sie haben auf eine Reihe von Persönlichkeiten gehofft, die der Himmel, scheint es, allesamt begnadigt, und die Teufel weigern sich, meint er, unter diesen Bedingungen

noch eine Hölle zu führen. Man spreche von einer Höllenkrise.

*Anna kommt von links und geht nach rechts hinaus.*

Wieso ist Anna in der Hölle?

Babette  Sie hat mir ein Paar Strümpfe gestohlen. Ich wagte es dir damals nicht zu sagen. Ein Paar neue Nylon-Strümpfe.

*Anna kommt und führt die Witwe Knechtling herein.*

Anna  Nehmen Sie Platz. Aber wenn Sie die Witwe Knechtling sind, machen Sie sich keine Hoffnung: Ihr Mann ist Selbstmörder. Nehmen Sie Platz! Aber machen Sie sich keine Hoffnung.

*Anna geht, und die Witwe Knechtling steht, es ist kein Sessel da.*

Babette  Was will denn die hier?

*Biedermann nickt sauer-freundlich hinüber.*

Die will uns anzeigen, Gottlieb . . .

*Babette nickt sauer-freundlich hinüber.*

Biedermann  Soll sie!

*Man hört wieder Fanfaren, jetzt näher als das erste Mal.*

Das ist ja Unsinn. Warum hat Knechtling nicht eine Woche gewartet und gesprochen mit mir, Herrgottnochmal, in einem günstigen Augenblick? Ich konnte ja nicht wissen, daß Knechtling sich tatsächlich unter den Gasherd legt, Herrgottnochmal, wegen einer Kündigung.

*Man hört Fanfaren noch näher.*

Also ich hab keine Angst.

*Man hört Fanfaren noch näher.*

Streichhölzchen! Streichhölzchen!

Babette  Vielleicht hat's niemand gesehen.

Biedermann  Ich verbitte mir dieses Getue wegen einer Katastrophe. Katastrophen hat's immer gegeben! – und überhaupt: Schau einer sich unsere Stadt an! Alles aus Glas und verchromt! Ich muß schon sagen, einmal offen gesprochen, es ist ein Segen, daß sie niedergebrannt ist, geradezu ein Segen, städtebaulich betrachtet –

*Man hört Fanfaren, dann Orgel, in großer und feierlicher Haltung erscheint eine prunkvolle Figur, ungefähr wie ein Bischof gekleidet, aber nur ungefähr. Biedermann und*

*Babette knien an der Rampe nieder. Die Figur steht in der Mitte.*

Figur   Anna?

*Die Figur zieht langsam die violetten Handschuhe aus.*

Ich komme geradenwegs vom Himmel.

Biedermann   Hörst du?

Figur   Es ist hoffnungslos.

*Die Figur wirft den ersten Handschuh hin.*

Anna!

*Die Figur zieht langsam den andern Handschuh ab.*

Ich zweifle, ob es der wahre Himmel ist, was ich gesehen habe, sie behaupten es, aber ich zweifle ... Sie tragen Orden, und es riecht nach Weihrauch aus allen Lautsprechern. Eine Milchstraße von Orden habe ich gesehen, ein Fest, daß es dem Teufel graust: All meine Kunden habe ich wiedergesehen, meine Großmörder alle, und die Engelein kreisen um ihre Glatzen, man grüßt sich, man wandelt und trinkt Halleluja, man kichert vor Begnadigung – die Heiligen schweigen auffallend, denn sie sind aus Stein oder Holz, Leihgaben, und die Kirchenfürsten (ich habe mich unter die Kirchenfürsten gemischt, um zu erfahren, wo Gott wohnt) schweigen auch, obschon sie nicht aus Stein oder Holz sind ...

*Die Figur wirft den Handschuh hin.*

Anna?

*Die Figur nimmt die Kopftracht ab, es ist Eisenring.*

Ich habe mich verkleidet. Und die an der Macht sind da oben und sich selbst begnadigen, siehe, sie haben mich nicht erkannt: – Ich habe sie gesegnet.

*Auftreten Anna und Meerkatze, die sich verneigen.*

Man enthülle mich!

*Die Figur, nach wie vor in großer Haltung, streckt beide Arme aus, damit die vier seidenen Gewänder aufgeknöpft werden können, ein erstes: silberweiß, ein zweites: golden, ein drittes: violett, ein letztes: blutrot. Die Orgel verstummt. Biedermann und Babette knien an der Rampe.*

Man bringe meinen Frack.

Anna   Sehr wohl.

Figur    Und meine Perücke als Oberkellner.
         *Sie lösen das erste Gewand ab.*
         Ich zweifle, ob es der liebe Gott ist, der mich empfangen
         hat: – Er weiß alles, und wenn er die Stimme erhebt, so
         sagt er genau, was in den Zeitungen steht, wörtlich.
         *Der Papagei kreischt.*
         Wo ist Beelzebub?

Meerkatze    Bei den Heizkesseln.

Figur    Er soll erscheinen.
         *Es wird plötzlich sehr rot.*
         Wieso dieser Feuerschein?

Meerkatze    Er heizt. Soeben sind ein paar Verdammte eingetroffen –
         nichts Namhaftes, nein, so das Übliche . . .
         *Sie lösen das zweite Gewand ab.*

Figur    Er soll die Heizkessel löschen.

Meerkatze    Löschen?

Figur    Löschen.
         *Der Papagei kreischt.*
         Wie geht's meinem Papagei?
         *Die Figur bemerkt Biedermann und Babette.*
         Fragt die Leut, warum sie beten.

Meerkatze    Sie beten nicht.

Figur    Aber sie knien –

Meerkatze    Sie wollen ihr Eigenheim.

Figur    Was wollen sie?

Meerkatze    Wiedergutmachung.
         *Der Papagei kreischt.*

Figur    Ich liebe meinen Papagei. Das einzige Lebewesen, das
         nicht seine Schlagwörter wechselt! Ich fand es in einem
         brennenden Haus damals. Ein treues Biest! Ich will es auf
         meine rechte Schulter setzen, wenn ich wieder auf die
         Erde geh.
         *Sie lösen das dritte Gewand ab.*
         Und jetzt, Mädelchen, meinen Frack!

Anna    Sehr wohl.

Figur    Und Sie, Doktor, holen die Fahrräder. Sie erinnern sich?
         Die zwei verrosteten Fahrräder.
         *Meerkatze und Anna verneigen sich und gehen.*

Biedermann   Willi! – das ist er doch? ... Ich bin der Gottlieb, euer
             Freund – Willi, erinnerst du dich nicht?
             *Die Figur löst das vierte und letzte Gewand ab.*
Babette      Wir sind schuldlos, Herr Eisenring. Wieso kommen wir
             zu Ihnen, Herr Eisenring? Wir sind Opfer, Herr Eisen-
             ring. Mein ganzer Schmuck ist geschmolzen –
             *Die Figur steht in Hemd und Socken.*
Biedermann   Warum tut er, als kenne er uns nicht?
Babette      Er schämt sich, schau nicht hin!
             *Anna bringt die Frackhosen.*
Figur        Danke, Mädelchen, danke sehr.
             *Anna will gehen.*
             Anna!
Anna         Bitte sehr.
Figur        Bringen Sie zwei Kissen aus Samt.
Anna         Sehr wohl.
Figur        Für die Herrschaften, die knien.
Anna         Sehr wohl.
             *Anna geht hinaus, und die Figur steigt in die Frackhose.*
Biedermann   Willi –
Babette      Sie erinnern sich an uns, Herr Eisenring, ganz bestimmt,
             meine Gans war Klasse, das sagten Sie selbst.
Biedermann   Gans und Pommard!
Babette      Gefüllt mit Kastanien.
Biedermann   Und Rotkraut dazu.
Babette      Und candle-light, Herr Eisenring, candle-light!
Biedermann   Und wie wir zusammen gesungen haben –
Babette      Ach ja.
Biedermann   Erinnerst du dich wirklich nicht?
Babette      Es war ein reizender Abend.
Biedermann   Neunundvierziger, Willi, Cave de l'Echannon! Die beste
             Flasche aus meinem Keller. Willi? Hab ich nicht alles
             gegeben, damit wir Freunde werden?
             *Die Figur wischt über die Frackhosen.*
             Du bist mein Augenzeuge, Babette: Hab ich nicht alles
             gegeben, was ich im Haus hatte?
Babette      Sogar die Streichhölzchen.
             *Anna bringt zwei rote Kissen aus Samt.*

Figur   Danke, Mädelchen, danke sehr.
*Anna bringt die Kissen zu Biedermann und Babette.*

Anna   Sonst noch etwas?
*Biedermann und Babette knien auf den roten Kissen.*

Figur   Meine Weste, Mädelchen, meine weiße Weste!

Anna   Sehr wohl.

Figur   Und die Perücke!
*Anna geht, und die Figur bindet sich die Krawatte.*
Cave de l'Echannon –?
*Biedermann nickt und strahlt vor Zuversicht.*
Ich erinnere mich an alles, Gottlieb, sehr genau, wie nur
der Teufel sich erinnert: Du hast angestoßen, um Bruder-
schaft zu trinken mit uns, und hast es nicht lassen kön-
nen – es war peinlich genug! – den Teufel auf die Wange
zu küssen.
*Der Papagei kreischt.*

Biedermann   Wir haben nicht gewußt, Willi, daß ihr die Teufel seid.
Ehrenwort! Wenn wir gewußt hätten, daß ihr wirklich
die Teufel seid –
*Auftritt Sepp als Beelzebub mit Pferdefuß, Bocksschwanz
und Hörnern; dazu trägt er eine große Kohlenschaufel.*

Beelzebub   Was ist denn los?!

Figur   Brüll nicht.

Beelzebub   Wieso kleidest du dich um?

Figur   Wir müssen wieder auf die Erde, Sepp.
*Anna bringt die weiße Weste.*
Danke, Mädelchen, danke sehr.
*Die Figur zieht die Weste an.*
Hast du die Heizkessel gelöscht?

Beelzebub   Nein.

Figur   Tu, was ich dich heiße.
*Der Feuerschein wird stärker als zuvor.*

Beelzebub   Die Kohle ist drin! . . .
*Anna bringt den Frack.*

Figur   Augenblick, Mädelchen, Augenblick!
*Die Figur knöpft die Weste.*
Ich bin im Himmel gewesen –

Beelzebub   Und?

Figur   Ich habe verhandelt und verhandelt, ich habe alles versucht und nichts erreicht. Sie geben keinen einzigen heraus. Es ist hoffnungslos.

Beelzebub   Keinen einzigen?

Figur   Keinen einzigen.
*Anna hält den Frack.*

Figur   Doktor?

Meerkatze   Zu Diensten.

Figur   Rufen Sie die Feuerwehr.
*Meerkatze verneigt sich und geht.*

Beelzebub   Sie geben keinen einzigen heraus?!

Figur   Wer eine Uniform trägt oder getragen hat, als er tötete, oder zu tragen verspricht, wenn er tötet oder zu töten befiehlt, ist gerettet.

Beelzebub   – gerettet?!

Figur   Brüll nicht.

Beelzebub   – gerettet!?
*Man hört das Echo von oben.*

Echo   Gerettet.

Figur   Hörst du's?

Echo   Gerettet. Gerettet. Gerettet.
*Beelzebub glotzt nach oben.*

Figur   Zieh deinen Plunder ab, Sepp, wir müssen wieder an die Arbeit.
*Auftritt der Chor.*

Chor   Wehe! Wehe! Wehe!

Babette   Gottlieb?

Biedermann   Still!

Babette   Was machen die hier?

Chor   Bürger der Vaterstadt, seht
Unsere Ohnmacht:
Wächter der Vaterstadt einst,
Sorgsam im Löschen geschult,
Trefflichgerüstete, ach,
Sind wir verdammt,
Ewig das Feuer der Hölle zu schauen,
Freundlichgesinnte dem schmorenden Bürger,
Machtlos.

Figur Meine Herrn, löschen Sie die Hölle!
*Der Chor ist sprachlos.*
Ich denk ja nicht daran, eine Hölle zu führen für Bieder-
männer und Intellektuelle, Taschendiebe, Ehebrecher und
Dienstmädchen, die Nylon-Strümpfe gestohlen haben, und
Kriegsdienstverweigerer – ich denk ja nicht daran!
*Der Chor ist sprachlos.*
Worauf warten Sie?

Chor Wir sind bereit.
Sorgsam gerollt sind die Schläuche, die roten,
Alles laut Vorschrift,
Blank ist und sorgsam geschmiert und aus Messing
Jeglicher Haspel,
Jedermann weiß, was zu tun ist,
Blank auch und sorgsam geprüft,
Daß es an Druck uns nicht fehle,
Ist unsere Pumpe,
Gleichfalls aus Messing.

Chorführer Und die Hydranten?

Chor Jedermann weiß, was zu tun ist.

Chorführer Wir sind bereit. –
*Die Figur ordnet sich den Frack.*

Figur Also los.
*Der Feuerschein ist wieder sehr stark.*

Chorführer An die Schläuche!
An die Pumpe!
An die Leiter!
*Die Feuerwehrmänner rennen an ihre Plätze und rufen:*

Chor Bereit.

Chorführer Wir sind bereit.

Figur Bitte.
*Man hört das Zischen der Hydranten, der Feuerschein
läßt nach.*

Meerkatze Also, Herr Biedermann, es ist so, wie ich vermutet habe: –

Figur Doktor!

Meerkatze Bitte sehr.

Figur Unsere Fahrräder!

Meerkatze Sehr wohl.

Figur    Und meine Perücke, Mädelchen, meine Perücke!

Anna    Sehr wohl.

Figur    Und meinen Papagei!

*Meerkatze und Anna gehen.*

Beelzebub    Mein Kinderglaube! Mein Kinderglaube! Du sollst nicht töten, ha, und ich hab's geglaubt. Was machen die aus meinem Kinderglauben!

*Die Figur putzt sich die Fingernägel.*

Ich, Sohn eines Köhlers und einer Zigeunerin, die nicht lesen konnte, sondern nur die Zehn Gebote im Kopf hatte, ich bin des Teufels. Wieso? Bloß weil ich alle Gebote verhöhnt hab. Scher dich zur Hölle, Sepp, du bist des Teufels! das sagten mir alle, und ich habe mich geschert. Ich habe gelogen, weil dann alles besser ging, und wurde des Teufels. Ich habe gestohlen, wo es mich gelüstete, und wurde des Teufels. Ich habe gehurt, was da vorbeikam, siehe, Lediges und Verheiratetes, denn es gelüstete mich, und ich fühlte mich wohl, wenn ich mich gelüsten ließ, und wurde des Teufels.

Und sie fürchteten mich in jedem Dorf, denn ich war stärker als alle, weil ich des Teufels war. Ich stellte ihnen das Bein, wenn sie zur Kirche gingen, denn es gelüstete mich, ich zündete ihre Ställe an, während sie da beteten und sangen, jeden Sonntag, denn es gelüstete mich, und ich lachte über ihren lieben Gott, der mir nicht beikam. Wer fällte die Tanne, die meinen Vater erschlug, am hell-lichten Tag, und meine Mutter, die für mich betete, starb vor Kummer über mich, und ich kam ins Waisenhaus, um es anzuzünden, und in den Zirkus, um ihn anzuzünden, denn es gelüstete mich mehr und mehr, und ich legte Feuer in allen Städten, bloß um des Teufels zu sein – Du sollst! Du sollst nicht! Du sollst! denn wir hatten nicht Zeitung noch Rundfunk da draußen im Wald, sondern bloß eine Bibel, siehe, und so glaubte ich's, daß man des Teufels sei, wenn man tötet und schändet und mordet und jegliches Gebot verhöhnt und ganze Städte mordet – so glaubte ich's! . . .

*Die Figur lacht.*

's ist nicht zum Lachen, Willi!
*Anna bringt die Perücke.*

Figur  Danke, Mädelchen, danke sehr.
*Meerkatze bringt zwei verrostete Fahrräder.*

Beelzebub  's ist nicht zum Lachen, ich möchte kotzen, wenn ich den Lauf der Zeiten seh. Was machen die aus meinem Kinderglauben! Ich kann nicht soviel fressen, wie ich kotzen möchte.
*Die Figur hat sich die Perücke angezogen.*

Figur  Mach dich bereit!
*Die Figur nimmt ein verrostetes Fahrrad.*

Ich brenne darauf, meine alte Kundschaft wiederzusehen, die feinen Leut, die niemals in die Hölle kommen, und sie von neuem zu bedienen – ich brenne drauf! ... Noch einmal Funken und prasselnde Flammen, Sirenen, die immer zu spät sind, Hundegebell und Rauch und Menschenschrei – und Asche!
*Beelzebub schnallt sich den Bocksschwanz ab.*

Figur  Bist du bereit?

Beelzebub  Augenblick –
*Die Figur schwingt sich auf den Sattel und klingelt.*
Ich komm ja schon.
*Beelzebub schnallt sich den Pferdefuß ab.*

Chorführer  Pumpe halt!
Schläuche nieder!
Wasser halt!
*Der rote Feuerschein verschwindet gänzlich.*

Figur  Bereit?
*Beelzebub nimmt sich das andere Fahrrad.*

Beelzebub  Bereit!
*Beelzebub schwingt sich auf den Sattel und klingelt.*

Figur  Und deine Hörner?
*Beelzebub muß noch die Hörner abnehmen.*
Anna?

Anna  Bitte sehr.

Figur  Danke, Mädelchen, danke sehr für alle deine Dienste. Warum bist du mürrisch von früh bis spät? Ein einziges Mal hast du gelacht. Erinnerst du dich? – als wir das

Liedchen sangen vom Fuchs und von der Gans und vom
Schießgewehr.
*Anna lacht.*
Wir werden's wieder singen!

Anna   O bitte!
*Auftritt der Chor.*

Chor   Bürger der Vaterstadt, seht –

Figur   Fassen Sie sich kurz!

Chor   – die Hölle ist gelöscht.

Figur   Danke. –
*Die Figur greift in die Hosentasche.*
Hast du Streichhölzer?

Beelzebub   Ich nicht.

Figur   Ich auch nicht.

Beelzebub   Immer das gleiche!

Figur   Man wird sie uns schenken . . .
*Meerkatze bringt den Papagei.*
Mein Papagei!
*Die Figur setzt sich den Papagei auf die rechte Schulter.*
Damit ich es nicht vergesse, Doktor: Hier werden keine
Seelen mehr angenommen. Sagen Sie den braven Leut-
chen, die Hölle streikt. Und wenn ein Engel uns sucht,
sagen Sie, wir sind auf der Erde.
*Beelzebub klingelt.*
Also los.
*Schmitz und Eisenring fahren los und winken.*

Beide   Alles Gute, Gottlieb, alles Gute!
*Vortritt der Chor.*

Chor   Strahl der Sonne,
Wimper, o göttlichen Auges,
Aufleuchtet noch einmal
Tag –

Chorführer   Über der wiedererstandenen Stadt.

Chor   Halleluja!
*Der Papagei kreischt in der Ferne.*

Babette   Gottlieb?

Biedermann   Still jetzt.

Babette   Sind wir jetzt gerettet?

Biedermann Nur jetzt nicht den Glauben verlieren.
    *Die Witwe Knechtling geht.*
Chor Halleluja!
Babette Die Knechtling ist gegangen –
Chor Schöner denn je
    Wiedererstanden aus Trümmern und Asche
    Ist unsere Stadt,
    Gänzlich geräumt und vergessen ist Schutt,
    Gänzlich vergessen auch sind,
    Die da verkohlten, ihr Schrei
    Aus den Flammen –
Biedermann Das Leben geht weiter.
Chor Gänzlich Geschichte geworden schon sind sie.
    Und stumm.
Chorführer Halleluja!
Chor Schöner denn je,
    Reicher denn je,
    Turmhoch-modern,
    Alles aus Glas und verchromt,
    Aber im Herzen die alte,
    Halleluja,
    Wiedererstanden ist unsere Stadt!
    *Eine Orgel setzt ein.*
Babette Gottlieb?
Biedermann Was denn?
Babette Glaubst du, wir sind gerettet?
Biedermann – ich glaub schon . . .
    *Die Orgel schwillt, Biedermann und Babette knien, der*
    *Vorhang fällt.*

*

Geschrieben 1957/58.

© 1958 by the author.

Uraufführung: Schauspielhaus Zürich am 29. 3. 1958.
Regie: Oskar Wälterlin.

*Zum Bühnenbild:* Ich stelle mir vor, daß das Zimmer (ungefähr vier Meter auf sechs Meter) als Podium erscheint, möglichst ohne Wände; also gegenüber dem sonstigen Bühnenboden erhöht. Die Enge des Zimmers, des eigentlichen Spielraums, wird durch diese Erhöhung angedeutet, ohne daß wir Wände brauchen; es soll eine Bühne auf der Bühne sein, ein Podest, eine Schlachtbank. Natürlich wird die Gefahr von Naturalismen, die naheliegen könnten, dadurch nicht gebannt, wenn der Hauptdarsteller seinerseits nicht Clown genug wäre; die Bühne auf der Bühne – und zwar: Schmalseite des Podiums nach vorn, der alte Bauernschrank steht hinten, rings um dieses Podium ist es leer – gibt dem Hauptdarsteller, der ein Ich-Theater macht, die Möglichkeit, in augenfälliger Weise aus der Szene zu treten, dahin nämlich, wohin die andern Figuren nie gelangen, und dann wieder in die Szene zu steigen. Dieser Wechsel von Szene und Conférence muß selbstverständlich-augenfällig sein.

Die Fabel des Stückes ist als Prosaskizze im »Tagebuch 1946 bis 1949« veröffentlicht. Die Arbeit am Stück wurde 1958 begonnen, im Herbst 1960 wiederaufgenommen und im Herbst 1961 abgeschlossen.

© 1961 Suhrkamp Verlag, Frankfurt am Main.

Das Stück ist dem Schauspielhaus Zürich gewidmet.

Uraufführung: Schauspielhaus Zürich am 2. 11. 1961. Regie: Kurt Hirschfeld.
Deutsche Erstaufführung gleichzeitig bei den Münchner Kammerspielen München (Regie: Hans Schweikart), bei den Städtischen Bühnen Frankfurt am Main (Regie: Harry Buckwitz) und im Düsseldorfer Schauspielhaus Düsseldorf (Regie: Reinhart Spörri) am 20. 1. 1962. Berliner Erstaufführung im Schillertheater am 23. 3. 1962 (Regie: Fritz Kortner).

*Namen:* Die folgenden Namen werden auf der letzten Silbe betont: Barblin, Andri, Prader, Ferrer, Fedri. Hingegen wird auf der ersten Silbe betont: Peider.
*Kostüm:* Das Kostüm darf nicht folkloristisch sein. Die Andorraner tragen heutige Konfektion, es genügt, daß ihre Hüte eigentümlich sind, und sie tragen fast immer Hüte. Eine Ausnahme ist der Doktor, sein Hut ist Weltmode. Andri trägt blue-jeans. Barblin trägt, auch wenn sie zur Prozession geht, Konfektion, dazu einen Schal mit andorranischer Stickerei. Alle tragen weiße Hemden, niemand eine Krawatte, ausgenommen wieder der Doktor. Die Senora, als einzige, erscheint elegant, aber nicht aufgedonnert. Die Uniform der andorranischen Soldaten ist olivgrau. Bei der Uniform der Schwarzen ist jeder Anklang an die Uniform der Vergangenheit zu vermeiden.

*Typen:* Einige Rollen können zur Karikatur verführen. Das sollte unter allen Umständen vermieden werden. Es genügt, daß es Typen sind. Ihre Darstellung sollte so sein, daß der Zuschauer vorerst zur Sympathie eingeladen wird, mindestens zur Duldung, indem alle harmlos erscheinen, und daß er sich immer etwas zu spät von ihnen distanziert, wie in Wirklichkeit.

*Bild:* Das Grundbild für das ganze Stück ist der Platz von Andorra. Gemeint ist ein südländischer Platz, nicht pittoresk, kahl, weiß mit wenigen Farben unter finsterblauem Himmel. Die Bühne soll so leer wie möglich sein. Ein Prospekt im Hintergrund deutet an, wie man sich Andorra vorzustellen hat; auf der Spielfläche steht nur, was die Schauspieler brauchen. Alle Szenen, die nicht auf dem Platz von Andorra spielen, sind davorgestellt. Kein Vorhang zwischen den Szenen, nur Verlegung des Lichts auf den Vordergrund. Es braucht kein Anti-Illusionismus demonstriert zu werden, aber der Zuschauer soll daran erinnert bleiben, daß ein Modell gezeigt wird, wie auf dem Theater eigentlich immer.

## Notizen von den Proben der Zürcher Aufführung

### Die Geste

Beim Sprechen erst – nicht im Leben, wo wir die Menschen meistens schon zu einem gewissen Grad kennen und selbst in die Situation verstrickt sind, uns also in erster Linie auf die Mitteilung selbst ausrichten und erst in zweiter Linie darauf, Menschen zu beobachten; aber auf der Bühne, wo wir nur beobachten und die Menschen beim Aufgehen des Vorhangs überhaupt noch nicht kennen – zeigt sich, wie sehr die Geste vonnöten ist, um die fast uferlose Mißdeutbarkeit unserer Worte einzuschränken. Das schauspielerische Talent: die Geste zu finden, dadurch die Lesart der Worte. Wer schreibt, hält die

Lesart immer schon für gegeben. Er hört von innen, was jetzt von außen hörbar werden muß. Daß unsere Sprache, die geschriebene, immer erst ein Raster der Möglichkeiten darstellt, das ist der Schock der ersten Proben: man findet sich selber mißverständlich. Dann plötzlich eine Geste, und die Figur ist da, die die Worte auf sich zu beziehen vermag, nicht nur die Worte, auch das Schweigen, das in jeder Figur ein so großer Raum ist, aber kein leerer und kein beliebiger Raum sein darf; die Geste, die wir im Leben kaum beachten, die Art schon, wie einer zum Glas greift oder wie er geht, ich sage nicht, daß sie wichtiger ist als die Worte, aber entscheidend dafür, ob die Worte zu einem Menschen gehören, den es gibt, oder ob sie auf der Bühne verloren sind. Dabei kann die Geste, die der Schauspieler anbietet, für den Verfasser sehr unerwartet sein. Nur in wenigen Punkten, oft in nebensächlichen, weiß ich, wie eine Figur sich bewegt; ich kenne die Figur oder meine sie zu kennen, aber erst der Schauspieler zeigt sie mir von außen, und es ist ein Gefühl, wie wenn ein Mensch, dessen Schicksal ich insgeheim kenne und vielleicht sogar besser als er, ins Zimmer tritt, und man wird einander vorgestellt. Ist er's wirklich? Manchmal muß ich auch meine Kenntnis ändern; seine Geste widerlegt mich, belehrt mich, und sein Text (mein Text) hat unrecht. Oder umgekehrt: der Text verwirft die Geste wie von selbst, bis sie stimmt. Text:
Sätze, die ursprünglich in einem andern Kontext gestanden haben, fallen schon bei den ersten Proben heraus; ein richtiger Bezug, ein logischer etwa, genügt noch lange nicht; viele Bezüge (oft sehr unlogische) tragen das Wort, oder genauer gesagt: sie erlauben die Geste, die das Wort trägt. Eine Szene ist bei aller nötigen Bewußtheit doch nur aus der Geste heraus zu schreiben, einer Geste, die ich nicht vormachen kann; aber sie muß dem Text zugrunde liegen, damit er spielbar sei. Dann, wenn er sich als spielbar erweist, staune ich oft über Bezüge, die mir nie bewußt gewesen sind; der Text stimmt, wenn er eine Geste zuläßt, die seine Bezüge umfaßt.

*Der Schrei*

Andri vor der Kammer der Barblin, der Soldat kommt,
Andri schläft; laut Text: nachdem der Soldat seine Stiefel
abgestreift hat, steigt er über Andri hinweg und verschwindet in der finstern Kammer. – Das geht nicht, das
Ausziehen der Stiefel; schon beim bloßen Markieren
denkt man an Fußschweiß. Überhaupt hängt von dieser
Pantomime, wie der Soldat über den schlafenden Andri
in die Kammer kommt, vieles ab. Hat Barblin ihn bestellt? Oder kann der Soldat auch nur hoffen, daß sie
ihn uneingestandenerweise erwartet? Da kein Text gesprochen wird, ist alles offen. Kommt der Soldat zum
erstenmal? Als Vergewaltiger? Oder ist das schon ein
Brauch (nur Andri und wir wissen's noch nicht, was sich
tut) mit Einverständnis? Der stumme Gang, den der Soldat hier zu spielen hat, entscheidet über das Wesen der
Barblin. Ein lehrreicher Fall: Barblin, in dieser Szene
nicht sichtbar, kann vorher und nachher spielen, wie sie
will, unsere Meinung über sie wird entstehen in einer
Szene, da sie selbst nicht auf der Bühne ist, also ohnmäch-
tig, in einer Pantomime zudem, also zwischen den Zei-
len. Die Schauspielerin Barblin ist dem Schauspieler Soldat ausgeliefert. Ob sie eine Hure ist, schnöd, oder eine
Verzweifelte, die es in eine Art von Selbstzerstörung
drängt, oder nur ein Opfer, eine Vergewaltigte, hier wird
es nicht gesagt, aber gezeigt, und das Gezeigte wird stärker als das Gesagte oder Verschwiegene. Ich habe am
Schreibtisch gewußt, wie ich's meine, aber nicht, daß hier,
im Gang des Soldaten, ganz andere Meinungen aufkom-
men können. Wir machen es so: der Soldat, als er den
schlafenden Andri sieht, erschrickt, zögert, sieht sich um,
zeigt, daß er zum erstenmal hier ist, ein dreister Ein-
brecher, ängstlich, daß er ertappt werde; aber Andri
schläft, der Soldat hat sich soweit genähert, daß er, wenn
Andri jetzt erwacht, jedenfalls ertappt wäre, Pech, dazu
Neugierde, ob es wirklich die Kammer der Barblin ist,
er versucht die Türe lautlos zu öffnen, dazu muß er über
Andri hinwegschreiten, Girren der Türe, jetzt ist er schon

soweit, daß er, verlockt vom Gelingen, aber nicht ohne einen bänglichen Blick in die finstere Kammer, wo er nicht weiß, was ihn erwartet, plötzlich in ihre Kammer tritt, atemlos, Flucht ins Dunkle, Stille, und so weiter.

Ferner:

Am Schluß derselben Szene, als Andri die Türe aufsprengen will, hat Barblin, laut Buch, einen Schrei auszustoßen. – Auch das geht nicht. Die Schauspielerin, die hinter der Wand steht, um diesen Schrei zu liefern, ist unglücklich, ohne zu wissen warum. Es sei ihr nicht wohl bei diesem Schrei, und sie hat recht. Wir sitzen vorne und erleben (einmal mehr) den Unterschied zwischen Bühne und Erzählung; dieser Schrei, ausgeführt, hat eine unvermutete Wirkung: ihre Stimme, wie immer sie sei, liefert den Körper des Mädchens in einem Grad, der jetzt unerträglich ist, der Schrei zieht sie aus, und ich frage mich, wie sie auf dem Bett liegt, das ist unvermeidlich. Das will ich aber nicht wissen; die Szene, jetzt, will etwas andres zeigen: wie Andri sich verraten fühlt, was immer auch da hinten geschehen sein mag oder nicht. (»Barblin schreit«, ein Satz, der in der Erzählung überhaupt keine Leiblichkeit herstellt; als Erzähler brauchte ich ganz andere Sätze, um soviel körperliche Nacktheit zu beschwören, wie der bloße Schrei einer Unsichtbaren, ausgeführt auf der Bühne, es vermag.) Also der Schrei wird gestrichen.

PS.

Nach der Aufführung melden sich Zuschauer bekümmert, was sie von dieser Barblin nun zu halten haben, und wenn die Unklarheit, ob sie den Soldaten hat haben wollen oder nicht, meines Erachtens auch nicht einen Schwerpunkt der Fabel betrifft, so ist sie doch bedauerlich; sie schwächt, wie jede noch so nebensächliche Unklarheit, das Interesse für das Klare und erlaubt dem Zuschauer, daß er sich mit Nebensachen befaßt. Der Schrei, der nicht ging, fehlt nun doch. Ihr Stummbleiben ist mißdeutbar. Ich ändere nochmals: Barblin schreit – aber zu einem andern Zeitpunkt, nicht am Ende der

Szene, sondern kurz nach dem Eintritt des Soldaten, sie
will schreien, der Soldat hält ihr sofort den Mund zu;
das kennzeichnet ihn als Vergewaltiger, ohne daß ihr
Schrei jetzt, bevor etwas geschehen sein kann, die nackte
Leiblichkeit anliefert, und am Schluß der Szene, wenn
der Soldat in die Türe tritt, erscheint er als ein Ein-
brecher, der nicht zu seinem Ziel gekommen ist, gerade
deswegen bösartig.

*Links und rechts*

Als Student hörte ich eine Vorlesung von Professor Wölff-
lin, eine der letzten, die er hielt: Das Links und Rechts
im Bilde. Eine berühmte Radierung von Rembrandt, seitenverkehrt auf die Leinwand projiziert, war ein schla-
gendes Beispiel dafür, daß Links und Rechts nicht vertauschbar sind; abgesehen davon, daß die Komposition
plötzlich nicht mehr überzeugte, vielleicht weil man an
die andere schon gewöhnt ist, das Bild mit den Bäumen
vor dem großen Himmel hatte plötzlich keine Tageszeit
mehr, Abend von der falschen Seite, eine rätselhafte
Wetterstimmung, und so weiter. Ein andres Beispiel liefert bekanntlich der Prado: im Saal, wo das berühmte
Ateliergemälde von Velazquez zu sehen ist, steht in der
Ecke ein Spiegel, und was der Betrachter im Spiegel wie-
dersieht, verblüfft nicht nur durch die Verkleinerung, es
ist ganz einfach nicht mehr das Bild, das lebt, formtreu
und farbtreu, aber in sich selbst verrückt, unselbstver-
ständlich, zufällig, beliebig. Es gibt eine Richtung des
Lesens, des Schauens, eine Richtung des Eintritts und eine
Richtung des Austritts, das heißt nicht, daß die Bewegung im Bild nicht widerläufig sein kann, aber dann ist
sie anders eben dadurch, daß sie widerläufig ist; wie ein
Mensch sich anders bewegt, ob er mit dem Wind oder
gegen den Wind geht. In der Architektur dasselbe; jeder
Photomacher weiß, daß eine berühmte Baugruppe, seitenverkehrt kopiert, manchmal kaum wieder zu erkennen ist, und nicht nur das, sondern vor allem: dieselbe
Treppe, die von links oben nach rechts unten fällt (jeder

Betrachter wird sagen, sie führe von oben nach unten),
steigt im seitenverkehrten Bild von links unten nach
rechts oben (jeder Betrachter wird sagen, die Treppe
steige), und das wiederum bedeutet, daß ich zu den
Menschen, die sich auf der Treppe bewegen, ein andres
Verhältnis habe ... Dasselbe gilt auf der Bühne. Es gibt
Schauspieler, die das spüren. Heute ein gutes Beispiel:
eine kleine Szene, die eigentlich keine ist, nicht unwich-
tig, aber eine Szene, die nicht aus Handlung, sondern nur
aus Mitteilung und Frage besteht, also nicht durch Bewegung auffallen soll, wird aus überzeugenden Gründen
probeweise umgestellt, nicht in Bewegung gebracht, nur
seitenverkehrt gestellt – und es ist schlecht, man erwartet jetzt Handlung, die nicht kommt, und sieht nur, daß
keine Szene entsteht, und die Mitteilung fällt durch, wie
trefflich sie auch gesprochen würde; man vermißt, was
nicht gewollt ist; man ist ungeduldig und unbefriedigt,
weil die Stellung jetzt, wenn auch noch so reglos, schon
Bewegung enthält und Bewegung erwarten läßt. Also:
man muß auf die erste Stellung zurück. Hirschfeld hatte
recht. Die unbewußte Empfindung hatte recht.

*Der Pfahl*
Lange Zeit, jahrelang, wollte ich, um die große Form
herzustellen, einen Häftling am Pfahl – als chorisches
Element durch das ganze Stück: seine Arie der Verzweif-
lung. In der Oper, mag sein, wäre es möglich, aber nicht
im Schauspiel, auch nicht, wenn die Überhöhung durch
Verse hinzukäme. Ich mußte das aufgeben, und es blieb
der leere Pfahl auf der Bühne, wartend auf den Verfolg-
ten, der am Schluß daran gerichtet wird. So das Buch.
Als die Proben begannen, brauchte Hirschfeld nicht lang
zu reden, um mich zu überzeugen, daß die Hinrichtung
des Helden, vorgeführt auf der Bühne, nur eine Schwä-
chung wäre durch Gruseligkeit; wir wissen ja, daß der
Darsteller Peter Brogle nicht getötet wird durch den
Schuß, den wir hören, und es genügt zu wissen, daß
Andri getötet wird. Die Hinrichtung wurde gestrichen;

es blieb der leere Pfahl auf der Bühne. Ich habe auch den Pfahl gestrichen – im Augenblick, da die Bühnenarbeiter ihn hinstellten – und bin froh drum, er hat mich jahrelang viel Arbeit gekostet, viel Text. Aber vor allem: gerade dadurch, daß wir den Pfahl nicht mehr mit Augen sehen, sondern nur noch durch die Worte des bestürzten Vaters, wird der Pfahl wieder, was er sein sollte, Symbol.

## Die Schuhe

Von einem Paar Schuhe, die allein auf der Bühne stehen, verlangt das Stück, daß sie den Verschleppten, dem diese Schuhe gehört haben, gegenwärtig machen. Man stellt die Schuhe hin, und ich bin enttäuscht; die erhoffte Wirkung bleibt aus. (Der Verfasser, wenn er sein Stück zum erstenmal sieht, ist auf viele Ausfälle gefaßt; ich habe mich halt wieder getäuscht . . .) Eines Tages nimmt ein Schauspieler, ein wirklicher, diese Schuhe zur Hand, weil er sie anderswohin stellen soll, und stellt sie nicht nur anderswohin, sondern anders: nicht parallel, sondern verschoben. Wir verstehen den Unterschied erst, als wir ihn sehen. Zwei Schuhe, parallel, sind Schuhe im Kleiderschrank oder im Schaufenster, nichts weiter. Jetzt aber, plötzlich, sind sie mehr: ich sehe Standbein und Spielbein, ich sehe den Menschen, der geholt und getötet worden ist. Rührt seine Schuhe nicht an!

## Stellprobe

Das ist mein achtes Stück, das ich in Proben sehe – mein Kardiogramm verläuft wie immer: Ausschläge großen leichten Entzückens am Anfang der Proben, wenn vieles sich bewährt, wenn die Bühne, jetzt noch im Arbeitslicht und ohne Dekoration, den Plan bewahrheitet. Es ist das Entzücken am Rohbau. Zum Beispiel: Hirschfeld stellt oder setzt die Figuren der ersten Szene auf der Piazza, der Lehrer sitzt, und sein Text verrät noch nicht das Gewicht der Figur, einer unter andern, aber er bleibt sitzen, die andern gehen und kommen und gehen, der Tischler, der Wirt, der Pater, die Tochter, die Prozession. Einmal, im Tasten der ersten Proben, erhebt sich der Darsteller des Lehrers zu einem augenblicklich sinnvollen Gang; es erweist sich als falsch, er muß (das Buch behält hier recht) sitzen bleiben, um zur Achse des kommenden Geschehens zu werden, vorerst nur optisch. Später schreibe ich, vom Angebot des Darstellers beglückt, eine kleine Szene dazu, die nichts andres leistet als eine spätere Wiederholung seines Sitzens am selben Ort, verbunden mit der Wiederholung eines Ganges, den mir der Darsteller (Ernst Schröder) als Grundgestus der Figur angeboten hat. Änderungen im Zustand des Rohbaus, nicht anders als in der Architektur: man sieht und setzt eine Wand ein oder ein Fenster. Der Ablauf des Spiels, so roh es noch ist, regt an. Die neue Szene (sechstes Bild) wird vom Blatt probiert; der Gewinn: die Handlung erfrischt sich, indem einmal nichts geschieht, die Stagnation tut wohl, es geschieht ja nicht immer etwas. Das Nichtige, zeigt sich, verschärft das Wichtige, und so weiter.

Probieren ist herrlich!

*Kostüme*

Ein andrer Darsteller (Rolf Henniger) kommt mit einem Fahrrad und mit einem Taschentuch in der Hand, es genügt, um ihn als Pater zu sehen. Ohne Kostüm; die sorgliche Ohnmacht des guten Willens, die Altjüngferlichkeit eines jungen Geistlichen, er macht es durch Darstellungskunst, und es fehlt nichts. Es ist schön, Spiel, ein lauteres Spiel. Noch sind die Kostüme nicht geschneidert. Er spielt einen Pater, der sich, während er spricht, zur Messe umkleidet: mit Gesten, nichts weiter. Der Sinn ist da; es genügt, daß der Darsteller, in seinem privaten Straßenanzug, eine Bibel zur Hand nimmt und ein Darsteller ist, der seine Figur sieht. (Ich habe ähnliches auch bei Proben fremder Stücke erlebt: ein Orestes spielt die Hauptprobe, da die Schneiderei versagt hat, im Trainingsanzug und ist stärker als alle, die ihm im Kostüm entgegentreten.) Aber dann, nach Wochen des Entzükkens, kommen die Kostüme – es muß ja sein – und damit jedesmal mein Nervenzusammenbruch, obschon die Kostüme, wohlverstanden, durchaus richtig sind, genau wie besprochen. Der Pater kommt in schwarzer Soutane, der Soldat mit Stiefeln und Gurt, und ich komme mir vor wie Kaiser Wilhelm, als er sagte: »Das habe ich nicht gewollt!« Ich kann's nicht fassen. Ihr wart doch so gut, Freunde, fünf Wochen lang! Und übermorgen ist die Premiere. Ich möchte abreisen, nichts mit Theater zu tun haben, ich schweige und schäme mich. So war es jedesmal, ich vergesse es, und dann ist es wieder so, Theater ohne Magie, unwürdig, eine kindische Verstellerei, Mummenschanz, Klamotte – Teo Otto wird mich nicht mißverstehen... Ich finde die Kostüme trefflich, die wir haben. Aber müssen sie sein? Orest im Trainer, das wäre eine Marotte, Hamlet im Frack, alles schon dagewesen. Dennoch träume ich nach diesem Schock (man hat ihn freilich nur, wenn man die Proben gesehen hat und den Verlust an Magie sieht aus dem Vergleich) jedesmal von einem Theater, das um der Wahrheit willen, die nur durch Spiel herzustellen ist, nichts vorgibt; wir wissen's ja, daß nicht ein Pater auftritt, sondern Herr Henniger, nicht ein Soldat, sondern Herr Beck. Vor allem sind es die Kostüme eines Amtes, die mich erschrecken wie etwas Unanständiges, genauer: die Vollständigkeit der Insignien. Verfremdung ist ein Slogan geworden, doch meine ich nichts andres, nichts Neues, wenn ich an die großen (verlorenen) Wirkungen der Proben denke; man müßte dahin zurück, ohne freilich einen »Einfall« daraus zu machen, ohne nouvelle vague, ohne programmatischen Aufhebens, zurück zu der Wirkung: zehn Statisten, teils in Pullovern und teils in Lumberjacks, halten ihre hölzernen und gegen alle Wahrscheinlichkeit mit roter Farbe bemalten Maschinenpistolen, schauerlich. Das Unglaubhafte, beispielsweise ein Schauspieler in einer Bekleidung, die kein Kostüm ist, versehen aber mit einer Krone, um den König zu spielen, ist Theater; alles Weitere, was an königlichem Kostüm hinzukommt, verweist ihn in den Bezirk peinlicher Unglaubwürdigkeit. Brecht hat einmal, zusammen mit Neher, einen Versuch in diese Richtung gemacht, als er die Figuren seiner Antigone in einer Bekleidung auftreten ließ, die nicht bedeutend ist, nur fremd, nämlich in Sacktuch. Die meisten Kostüme nehmen etwas vorweg, verdecken die Figur durch unser Vorurteil und verschütten das Lebendige, das nur durch Wort und Geste zu erspielen ist. Ich weiß nicht, wie man es machen soll; ausgehen von der Erfahrung bei Proben –

### Die Schranke

Das Buch verlangt, daß jeder Andorraner einmal aus der Handlung heraustritt, um sich von heute aus zu rechtfertigen – oder formal gesprochen: um die Handlung, die eben auf der Bühne vor sich geht, in die Ferne zu rücken und dem Zuschauer zu helfen, daß er sie von ihrem Ende her, also als Ganzes, beurteilen kann ... Ja, sagt ein Schauspieler, aber wie wird das dem Zuschauer klar? Wir beraten, was der Verfasser noch nicht bedacht hat, die Machart, daß es keine Conférence wird, sondern daß die Figur sich selbst bleibt, spricht, als stünde sie an einer Zeugenschranke. Also: nehmen wir eine Schranke. Wo soll sie stehen? Der erste Schauspieler, der, nur um zu probieren, mit einer losen Schranke auftritt, überzeugt uns, daß die Schranke nicht verschraubt, sondern lose sein muß; das hebt die Illusion auf, die falsch wäre, die Illusion, daß die Rechtfertigung und die Geschichte gleichzeitig stattfinden. Die Zeitspanne dazwischen läßt sich verdeutlichen durch das Kostüm: der Soldat ist nicht mehr Soldat, sondern erscheint als Zivilist im Regenmantel, den er sich rasch überzieht. Wohin sprechen? Die Andorraner sitzen im Parkett, nicht Richter, sondern ebenfalls Zeugen; der Zeuge, der spricht, wendet sich also nicht an den Zuschauer, sondern spricht parallel zur Rampe. Später dann, bei der Beleuchtungsprobe, ergibt sich ein Weiteres: wenn das Licht von der Szene verschwindet, Dunkel, bis der Scheinwerfer auf den Zeugen fällt, entsteht erstens ein Loch, eine schwarze Pause, zweitens erscheint jetzt der Zeuge (anders als bisher bei

Arbeitslicht, wo es uns gefallen hat) wie in einem metaphysischen Raum, und das ist nicht gemeint. Vorschlag des Bühnenbildners: wir lassen die Szene, die eben zu Ende ist, nicht ins Dunkel fallen, sondern halten sie in gedämpftem Licht, davor der Zeuge im Scheinwerfer. Und man hat genau, was der Verfasser gemeint hat – gemeint, ja, aber nicht in der Machart entworfen – nämlich: Konfrontation des heutigen Zeugen mit dem geschichtlichen Tatort.
Solche Arbeit ist vergnüglich.

*Neuralgische Punkte*
Der betrunkene Soldat schlägt dem »Jud« sein Geld aus der Hand; laut Buch: Andri starrt den Betrunkenen an, dann kniet er aufs Pflaster und sammelt sein Geld. Dazu sagt der Soldat: So ein Jud denkt alleweil nur ans Geld! In diesem Augenblick kennen wir Andri noch kaum; die Art und Weise, wie er nun sein Geld sammelt – gierig oder beiläufig, in seinem Schweigen beschäftigt mit dem Geldverlust oder mit der Kränkung durch Vorurteil – prägt die Figur in wenigen Sekunden, das heißt in diesen Sekunden wird das Vorzeichen zu seinem späteren Text gesetzt. So viele Vorzeichen werden pantomimisch gesetzt! – richtig oder verhängnisvoll ... Regie: ihre besten Leistungen sind unauffällig und bestehen darin, daß der Zuschauer, sofern er klug und willig ist, auf dem laufenden gehalten wird, ohne sich belehrt zu fühlen, wie selbstverständlich.

Gesamtausstattung: Willy Fleckhaus. Gesetzt aus der Linotype-Garamond. Satz und Druck: J. Fink, Stuttgart. Bindearbeit: Karl Hanke, Düsseldorf.

# Inhalt

Von Max Frisch erschienen im Suhrkamp Verlag

Stücke Band 1 und 2
Tagebuch 1946–1949
Stiller. *Roman*
Homo faber. *Ein Bericht*

*Bibliothek Suhrkamp:*
Bin oder die Reise nach Peking. *Erzählung*
Homo faber. *Ein Bericht*
Andorra. *Stück in zwölf Bildern*

*edition suhrkamp:*
Don Juan oder Die Liebe zur Geometrie. *Komödie*
Graf Öderland. *Eine Moritat in zwölf Bildern*
Ausgewählte Prosa. *Nachwort von Joachim Kaiser*

Max Frisch liest Prosa. *Suhrkamp Sprechplatte:*
Isidor. Der andorranische Jude. Tonband

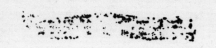